S0-EHD-489

EUGÉNIE GRANDET

PAR

HONORÉ DE BALZAC

PREPARED FOR CLASS USE, WITH INTRODUCTION, NOTES, AND VOCABULARY

BY

T. ATKINSON JENKINS

Professor in the University of Chicago

NEW YORK

HOLT, RINEHART AND WINSTON

April, 1966

30797-0115

PRINTED IN THE UNITED STATES OF AMERICA

PREFACE

The right keynote for America in the next generations, according to President Butler, is "Learn to think internationally." I hope this little book may contribute something toward a better understanding of another people and another language, and hence something toward the wider sympathy which, as President Butler says, is needed to elevate and refine our patriotism. Neither vocational training nor an exclusive diet of the natural sciences will ever form "the international mind."

Balzac's vast repertory of human documents, "rammed with life" as they are, is an admirable instrument to develop young minds by the broadening experience of a life different from their own. But hasty and superficial reading will fail of the effect desired: what the French call *explication de textes*—the patient, sober, precise determination of just what the author meant to convey—must be better known among us if the modern languages are to progress as they should.

Some departure from custom is proposed in the Notes: information on matters of geography, history and biography has been placed in the Vocabulary, whenever these facts had any sort of linguistic handle. There is a separate section for grammatical notabilia. The Notes themselves are nearly all comments, drawn from various sources, on the structure and interpretation of the story: "the play's the thing!" If the pupil makes use of these comments and is not in the end convinced that *Eugénie Grandet* is a masterpiece of a great novelist, the joint work of editor and teacher will be more or less a failure.

The text is over-long, and omissions have been made: the short poplar-tree scene (where Balzac's calculations, it is said, will not hold water); most of the tedious stammering scene, which delays the exposition unduly; various other short passages which seemed dispensable, some of them coarse or indiscreet. Valuable space is thus gained for the Vocabulary and Notes.

I owe something of my understanding of the text to the editions of Pétilleau, Bergeron, Berthon and Spiers; also to the notes of my friends G. M. Lovelace, E. B. Babcock, J. L. Borgerhoff, and E. P. Dargan. I am also indebted to Miss G. B. Magill, formerly instructor in French in the William Penn Charter School, Philadelphia, for her careful work upon the Vocabulary.

T. A. J.

CONTENTS

INTRODUCTION

I. BALZAC AS MAN AND AS WRITER

The life of Honoré de Balzac, one of France's most famous men of letters, came to a close in August, 1850. He had lived only fifty-one years, but those years had been so crowded with great plans and great achievements, with so many hopes and disappointments, with such continuous struggle and agitation, that his life-history does not strike one as brief or even as incomplete.

He had been born of middle-class parents at Tours, in 1799. At school, as a boy in his ninth year, the teachers describe him as a sanguine temperament, as a nature easily stirred to emotion, very careless in his habits but not at all bad. As a man he disclosed the same generous and expansive heart, a naïve self-conceit, which because it was not jealous of others was not displeasing, and an athletic constitution which supplied a fund of gayety and hopefulness under the most trying circumstances.

In 1814, the year before Waterloo, he came with his parents to Paris, was sent to school and afterwards set to study law in the office of a notary, later in that of an attorney (1816–1819). Though these experiences were not to his liking they were useful later on, for there are many passages in his books where lawyer's language and lawyer's practices are accurately reproduced. But Balzac's heart was set upon literary fame: his life-long passion was to express himself before the public, to give his overflowing ideas and imaginations a free outlet to the world. At twenty he set out upon this difficult career without the approval of his parents but with the support of his sister Laure (Mme. de Surville), who always professed to believe in his success.

For several years he was engaged with others in the business of printing and publishing, but the final outcome was failure and debts. This experience was however of great advantage to the young man, for it forced him to mingle with the world, to deal with all sorts and conditions of men, and to assume some share of responsibility.

For nine years the literary career remained a dream, but after a visit to Brittany in 1828, the young author produced a work, *les Chouans*, which attracted much attention and founded his reputation. This book describes scenes during the peasants' insurrection in the province of Brittany, in 1799; it owes much, in its style and composition, to Sir Walter Scott and to Fenimore Cooper.

The celebrity, so long and so anxiously labored for, had come at last to Balzac: he was just thirty. For the next twenty years he was absorbed in titanic efforts to produce "copy" for his printers, and to keep ahead of his expenses and debts. The history of these efforts is the history of Balzac's outward life.

The lack of common sense in practical affairs condemned him to an endless and undignified running fight with his creditors, but there was justification for his immense faith in his own genius. Many parts of his *Comédie humaine*, "my long and vast history of French manners and morals in the nineteenth century," as he described it, had better now be forgotten. It is indeed, as one critic has said, "a veritable pandemonium." But on the other hand not a few of the *contes*, *nouvelles* and *romans* which compose the *Comédie humaine* are true masterpieces: they have won the right to be counted among the books which the world will not willingly let die. Such are *la Peau de Chagrin*, *le Père Goriot*, *la Recherche de l'absolu*, *Eugénie Grandet*, and a goodly list of shorter stories. Still other novels, like *le Cousin Pons*, *le Curé de village*, *Ursule Mirouet*, *le Médecin de campagne*, contain unforgettable scenes and characters. All these explain the perennial interest in Balzac.

As an author, his power was that of a seer, a *voyant*. He visualizes his people and their doings so clearly that the reader is fascinated and carried along: *ce n'est pas du Balzac*, says one critic, *c'est la vie*. This direct and vivid presentation of real human lives was Balzac's main purpose. The successive scenes seem to be arranged mainly to bring out the reactions of his personages to various circumstances, and these reactions are so true, forcible and impressive that when we have read the book with care many of the characters become individuals with whom we have lived—people who henceforth are a part of our circle of interesting acquaintances. "I see Père Goriot," said the critic Faguet, "just as if he were one of my friends, and far more distinctly, for none of my friends has a character of such rigorous simplicity."

Several elements entered into this rare power to make people live upon the printed page: the bow of Balzac's talent had a triple cord.

His was a nature highly sensitive to the impressions made by outward objects; he perceived things with a wonderful keenness of sensibility. Like Gautier, he was a man for whom the outward visible world was real, and intensely interesting. The critic Sainte-Beuve, who knew Balzac without liking him, said that his perceptions were so keen that "it was with him as though a sharp blade were entering his heart at every moment." Hence his love for jewelry, bric-a-brac, tapestries, pictures, works of art of all kinds, and hence his loving descriptions of old houses, doorways, furniture, costumes, human faces and figures.

A second cord in his bow was an active imagination, by which is meant the power to move in the region of ideal experience. Balzac's characters lived in his head and were as real to him as friends at his side—and quite as important. The Baroness of Pommereul, an acquaintance at whose chateau in Brittany he was at times a guest, has left an illuminating anecdote which shows to the life this aspect of Balzac:

"He had a way of describing everything so that you seemed to see it just as it happened. He would, for example, begin a story thus: 'General, you must have known at Lille the so-and-so family. . . . Not the branch that lived at Roubaix,—no, but those that intermarried with the Béthunes. . . . Well, once there happened a domestic tragedy in that family.' And then he would go on, holding us spell-bound for an hour by the charm of his story. When he had finished we used to shake ourselves to make sure of our own reality. 'Is it all really true, Balzac?' we would ask him. He would look at us a moment with a gleam of cunning in his eyes, and then, with a roar of laughter—for his laughter was always an explosion—he would cry, 'Not one word of truth in it from beginning to end! It was all pure Balzac! Say, General, isn't it rather pleasant to be able to make all that up out of your own head?'"

The vast edifice of the *Comédie humaine*—"all Balzac's novels fifty volumes long," as Browning put it, is itself the most eloquent witness to Balzac's amazing power of labor. The titles count nearly a hundred, and the characters run into the thousands. *Il faut piocher ferme!*—You must dig hard!—was his warning to the young author. The *Médecin de campagne* was written in seventy-two hours of uninterrupted labor. "I sleep only five hours a day," he wrote in 1833; "I must now work eighteen hours per day," he tells his sister, fourteen years later. . . . "Balzac did not have time to live," observed Bourget, and with this remark may be coupled another of Pellissier, equally important and equally true: "Balzac works with his memories. It was especially in his youth that he collected the materials for the *Comédie humaine;* the original observations were modified by a long sojourn in his mind."

Thus, with keen observation and insight, powerful imagination, unremitting toil, an inexhaustible fund of memories and a passion for celebrity, Balzac, in the twenty years from 1830 to 1850, climbed to heights which, in the opinion of many, place him on a level with Molière and with Shakespere himself. Professional novelists like Alphonse Daudet, Henry James and Arnold Bennett join in bearing witness to his marvelous gifts as a creator of characters. In international reputation and influence he rivals Montaigne, Rousseau and Voltaire.

But even a colossus in the world of letters cannot escape the defects of his qualities. His taste for accurate description causes him at times to abuse the patience of his readers by making them wade through introductory seas of details. His overdriven imagination sometimes produces exaggeration and bizarre effects. His high-pressure methods of work inevitably resulted in hasty, incomplete and ill-proportioned situations and plots.[1]

With good intentions and incapable of malice, Balzac shouldered his noisy way along, with little regard for the social proprieties, with little concern for the rights and feelings of others. There is a streak of coarseness in his power, as there is in that of his favorite hero, Napoleon. He lacked good taste, he was wanting in tact and discretion, he was never modest. He seems to have known intimately few persons of really noble character, so that when he attempts to describe *une belle âme* he falls into a kind of tasteless pathos or becomes weakly sentimental. Victims of all kinds also make him sentimental, and his ideas of benevolence have a conventional, almost a theatrical tinge. But the idea of being "improving" is not prominent in his work; he chooses nearly always the worst sides of human nature, not because wickedness is to be encouraged, but merely because wicked people interest him most as material for treatment.

His fondest dream, next to being famous, was "to be loved"—and to make a rich marriage; this explains his long devotion to Mme. Hanska, a wealthy Polish lady whom he married shortly before his death. His ambition was to live in extravagance and luxury. His letters are full

[1] *La rapidité du travail m'ôte le sens de la composition; je n'y vois plus clair, je ne sais plus ce que je fais.* (Letters, ii, 176). Professor Bowen has pointed out the inconsistencies as to dates in *Eugénie Grandet* (see *Modern Language Notes*, XVI, 12); to his list might be added some serious discrepancies in the figures as to the debts of Guillaume Grandet. In the first edition the failure was said to be for 3,000,000 francs, in the edition of 1843 this has been raised to 4,000,000, but Charles still refers to the matter as "*les trois millions autrefois dus par mon père,*" and there are other discrepancies in the account given of the payment of the successive dividends.

of money and money matters: the imagination of boundless wealth gave him a kind of boyish intoxication. As the hungry poet Villon, who "saw bread only in the baker's window," revelled in details of good things to eat, so the debt-ridden Balzac loved to handle the imaginary millions of Old Man Grandet and others in his books.

What education Balzac had managed to pick up brought him very little severe mental training: he was left all his life a prey to impractical schemes in the world of affairs, and to half-true theories and isms in the world of philosophy. Although he took himself very seriously as a thinker, his much-vaunted scientific theories will not usually hold water. His political and religious ideas, as a rule, do not go very deep. Nor can we grant him much distinction as a molder of language; only now and then, when the iron is hot upon the anvil, does he achieve an excellent literary style.

Thus we shall go to other authors than Balzac if we are in search of elevated thoughts, of moral inspiration, of idealism, of a clear and classic style. He does not have that intellectual warmth met with in French writers like La Bruyère, Taine and Sully-Prudhomme. But we may seek in Balzac's writings many marvelous evocations of real life which fascinate and stir us because they are so human.

A weakness for the stage pursued Balzac all his life. Some of his attempts to be a playwright met with moderate success, but they are more interesting in connection with his work as a novelist. His strength lay in his *scènes de roman:* he makes constant use of the word *scène* as he proceeds, and divides the *Comédie humaine* into groups of *Scènes*. This or that novel, he tells us, is a "*drame*" or a "*tragédie bourgeoise*." It is probable therefore that in these indications we may find the key to Balzac's own conception of his art. Far from being a historian in the usual sense, his more fitting classification would be that of the poet-dramatist in prose.

"*Tragédie bourgeoise*," as is well known, is a technical term for a class of plays which came into vogue on the French stage about 1760. There was then a reaction against the high tragedies of kings and emperors, of queens and princesses, in favor of scenes from life less remote and less horribly tragic. Poison, daggers and blood had abounded in plays like Voltaire's *Œdipe* and Crébillon's *Atrée et Thyeste:* the public demanded no more Greeks and Romans, but private citizens with common misfortunes—an unhappy marriage, a lost son or daughter, a bankruptcy, a family broken up by a false friend. Lacking the necessary skill to construct a play that would act, Balzac carries these ideas into the field of the novel. He will prove that there is plenty of tragedy and passion in ordinary lives: as he says, he will "sound human natures which apparently are empty but in reality full and rich;" he will give "the recital pure and simple of what may be seen every day in country towns." And to retouch these dim-colored pictures, these pictures full of gray shadows, for these, he asks, "does one not need a multitude of preparations and infinite pains?"

Balzac was original, then, in bringing precision and minute detail into the novel of his time. He calls *Eugénie Grandet* "a humble miniature for which more patience than art was required." At the same time we note the change of attitude toward the subject: before *Eugénie Grandet* the vice of avarice and the foibles of the miser had been material for comedy rather than for serious treatment. Even Molière's *Harpagon* (in *L'Avare*) was—and is—a comic figure to the average audience, and few, as did Goethe, look below the surface. Miser Grandet of Saumur is anything but a comic figure. To reveal the devastating effects of the money-passion in a quiet bourgeois family in a provincial town seemed to Balzac an achievement more glorious than to paint the vicissitudes of kings and princes in the old heroic style.

In putting these domestic tragedies before us, Balzac is painstaking to a degree not known before; his theory of the ruling passion somewhat simplified the task. In Grandet, the French virtue of thrift has run terribly to seed: he is almost a monster of greed; avarice explains all his actions. Père Goriot is the example of the disastrous results of excessive paternal fondness; Balthazar Claes is the awful embodiment of the monomaniac, the "crank" with one idea. The psychology of these persons seems in fact too simple, too consistent: real human beings, we suspect, are more complex; they are more of a mixture of good and evil. But Balzac is bent upon making them live before us and inspire fear and pity in our hearts. This he succeeds wonderfully in doing, and these and other great figures move thru his pages with the same air of detached and tragic grandeur met with in Molière's *Don Juan* and in Corneille's better plays.

A full account of Balzac's life and works will be found in the *Encyclopedia Brittanica* (G. Saintsbury.) See also:

E. Faguet, *Balzac.* Grands Ecrivains de la France, 1913 (also to be had in English).

André Le Breton, *Balzac, l'homme et l'œuvre*, 1905.

Frederick Wedmore, *Life of Honoré de Balzac.* Great Writers Series. London, 1890.

Mary F. Sandars, *Honoré de Balzac: his Life and Writings.* London, 1904.

II. EUGÉNIE GRANDET

About the year 1833 Balzac was in all the freshness and fulness of his powers. Success with the public had given him assurance that he was upon the right track, and he was not yet writing under distracting pressure. He himself was much pleased with *Eugénie Grandet: c'est un de mes tableaux les plus achevés. J'en suis très content* (Letter of Oct. 13, 1833, to Mme. Hanska). The work was a favorite with the public from its first appearance. The chorus of praise was such in fact as to annoy the author, who complained that *Eugénie Grandet* was diverting attention from works of his which were greater. But modern critics continue to admire the work. M. Lanson says: "The whole novel should be read. Père Grandet will stand comparison with the Harpagon of Molière." "It is enough for Balzac's glory," wrote Brunetière, "that he is the author of *Eugénie Grandet* and of certain portions of *le Père Goriot.*" M. Le Breton, Balzac's recent biographer, says: "We must acknowledge that *Eugénie Grandet* is a masterpiece of realistic art, and might even be *the* masterpiece of the naturalistic novel if Flaubert had not written *Madame Bovary*, and Tolstoy *War and Peace.*"

What is the reason for this continued popularity? Why should *Eugénie Grandet* have thus become a classic?

The excellence of the work lies in the success of the "portraits," and in the lifelike "scenes."

The portraits, five in number, are those of Félix Grandet the miser, his wife, his daughter Eugénie, his servant Nanon, and his nephew Charles. There are minor figures also, but the stage is purposely never overcrowded.

The great scenes are six or eight in number (in order of occurrence): the arrival of Charles at his uncle's, his first breakfast, Eugénie's first lover's kiss, the discovery by the miser that Eugénie's gold is missing, the scene of the gold-mounted workbox, the receipt of Charles's letter by Eugénie. One might add the charming scene in which Eugénie lends all her money to her ruined cousin and the terrible death-bed scene.

The work is indeed entitled *Eugénie Grandet*, but it is Eugénie's father who is the central figure: Félix Grandet is the planet around which the others revolve. He is the mainspring of the action: we can hardly dismiss him from mind for a moment, and when finally he dies we exclaim, in French fashion, "Ouf!"

In general, the situations in the book are due to the action and reaction of Grandet and his daughter upon each other. Eugénie, says the author, *devait être toute la femme*—was intended by her nature to be a complete, a perfect woman, but unfortunately her father's domineering character blights her destiny. "Eugénie's noble heart," says Balzac, "her heart, which harbored only the tenderest feelings, was fated to be a victim of human selfishness." The miser, for his part, *avait un caractère de bronze.*

The particular theme of the book is the project of Eugénie's marriage. In France, it will be remembered, this is a matter to be arranged mostly by the parents, for the law (*le Code*) says: *Le fils qui n'a pas atteint l'âge de 25 ans, la fille qui n'a pas atteint l'âge de 21 ans accomplis, ne peuvent contracter mariage sans le consentement de leurs père et mère.* As young men may marry at 18 and girls at 15, it is evident that during the years when most matches are made, the matter is practically in the hands of the parents.

Eugénie, however, is 23 years of age. She has at first two suitors, Monsieur Cruchot de Bonfons, aged 33, and Adolphe des Grassins, who is ten years younger. Unexpectedly there arrives upon the scene a third—her first cousin Charles Grandet, of Paris. Him she falls in love with, and to him secretly pledges herself, but her father (though legally he cannot restrain her) will not hear to her marrying the son of a bankrupt. He says he has other designs for her: *Je te trouverai un futur*, he says. Has he any young man in mind? Probably not, for at heart Eugénie as heiress is far more important to him than Eugénie as woman. Eugénie is finally married, but not to her fascinating cousin.

Thus the action is of the simplest. The portraits are clear and definite, and cost Balzac, as he tells us, a multitude of pains.

Old man Grandet, "the old dog" as his fellow-townsmen call him, is the victim of a devouring passion for money and money-power. All his actions are determined by this insidious vice: his better nature is completely submerged and there is hardly a flicker of conscience to be noted. His passion for gold consumes what regard he may once have had for his wife; it swallows up all his affection for his only child. As the story progresses, Grandet's hardness of heart helps to kill his wife, separates him from Eugénie arouses the indignation of the townspeople and brings him to an ignoble death-bed.

Madame Grandet is a poor-spirited person, one of those who abandon the noblest causes and allow the bad to triumph, even in their own homes. Beyond a mother's sympathy with Eugénie, she cannot help her daughter in the struggle with the father's overmastering passion; she cannot mitigate Grandet's tyranny over Nanon and the other members of the household. Crushed by the force of her husband's will, she has lost her self-respect and perishes a victim.

Big Nanon, the dog-like and faithful maid-of-all-work, with her inimitable expressions and speeches, is the type of the humble peasant woman whose instinct it is to serve. Because of ignorance and her menial position, she cannot shield Eugénie from the storm of Grandet's anger, but her uprightness, good common sense and loyal devotion to the family fortunes, do much to break the impact of Grandet's vicious will. Her naïve familiarity with all who come to the house, and her amusing comments upon what goes on around her, are very useful in relieving the atmosphere of stress and strain.

Handsome Charles Grandet, the spoiled cousin from Paris, is at first a not unsympathetic figure, dandified and conceited as he is in his exquisite toilet. Stricken by the cruel news of his indulgent father's bankruptcy and suicide, he is touched by the unaffected sympathy lavished upon him by his aunt and his cousin. Eugénie's girlish innocence, and the springtime influences of virgin love with which she surrounds him, captivate his heart: he promises, with sincere intentions, to marry her. But once away from her side, absorbed in the hard ambition to make a fortune by fair means or foul, he slips back into he selfish ideals of his former luxurious life and surrenders asily to the temptation to make a marriage of worldly advantage.

The liveliest interest is in the fate of Eugénie, the miser's nly child and heir. Like young Margaret Claes, who must resist her father's cruel monomania, Eugénie awakens the keenest sympathy and some admiration. Almost alone, with only Nanon's mute assistance, she dares with firm and unselfish courage to withstand her father's fury and to combat his inflexible will. Hers is an unspoiled and unsophisticated nature brought suddenly into sharp contact with the edge of the world's selfish passions. She suffers on from day to day, and her experiences have proved to be of perennial interest. No sooner is she set free from Grandet's oppression by the miser's death than her heart must endure a much more cruel blow. "To wait for one who comes not," says the proverb, "is one of the things to die of." After seven years of waiting, her fiancé is swept away from her in the current of worldly ambition: the *grande ville féroce*—Paris—receives him back. Eugénie is left, as it seems, with nothing to live for; her immense wealth has few attractions to her.

Thus, in *Eugênie Grandet*, the situations are really tragic thruout. This is no "homely, dainty idyll" of a provincial town: it is rather, as Taine said, the triumphant epic of Grandet's passion for gold. The pitiful narrowness of the schemers for the hand of the heiress ("*Quels tristes gens que ces Cruchot!*"); Charles's grief at his father's suicide; Madam Grandet's helpless sufferings; Grandet's terrifying presence and awful death; Eugénie's painful conflict with her father's authority, Charles's heartless desertion—all these are drawn to the life; they touch the heights and depths of human experience and vibrate with genuine feeling. This is why *Eugênie Grandet* is assured of a place among the masterpieces of all literature. The book is a powerful study of the devastating effects of selfish passions, offset by the healing influences of innocence, generosity and unselfish devotion to family and friends.

EUGÉNIE GRANDET

Street in Saumur
(From a photograph, 1914)

EUGÉNIE GRANDET

I. PHYSIONOMIES BOURGEOISES

IL SE trouve dans certaines villes de province des maisons dont la vue inspire une mélancolie égale à celle que provoquent les cloîtres les plus sombres, les landes les plus ternes ou les ruines les plus tristes. Peut-être y a-t-il à la fois dans ces maisons et le silence du cloître et l'aridité des 5 landes et les ossements des ruines. La vie et le mouvement y sont si tranquilles qu'un étranger les croirait inhabitées, s'il ne rencontrait tout à coup le regard pâle et froid d'une personne immobile dont la figure à demi monastique dépasse l'appui de la croisée, au bruit d'un pas 10 inconnu. Ces principes de mélancolie existent dans la physionomie d'un logis situé à Saumur, au bout de la rue montueuse qui mène au château, par le haut de la ville. Cette rue, maintenant peu fréquentée, chaude en été, froide en hiver, obscure en quelques endroits, est remar- 15 quable par la sonorité de son petit pavé caillouteux, toujours propre et sec, par l'étroitesse de sa voie tortueuse, par la paix de ses maisons qui appartiennent à la vieille ville, et que dominent les remparts. Des habitations trois fois séculaires y sont encore solides, quoique construites en 20 bois, et leurs divers aspects contribuent à l'originalité qui recommande cette partie de Saumur à l'attention des antiquaires et des artistes. Il est difficile de passer devant ces maisons, sans admirer les énormes madriers dont les bouts sont taillés en figures bizarres et qui couronnent d'un bas-relief noir le rez-de-chaussée de la plupart d'entre elles. Ici, des pièces de bois transversales sont couvertes en ardoises et dessinent des lignes bleues sur les frêles murailles 5 d'un logis terminé par un toit en colombage que les ans ont fait plier, dont les bardeaux pourris ont été tordus par l'action alternative de la pluie et du soleil. Là se présentent des appuis de fenêtre usés, noircis, dont les délicates sculptures se voient à peine, et qui semblent trop légers 10 pour le pot d'argile brune d'où s'élancent les œillets ou les rosiers d'une pauvre ouvrière. Plus loin, c'est des portes garnies de clous énormes où le génie de nos ancêtres a tracé des hiéroglyphes domestiques dont le sens ne se retrouvera jamais. Tantôt un protestant y a signé sa 15 foi, tantôt un ligueur y a maudit Henri IV. Quelque bourgeois y a gravé les insignes de sa *noblesse de cloches*, la gloire de son échevinage oublié. L'Histoire de France est là tout entière. A côté de la tremblante maison à pans hourdés où l'artisan a déifié son rabot, s'élève l'hôtel d'un 20 gentilhomme où sur le plein cintre de la porte en pierre se voient encore quelques vestiges de ses armes, brisées par les diverses révolutions qui depuis 1789 ont agité le pays. Dans cette rue, les rez-de-chaussée commerçants ne sont ni des boutiques ni des magasins, les amis du Moyen-Age 25 y retrouveraient l'ouvrouère de nos pères en toute sa naïve simplicité. Ces salles basses, qui n'ont ni devanture, ni montre, ni vitrages, sont profondes, obscures et sans ornements extérieurs ou intérieurs. Leur porte est ouverte en deux parties pleines, grossièrement ferrées, dont la su- 30 périeure se replie intérieurement, et dont l'inférieure, armée d'une sonnette à ressort, va et vient constamment. L'air et le jour arrivent à cette espèce d'antre humide, ou

par le haut de la porte, ou par l'espace qui se trouve entre la voûte, le plancher et le petit mur à hauteur d'appui dans lequel s'encastrent de solides volets, ôtés le matin, remis et maintenus le soir avec des bandes de fer boulonnées. Ce mur sert à étaler les marchandises du négociant. 5
Là, nul charlatanisme. Suivant la nature du commerce, les échantillons consistent en deux ou trois baquets pleins de sel et de morue, en quelques paquets de toile à voile, des cordages, du laiton pendu aux solives du plancher, des cercles le long des murs, ou quelques pièces de drap 10
sur des rayons. Entrez? Une fille propre, pimpante de jeunesse, au blanc fichu, aux bras rouges, quitte son tricot, appelle son père ou sa mère qui vient et vous vend à vos souhaits, flegmatiquement, complaisamment, arrogamment, selon son caractère, soit pour deux sous, soit pour 15
vingt mille francs de marchandise. Vous verrez un marchand de merrain assis à sa porte et qui tourne ses pouces en causant avec un voisin, il ne possède en apparence que de mauvaises planches à bouteilles et deux ou trois paquets de lattes; mais sur le port son chantier plein fournit tous 20
les tonneliers de l'Anjou.

Le samedi, vers midi, dans la belle saison, vous n'obtiendriez pas pour un sou de marchandise chez ces braves industriels. Chacun a sa vigne, sa closerie, et va passer deux jours à la campagne. Là, tout étant prévu, l'achat, 25
la vente, le profit, les commerçants se trouvent avoir dix heures sur douze à employer en joyeuses parties, en observations, commentaires, espionnages continuels. Une ménagère n'achète pas une perdrix sans que les voisins demandent au mari si elle était cuite à point. Une jeune 30
fille ne met pas la tête à sa fenêtre sans y être vue par tous les groupes inoccupés. Là donc les consciences sont à

jour, de même que ces maisons impénétrables, noires et silencieuses n'ont point de mystères. La vie est presque toujours en plein air: chaque ménage s'assied à sa porte, y déjeune, y dîne, s'y dispute. Il ne passe personne dans
5 la rue qui ne soit étudié. Aussi, jadis, quand un étranger arrivait dans une ville de province, était-il gaussé de porte en porte. De là les bons contes, de là le surnom de *copieux* donné aux habitants d'Angers qui excellaient à ces railleries urbaines. Les anciens hôtels de la vieille ville sont
10 situés en haut de cette rue jadis habitée par les gentilshommes du pays. La maison pleine de mélancolie où se sont accomplis les événements de cette histoire était précisément un de ces logis, restes vénérables d'un siècle où les choses et les hommes avaient ce caractère de simplicité
15 que les mœurs françaises perdent de jour en jour. Après avoir suivi les détours de ce chemin pittoresque dont les moindres accidents réveillent des souvenirs et dont l'effet général tend à plonger dans une sorte de rêverie machinale, vous apercevez un renfoncement assez sombre, au centre
20 duquel est cachée la porte de la maison à monsieur Grandet. Il est impossible de comprendre la valeur de cette expression provinciale sans donner la biographie de monsieur Grandet.

Monsieur Grandet jouissait à Saumur d'une réputation
25 dont les causes et les effets ne seront pas entièrement compris par les personnes qui n'ont point, peu ou prou, vécu en province. Monsieur Grandet, encore nommé par certaines gens le père Grandet, mais le nombre de ces vieillards diminuait sensiblement, était en 1789 un maître-
30 tonnelier fort à son aise, sachant lire, écrire et compter. Dès que la République française mit en vente, dans l'arrondissement de Saumur, les biens du clergé, le tonnelier,

alors âgé de quarante ans, venait d'épouser la fille d'un riche marchand de planches. Grandet alla, muni de sa fortune liquide et de la dot, muni de deux mille louis d'or, au district, où, moyennant deux cents doubles louis offerts par son beau-père au farouche républicain qui surveillait la vente des domaines nationaux, il eut pour un morceau de pain, légalement, sinon légitimement, les plus beaux vignobles de l'arrondissement, une vieille abbaye et quelques métairies.

Sous le Consulat, le bonhomme Grandet devint maire, administra sagement, vendangea mieux encore; sous l'Empire, il fut monsieur Grandet. Napoléon n'aimait pas les républicains: il remplaça monsieur Grandet, qui passait pour avoir porté le bonnet rouge, par un grand propriétaire, un homme à particule, un futur baron de l'Empire. Monsieur Grandet quitta les honneurs municipaux sans aucun regret. Il avait fait faire dans l'intérêt de la ville d'excellents chemins qui menaient à ses propriétés. Sa maison et ses biens, très-avantageusement cadastrés, payaient des impôts modérés. Depuis le classement de ses différents clos, ses vignes, grâce à des soins constants, étaient devenues la tête du pays, mot technique en usage pour indiquer les vignobles qui produisent la première qualité de vin. Il aurait pu demander la croix de la Légion-d'Honneur. Cet événement eut lieu en 1806. Monsieur Grandet avait alors cinquante-sept ans, et sa femme environ trente-six. Une fille unique était âgée de dix ans. Monsieur Grandet, que la Providence voulut sans doute consoler de sa disgrâce administrative, hérita successivement pendant cette année de madame de La Gaudinière, née de La Bertellière, mère de madame Grandet; puis du vieux monsieur La Bertellière, père de la défunte; et encore de madame Gentillet, grand'mère du côté maternel: trois successions dont l'importance ne fut connue de personne. Monsieur Grandet obtint alors le nouveau titre de noblesse que notre manie d'égalité n'effacera jamais, il devint *le plus imposé* de l'arrondissement. Il exploitait cent arpents de vignes, qui, dans les années plantureuses, lui donnaient sept à huit cents poinçons de vin. Il possédait treize métairies, une vieille abbaye, où, par économie, il avait muré les croisées, les ogives, les vitraux, ce qui les conserva; et cent vingt-sept arpents de prairies où croissaient et grossissaient trois mille peupliers plantés en 1793. Enfin la maison dans laquelle il demeurait était la sienne. Ainsi établissait-on sa fortune visible. Quant à ses capitaux, deux seules personnes pouvaient vaguement en présumer l'importance: l'une était monsieur Cruchot, notaire chargé des placements usuraires de monsieur Grandet; l'autre, monsieur des Grassins, le plus riche banquier de Saumur, aux bénéfices duquel le vigneron participait à sa convenance et secrètement. Quoique le vieux Cruchot et monsieur des Grassins possédassent cette profonde discrétion qui engendre en province la confiance et la fortune, ils témoignaient publiquement à monsieur Grandet un si grand respect que les observateurs pouvaient mesurer l'étendue des capitaux de l'ancien maire d'après la portée de l'obséquieuse considération dont il était l'objet. Il n'y avait dans Saumur personne qui ne fût persuadé que monsieur Grandet n'eût un trésor particulier, une cachette pleine de louis, et ne se donnât nuitamment les ineffables jouissances que procure la vue d'une grande masse d'or. Les avaricieux en avaient une sorte de certitude en voyant les yeux du bonhomme, auxquels le métal jaune semblait avoir communiqué ses teintes. Monsieur Grandet inspirait donc l'estime respectueuse à laquelle avait droit un homme qui ne devait jamais rien à personne, qui, vieux tonnelier, vieux vigneron, devinait avec la précision d'un astronome quand il fallait fabriquer pour sa récolte mille poinçons ou seulement cinq cents; qui ne manquait pas une seule spéculation, avait toujours des tonneaux à vendre alors que le tonneau valait plus cher que la denrée à recueillir, pouvait mettre sa vendange dans ses celliers et attendre le moment de livrer son poinçon à deux cents francs quand les petits propriétaires donnaient le leur à cinq louis. Sa fameuse récolte de 1811, sagement serrée, lentement vendue, lui avait rapporté plus de deux cent quarante mille livres. Financièrement parlant, monsieur Grandet tenait du tigre et du boa: il savait se coucher, se blottir, envisager long-temps sa proie, sauter dessus; puis il ouvrait la gueule de sa bourse, y engloutissait une charge d'écus, et se couchait tranquillement, comme le serpent qui digère, impassible, froid, méthodique. Personne ne le voyait passer sans éprouver un sentiment d'admiration mélangé de respect et de terreur. Chacun dans Saumur n'avait-il pas senti le déchirement poli de ses griffes d'acier? à celui-ci maître Cruchot avait procuré l'argent nécessaire à l'achat d'un domaine, mais à onze pour cent; à celui-là monsieur des Grassins avait escompté des traites, mais avec un effroyable prélèvement d'intérêts. Il s'écoulait peu de jours sans que le nom de monsieur Grandet fût prononcé soit au marché, soit pendant les soirées dans les conversations de la ville. Pour quelques personnes, la fortune du vieux vigneron était l'objet d'un orgueil patriotique. Aussi plus d'un négociant, plus d'un aubergiste disait-il aux étrangers avec un certain contentement: «Monsieur, nous avons ici deux ou trois maisons millionnaires; mais, quant à monsieur Grandet, il ne connaît pas lui-même sa fortune!»

Quelque Parisien parlait-il des Rothschild ou de monsieur Laffitte, les gens de Saumur demandaient s'ils étaient aussi riches que monsieur Grandet. Si le Parisien leur jetait en souriant une dédaigneuse affirmation, ils se regardaient en hochant la tête d'un air d'incrédulité. Une si grande fortune couvrait d'un manteau d'or toutes les actions de cet homme. Si d'abord quelques particularités de sa vie donnèrent prise au ridicule et à la moquerie, la moquerie et le ridicule s'étaient usés. En ses moindres actes, monsieur Grandet avait pour lui l'autorité de la chose jugée. Sa parole, son vêtement, ses gestes, le clignement de ses yeux faisaient loi dans le pays, où chacun après l'avoir étudié comme un naturaliste étudie les effets de l'instinct chez les animaux, avait pu reconnaître la profonde et muette sagesse de ses plus légers mouvements. «L'hiver sera rude, disait-on, le père Grandet a mis ses gants fourrés: il faut vendanger.—Le père Grandet prend beaucoup de merrain, il y aura du vin cette année.» Monsieur Grandet n'achetait jamais ni viande ni pain. Ses fermiers lui apportaient par semaine une provision suffisante de chapons, de poulets, d'œufs, de beurre et de blé de rente. Il possédait un moulin dont le locataire devait, en sus du bail, venir chercher une certaine quantité de grains et lui en rapporter le son et la farine. La Grande Nanon, son unique servante, quoiqu'elle ne fût plus jeune, boulangeait elle-même tous les samedis le pain de la maison. Monsieur Grandet s'était arrangé avec les maraîchers, ses locataires, pour qu'ils le fournissent de légumes. Quant aux fruits, il en récoltait une telle quantité qu'il en faisait vendre une grande partie au marché. Son bois de chauffage était coupé dans ses haies ou pris dans les vieilles truisses à moitié pourries qu'il enlevait au bord de ses champs, et ses fermiers le lui charroyaient en ville tout débité, le rangeaient par complaisance dans son bûcher et recevaient ses remercîments. Ses seules dépenses connues étaient le pain bénit, la toilette de sa femme, celle de sa fille, et le paiement de leurs chaises à l'église; la lumière, les gages de la Grande Nanon, l'étamage de ses casseroles; l'acquittement des impositions, les réparations de ses bâtiments et les frais de ses exploitations. Il avait six cents arpents de bois récemment achetés qu'il faisait surveiller par le garde d'un voisin, auquel il promettait une indemnité. Depuis cette acquisition seulement, il mangeait du gibier. Les manières de cet homme étaient fort simples. Il parlait peu. Généralement il exprimait ses idées par de petites phrases sentencieuses et dites d'une voix douce. Depuis la Révolution, époque à laquelle il attira les regards, le bonhomme bégayait d'une manière fatigante aussitôt qu'il avait à discourir longuement ou à soutenir une discussion. Ce bredouillement, l'incohérence de ses paroles, le flux de mots où il noyait sa pensée, son manque apparent de logique attribués à un défaut d'éducation étaient affectés et seront suffisamment expliqués par quelques événements de cette histoire. D'ailleurs, quatre phrases exactes autant que des formules algébriques lui servaient habituellement à embrasser, à résoudre toutes les difficultés de la vie et du commerce: «Je ne sais pas, je ne puis pas, je ne veux pas, nous verrons cela.» Il ne disait jamais ni *oui* ni *non*, et n'écrivait point. Lui parlait-on? il écoutait froidement, se tenait le menton dans la main droite en appuyant son coude droit sur le revers

de la main gauche, et se formait en toute affaire des opinions desquelles il ne revenait point. Il méditait longuement les moindres marchés. Quand, après une savante conversation, son adversaire lui avait livré le secret de
5 ses prétentions en croyant le tenir, il lui répondait: «Je ne puis rien conclure sans avoir consulté ma femme.» Sa femme, qu'il avait réduite à un ilotisme complet, était en affaires son paravent le plus commode. Il n'allait jamais chez personne, ne voulait ni recevoir ni donner à dîner;
10 il ne faisait jamais de bruit, et semblait économiser tout, même le mouvement. Il ne dérangeait rien chez les autres par un respect constant de la propriété. Néanmoins, malgré la douceur de sa voix, malgré sa tenue circonspecte, le langage et les habitudes du tonnelier perçaient,
15 surtout quand il était au logis, où il se contraignait moins que partout ailleurs. Au physique, Grandet était un homme de cinq pieds, trapu, carré, ayant des mollets de douze pouces de circonférence, des rotules noueuses et de larges épaules; son visage était rond, tanné, marqué
20 de petite vérole; son menton était droit, ses lèvres n'offraient aucune sinuosité, et ses dents étaient blanches; ses yeux avaient l'expression calme et dévoratrice que le peuple accorde au basilic; son front, plein de rides transversales, ne manquait pas de protubérances significa-
25 tives; ses cheveux jaunâtres et grisonnants étaient blanc et or, disaient quelques jeunes gens qui ne connaissaient pas la gravité d'une plaisanterie faite sur monsieur Grandet. Son nez, gros par le bout, supportait une loupe veinée que le vulgaire disait, non sans raison, pleine de malice.
30 Cette figure annonçait une finesse dangereuse, une probité sans chaleur, l'égoïsme d'un homme habitué à concentrer ses sentiments dans la jouissance de l'avarice et sur

le seul être qui lui fût réellement de quelque chose, sa fille Eugénie, sa seule héritière. Attitude, manières, démarche, tout en lui, d'ailleurs, attestait cette croyance en soi que donne l'habitude d'avoir toujours réussi dans ses entreprises. Aussi, quoique de mœurs faciles et molles 5 en apparence, monsieur Grandet avait-il un caractère de bronze. Toujours vêtu de la même manière, qui le voyait aujourd'hui le voyait tel qu'il était depuis 1791. Ses forts souliers se nouaient avec des cordons de cuir; il portait en tout temps des bas de laine drapés, une culotte courte 10 de gros drap marron à boucles d'argent, un gilet de velours à raies alternativement jaunes et puces, boutonné carrément, un large habit marron, grands pans, une cravate noire et un chapeau de quaker. Ses gants, aussi solides que ceux des gendarmes, lui duraient vingt mois, et, 15 pour les conserver propres, il les posait sur le bord de son chapeau à la même place, par un geste méthodique. Saumur ne savait rien de plus sur ce personnage.

Six habitants seulement avaient le droit de venir dans cette maison. Le plus considérable des trois premiers 20 était le neveu de monsieur Cruchot. Depuis sa nomination de président au tribunal de première instance de Saumur, ce jeune homme avait joint au nom de Cruchot celui de Bonfons, et travaillait à faire prévaloir Bonfons sur Cruchot. Il signait déjà C. de Bonfons. Le plaideur 25 assez mal avisé pour l'appeler monsieur Cruchot s'apercevait bientôt à l'audience de sa sottise. Le magistrat protégeait ceux qui le nommaient monsieur le président, mais il favorisait de ses plus gracieux sourires les flatteurs qui lui disaient monsieur de Bonfons. Monsieur le prési- 30 dent était âgé de trente-trois ans, possédait le domaine de Bonfons (*Boni Fontis*), valant sept mille livres de rente;

il attendait la succession de son oncle le notaire et celle de son oncle l'abbé Cruchot, dignitaire du chapitre de Saint-Martin de Tours, qui tous deux passaient pour être assez riches. Ces trois Cruchot, soutenus par bon nombre
5 de cousins, alliés à vingt maisons de la ville, formaient un parti, comme jadis à Florence les Médicis; et, comme les Médicis, les Cruchot avaient leurs Pazzi. Madame des Grassins, mère d'un fils de vingt-trois ans, venait très-assidûment faire la partie de madame Grandet, espérant
10 marier son cher Adolphe avec mademoiselle Eugénie. Monsieur des Grassins le banquier favorisait vigoureusement les manœuvres de sa femme par de constants services secrètement rendus au vieil avare, et arrivait toujours à temps sur le champ de bataille. Ces trois des Gras-
15 sins avaient également leurs adhérents, leurs cousins, leurs alliés fidèles. Du côté des Cruchot, l'abbé, le Talleyrand de la famille, bien appuyé par son frère le notaire, disputait vivement le terrain à la financière, et tentait de réserver le riche héritage à son neveu le président. Ce com-
20 bat secret entre les Cruchot et les des Grassins, dont le prix était la main d'Eugénie Grandet, occupait passionnément les diverses sociétés de Saumur. Mademoiselle Grandet épousera-t-elle monsieur le président ou monsieur Adolphe des Grassins? A ce problème, les uns ré-
25 pondaient que monsieur Grandet ne donnerait sa fille ni à l'un ni à l'autre. L'ancien tonnelier rongé d'ambition cherchait, disaient-ils, pour gendre quelque pair de France, à qui trois cent mille livres de rente feraient accepter tous les tonneaux passés, présents et futurs des Grandet.
30 D'autres répliquaient que monsieur et madame des Grassins étaient nobles, puissamment riches, qu'Adolphe était un bien gentil cavalier, et qu'à moins d'avoir un

neveu du pape dans sa manche, une alliance si convenable devait satisfaire des gens de rien, un homme que tout Saumur avait vu la doloire en main, et qui, d'ailleurs, avait porté le bonnet rouge. Les plus sensés faisaient observer que monsieur Cruchot de Bonfons avait ses entrées à toute heure au logis, tandis que son rival n'y était reçu que les dimanches. Ceux-ci soutenaient que madame des Grassins, plus liée avec les femmes de la maison Grandet que les Cruchot, pouvait leur inculquer certaines idées qui la feraient, tôt ou tard, réussir. Ceux-là répliquaient que l'abbé Cruchot était l'homme le plus insinuant du monde, et que femme contre moine la partie se trouvait égale. «Ils sont manche à manche,» disait un bel esprit de Saumur. Plus instruits, les anciens du pays prétendaient que les Grandet étaient trop avisés pour laisser sortir les biens de leur famille, mademoiselle Eugénie Grandet de Saumur serait mariée au fils de monsieur Grandet de Paris, riche marchand de vin en gros. A cela les Cruchotins et les Grassinistes répondaient: «D'abord les deux frères ne se sont pas vus deux fois depuis trente ans. Puis, monsieur Grandet de Paris a de hautes prétentions pour son fils. Il est maire d'un arrondissement, député, colonel de la garde nationale, juge au tribunal de commerce; il renie les Grandet de Saumur, et prétend s'allier à quelque famille ducale par la grâce de Napoléon.» Que ne disait-on pas d'une héritière dont on parlait à vingt lieues à la ronde et jusque dans les voitures publiques, d'Angers à Blois inclusivement? Au commencement de 1818, les Cruchotins remportèrent un avantage signalé sur les Grassinistes. La terre de Froidfond, remarquable par son parc, son admirable château, ses fermes, rivières, étangs, forêts, et valant trois millions, fut mise en vente par le jeune marquis de Froidfond obligé de réaliser ses capitaux. Maître Cruchot, le président Cruchot, l'abbé Cruchot, aidés par leurs adhérents, surent empêcher la vente par petits lots. Le notaire conclut avec le jeune homme un marché d'or en lui persuadant qu'il y aurait des poursuites sans nombre à diriger contre les adjudicataires avant de rentrer dans le prix des lots; il valait mieux vendre à monsieur Grandet, homme solvable, et capable d'ailleurs de payer la terre en argent comptant. Le beau marquisat de Froidfond fut alors convoyé vers l'œsophage de monsieur Grandet, qui, au grand étonnement de Saumur, le paya, sous escompte, après les formalités. Cette affaire eut du retentissement à Nantes et à Orléans. Monsieur Grandet alla voir son château par l'occasion d'une charrette qui y retournait. Après avoir jeté sur sa propriété le coup d'œil du maître, il revint à Saumur, certain d'avoir placé ses fonds à cinq, et saisi de la magnifique pensée d'arrondir le marquisat de Froidfond en y réunissant tous ses biens. Puis, pour remplir de nouveau son trésor presque vide, il décida de couper à blanc ses bois, ses forêts, et d'exploiter les peupliers de ses prairies.

Il est maintenant facile de comprendre toute la valeur de ce mot: la maison à monsieur Grandet, cette maison pâle, froide, silencieuse, située en haut de la ville, et abritée par les ruines des remparts. La porte, en chêne massif, brune, desséchée, fendue de toutes parts, frêle en apparence, était solidement maintenue par le système de ses boulons qui figuraient des dessins symétriques. Une grille carrée, petite, mais à barreaux serrés et rouges de rouille, occupait le milieu de la porte bâtarde et servait, pour ainsi dire, de motif à un marteau qui s'y rattachait par un anneau, et frappait sur la tête grimaçante d'un maître-clou. Ce marteau, de forme oblongue et du genre de ceux que nos ancêtres nommaient Jaquemart, ressemblait à un gros point d'admiration; en l'examinant avec attention, un antiquaire y aurait retrouvé quelques indices de la figure essentiellement bouffonne qu'il repré- 5 sentait jadis, et qu'un long usage avait effacée. Par la petite grille, destinée à reconnaître les amis, au temps des guerres civiles, les curieux pouvaient apercevoir, au fond d'une voûte obscure et verdâtre, quelques marches dégradées par lesquelles on montait dans un jardin que bor- 10 naient pittoresquement des murs épais, humides, pleins de suintements et de touffes d'arbustes malingres. Ces murs étaient ceux du rempart sur lequel s'élevaient les jardins de quelques maisons voisines.

Au rez-de-chaussée de la maison, la pièce la plus con- 15 sidérable était une *salle* dont l'entrée se trouvait sous la voûte de la porte cochère. Peu de personnes connaissent l'importance d'une salle dans les petites villes de l'Anjou, de la Touraine et du Berry. La salle est à la fois l'antichambre, le salon, le cabinet, le boudoir, la salle à manger; 20 elle est le théâtre de la vie domestique, le foyer commun; là, le coiffeur du quartier venait couper deux fois l'an les cheveux de monsieur Grandet; là entraient les fermiers, le curé, le sous-préfet, le garçon meunier. Cette pièce, dont les deux croisées donnaient sur la rue, était plan- 25 chéiée; des panneaux gris, à moulures antiques, la boisaient de haut en bas; son plafond se composait de poutres apparentes également peintes en gris, dont les entre-deux étaient remplis de blanc en bourre qui avait jauni. Un vieux cartel de cuivre incrusté d'arabesques en écaille 30 ornait le manteau de la cheminée. Les siéges de forme antique étaient garnis en tapisseries représentant les fables de La Fontaine; mais il fallait le savoir pour en reconnaître les sujets, tant les couleurs passées et les figures criblées de reprises se voyaient difficilement. Une vieille table à jouer en marqueterie, dont le dessus faisait échiquier, était placée dans le tableau qui séparait les deux fenêtres. Sur la paroi opposée à la cheminée, deux portraits au pastel étaient censés représenter l'aïeul de madame Grandet, le vieux monsieur de La Bertellière, en lieutenant des gardes françaises, et défunte madame Gentillet en bergère. Aux deux fenêtres étaient drapés des rideaux en gros de Tours rouge, relevés par des cordons de soie à glands d'église. Dans la croisée la plus rapprochée de la porte, se trouvait une chaise de paille dont les pieds étaient montés sur des patins, afin d'élever madame Grandet à une hauteur qui lui permît de voir les passants. Une travailleuse en bois de merisier déteint remplissait l'embrasure, et le petit fauteuil d'Eugénie Grandet était placé tout auprès. Depuis quinze ans, toutes les journées de la mère et de la fille s'étaient paisiblement écoulées à cette place, dans un travail constant, à compter du mois d'avril jusqu'au mois de novembre. Le premier de ce dernier mois elles pouvaient prendre leur station d'hiver à la cheminée. Ce jour-là seulement Grandet permettait qu'on allumât du feu dans la salle, et il le faisait éteindre au trente-et-un mars, sans avoir égard ni aux premiers froids du printemps ni à ceux de l'automne. Une chaufferette, entretenue avec la braise provenant du feu de la cuisine que la Grande Nanon leur réservait en usant d'adresse, aidait madame et mademoiselle Grandet à passer les matinées ou les soirées les plus fraîches des mois d'avril et d'octobre. La mère et la fille entretenaient tout le linge de la maison, et employaient si consciencieusement leurs journées à ce véritable labeur d'ouvrière, que, si Eugénie voulait broder une collerette à sa mère, elle était forcée de prendre sur ses heures de sommeil en trompant son père pour avoir de la lumière. Depuis longtemps l'avare distribuait la chandelle à sa fille et à la Grande Nanon, de même qu'il distribuait dès le matin le pain et les denrées nécessaires à la consommation journalière.

La Grande Nanon était peut-être la seule créature humaine capable d'accepter le despotisme de son maître. Toute la ville l'enviait à monsieur et à madame Grandet. La Grande Nanon, ainsi nommée à cause de sa taille haute de cinq pieds huit pouces, appartenait à Grandet depuis trente-cinq ans. Quoiqu'elle n'eût que soixante livres de gages, elle passait pour une des plus riches servantes de Saumur. A l'âge de vingt-deux ans, la pauvre fille n'avait pu se placer chez personne, tant sa figure semblait repoussante; et certes ce sentiment était bien injuste: sa figure eût été fort admirée sur les épaules d'un grenadier de la garde; mais en tout il faut, dit-on, l'à-propos. Forcée de quitter une ferme incendiée où elle gardait les vaches, elle vint à Saumur, où elle chercha du service, animée de ce robuste courage qui ne se refuse à rien. Le père Grandet pensait alors à se marier, et voulait déjà monter son ménage. Il avisa cette fille rebutée de porte en porte. Juge de la force corporelle en sa qualité de tonnelier, il devina le parti qu'on pouvait tirer d'une créature femelle taillée en Hercule, plantée sur ses pieds comme un chêne de soixante ans sur ses racines, forte des hanches, carrée du dos, ayant des mains de charretier et une probité vigoureuse. Ni les verrues qui ornaient ce visage martial, ni le teint de brique, ni les bras nerveux, ni les haillons de la

Nanon n'épouvantèrent le tonnelier, qui se trouvait encore dans l'âge où le cœur tressaille. Il vêtit alors, chaussa, nourrit la pauvre fille, lui donna des gages, et l'employa sans trop la rudoyer. En se voyant ainsi accueillie, la
5 Grande Nanon pleura secrètement de joie, et s'attacha sincèrement au tonnelier, qui d'ailleurs l'exploita féodalement. Nanon faisait tout: elle faisait la cuisine, elle faisait les buées, elle allait laver le linge à la Loire, le rapportait sur ses épaules; elle se levait au jour, se couchait tard;
10 faisait à manger à tous les vendangeurs pendant les récoltes, surveillait les halleboteurs; défendait, comme un chien fidèle, le bien de son maître; enfin, pleine d'une confiance aveugle en lui, elle obéissait sans murmure à ses fantaisies les plus saugrenues. Lors de la fameuse
15 année de 1811, dont la récolte coûta des peines inouïes, après vingt ans de service, Grandet résolut de donner sa vieille montre à Nanon, seul présent qu'elle reçut jamais de lui. Quoiqu'il lui abandonnât ses vieux souliers (elle pouvait les mettre), il est impossible de considérer le profit
20 trimestriel des souliers de Grandet comme un cadeau, tant ils étaient usés. La nécessité rendit cette pauvre fille si avare que Grandet avait fini par l'aimer comme on aime un chien, et Nanon s'était laissé mettre au cou un collier garni de pointes dont les piqûres ne la piquaient plus. Si
25 Grandet coupait le pain avec un peu trop de parcimonie, elle ne s'en plaignait pas; elle participait gaiement aux profits hygiéniques que procurait le régime sévère de la maison où jamais personne n'était malade. Puis la Nanon faisait partie de la famille: elle riait quand riait Grandet,
30 s'attristait, gelait, se chauffait, travaillait avec lui. Combien de douces compensations dans cette égalité! «Allons, régale-toi, Nanon,» lui disait-il dans les années où

les branches pliaient sous les fruits que les fermiers étaient obligés de donner aux cochons.

Pour une fille des champs qui dans sa jeunesse n'avait récolté que de mauvais traitements, pour une pauvresse recueillie par charité, le rire équivoque du père Grandet était un vrai rayon de soleil. D'ailleurs le cœur simple, la tête étroite de Nanon ne pouvaient contenir qu'un sentiment et une idée. Depuis trente-cinq ans, elle se voyait toujours arrivant devant le chantier du père Grandet, pieds nus, en haillons, et entendait toujours le tonnelier lui disant: «Que voulez-vous, ma mignonne?» Et sa reconnaissance était toujours jeune. Quelquefois Grandet, songeant que cette pauvre créature n'avait jamais entendu le moindre mot flatteur, disait en la regardant: «Cette pauvre Nanon!»

Cette pitié, placée au cœur de Grandet et prise tout en gré par la vieille fille, avait je ne sais quoi d'horrible. Cette atroce pitié d'avare, qui réveillait mille plaisirs au cœur du vieux tonnelier, était pour Nanon sa somme de bonheur. Qui ne dira pas aussi: «Pauvre Nanon!»

Sa cuisine, dont les fenêtres grillées donnaient sur la cour, était toujours propre, nette, froide, véritable cuisine d'avare où rien ne devait se perdre. Quand Nanon avait lavé sa vaisselle, serré les restes du dîner, éteint son feu, elle quittait sa cuisine, séparée de la salle par un couloir, et venait filer du chanvre auprès de ses maîtres. Une seule chandelle suffisait à la famille pour la soirée. La servante couchait au fond de ce couloir, dans un bouge éclairé par un jour de souffrance. Sa robuste santé lui permettait d'habiter impunément cette espèce de trou, d'où elle pouvait entendre le moindre bruit par le silence profond qui régnait nuit et jour dans la maison. Elle devait, comme un dogue chargé de la police, ne dormir que d'une oreille et se reposer en veillant.

En 1819, vers le commencement de la soirée, au milieu du mois de novembre, la Grande Nanon alluma du feu pour la première fois. L'automne avait été très-beau. Ce jour était un jour de fête bien connu des Cruchotins et des Grassinistes. Aussi les six antagonistes se préparaient-ils à venir armés de toutes pièces, pour se rencontrer dans la salle et s'y surpasser en preuves d'amitié. Le matin, tout Saumur avait vu madame et mademoiselle Grandet, accompagnées de Nanon, se rendant à l'église paroissiale pour y entendre la messe, et chacun se souvint que ce jour était l'anniversaire de la naissance de mademoiselle Eugénie. Aussi, calculant l'heure où le dîner devait finir, maître Cruchot, l'abbé Cruchot et monsieur C. de Bonfons s'empressaient-ils d'arriver avant les des Grassins pour fêter mademoiselle Grandet. Tous trois apportaient d'énormes bouquets cueillis dans leurs petites serres. La queue des fleurs que le président voulait présenter était ingénieusement enveloppée d'un ruban de satin blanc, orné de franges d'or. Le matin, monsieur Grandet, suivant sa coutume pour les jours mémorables de la naissance et de la fête d'Eugénie, était venu la surprendre au lit, et lui avait solennellement offert son présent paternel, consistant, depuis treize années, en une curieuse pièce d'or. Madame Grandet donnait ordinairement à sa fille une robe d'hiver ou d'été, selon la circonstance. Ces deux robes, les pièces d'or qu'elle récoltait au premier jour de l'an et à la fête de son père, lui composaient un petit revenu de cent écus environ, que Grandet aimait à lui voir entasser. N'était-ce pas mettre son argent d'une caisse dans une autre, et, pour ainsi dire, élever à la brochette l'avarice de son héritière, à laquelle il demandait parfois compte de son trésor, autrefois grossi par les La Bertellière, en lui disant: «Ce sera ton *douzain* de mariage.» Le douzain est un antique usage encore en vigueur et saintement conservé dans quelques pays situés au centre de la France. En Berry, en Anjou, quand une jeune fille se marie, sa famille ou celle de l'époux doit lui donner une bourse où se trouvent, suivant les fortunes, douze pièces ou douze douzaines de pièces ou douze cents pièces d'argent ou d'or. La plus pauvre des bergères ne se marierait pas sans son douzain, ne fût-il composé que de gros sous.

Pendant le dîner, le père, tout joyeux de voir son Eugénie plus belle dans une robe neuve, s'était écrié: «Puisque c'est la fête d'Eugénie, faisons du feu! ce sera de bon augure.»

—Mademoiselle se mariera dans l'année, c'est sûr, dit la Grande Nanon en remportant les restes d'une oie, ce faisan des tonneliers.

—Je ne vois point de partis pour elle à Saumur, répondit madame Grandet en regardant son mari d'un air timide qui, vu son âge, annonçait l'entière servitude conjugale sous laquelle gémissait la pauvre femme.

Grandet contempla sa fille, et s'écria gaiement: «Elle a vingt-trois ans aujourd'hui, l'enfant, il faudra bientôt s'occuper d'elle.»

Eugénie et sa mère se jetèrent silencieusement un coup d'œil d'intelligence.

Madame Grandet était une femme sèche et maigre, jaune comme un coing, gauche, lente; une de ces femmes qui semblent faites pour être tyrannisées. Elle avait de gros os, un gros nez, un gros front, de gros yeux, et offrait, au premier aspect, une vague ressemblance avec ces fruits cotonneux qui n'ont plus ni saveur ni suc. Ses dents étaient noires et rares, sa bouche était ridée, et son menton affectait la forme dite en galoche. C'était une excellente femme, une vraie La Bertellière. L'abbé Cruchot savait trouver quelques occasions de lui dire qu'elle n'avait pas été trop mal, et elle le croyait. Une douceur angélique, une résignation d'insecte tourmenté par des enfants, une piété rare, une inaltérable égalité d'âme, un bon cœur, la faisaient universellement plaindre et respecter. Son mari ne lui donnait jamais plus de six francs à la fois pour ses menues dépenses. Quoique ridicule en apparence, cette femme qui, par sa dot et ses successions, avait apporté au père Grandet plus de trois cent mille francs, s'était toujours sentie si profondément humiliée d'une dépendance et d'un ilotisme contre lequel la douceur de son âme lui interdisait de se révolter, qu'elle n'avait jamais demandé un sou, ni fait une observation sur les actes que maître Cruchot lui présentait à signer. Cette fierté sotte et secrète, cette noblesse d'âme constamment méconnue et blessée par Grandet, dominaient la conduite de cette femme.

Madame Grandet mettait constamment une robe de levantine verdâtre, qu'elle s'était accoutumée à faire durer près d'une année; elle portait un grand fichu de cotonnade blanche, un chapeau de paille cousue, et gardait presque toujours un tablier de taffetas noir. Sortant peu du logis, elle usait peu de souliers. Enfin elle ne voulait jamais rien pour elle. Aussi Grandet, saisi parfois d'un remords en se rappelant le long temps écoulé depuis le jour où il avait donné six francs à sa femme, stipulait-il toujours des épingles pour elle en vendant ses récoltes de l'année. Les quatre ou cinq louis offerts par le Hollandais ou le Belge acquéreur de la vendange Grandet formaient le plus clair des revenus annuels de madame Grandet. Mais, quand elle avait reçu ses cinq louis, son mari 5 lui disait souvent, comme si leur bourse était commune: «As-tu quelques sous à me prêter?» et la pauvre femme, heureuse de pouvoir faire quelque chose pour un homme que son confesseur lui représentait comme son seigneur et maître, lui rendait, dans le courant de l'hiver, quelques 10 écus sur l'argent des épingles. Lorsque Grandet tirait de sa poche la pièce de cent sous allouée par mois pour les menues dépenses, le fil, les aiguilles et la toilette de sa fille, il ne manquait jamais, après avoir boutonné son gousset, de dire à sa femme: «Et toi, la mère, veux-tu 15 quelque chose?»

—Mon ami, répondait madame Grandet animée par un sentiment de dignité maternelle, nous verrons cela.

Sublimité perdue! Grandet se croyait très-généreux envers sa femme. Les philosophes qui rencontrent des 20 Nanon, des madame Grandet, des Eugénie, ne sont-ils pas en droit de trouver que l'ironie est le fond du caractère de la Providence? Après ce dîner, où, pour la première fois, il fut question du mariage d'Eugénie, Nanon alla chercher une bouteille de cassis dans la chambre 25 de monsieur Grandet, et manqua de tomber en descendant.

—Grande bête, lui dit son maître, est-ce que tu te laisserais choir comme une autre, toi?

—Monsieur, c'est cette marche de votre escalier qui 30 ne tient pas.

—Elle a raison, dit madame Grandet. Vous auriez dû

la faire raccommoder depuis long-temps. Hier, Eugénie a failli s'y fouler le pied.

—Tiens, dit Grandet à Nanon en la voyant toute pâle, puisque c'est la naissance d'Eugénie, et que tu as manqué 5 de tomber, prends un petit verre de cassis pour te remettre.

—Ma foi, je l'ai bien gagné, dit Nanon. A ma place, il y a bien des gens qui auraient cassé la bouteille; mais je me serais plutôt cassé le coude pour la tenir en 10 l'air.

—C'te [1] pauvre Nanon! dit Grandet en lui versant le cassis.

—T'es-tu fait mal? lui dit Eugénie en la regardant avec intérêt.

15 —Non, puisque je me suis retenue en me fichant sur mes reins.

—Hé! bien, puisque c'est la naissance d'Eugénie, dit Grandet, je vais vous raccommoder votre marche. Vous ne savez pas, vous autres, mettre le pied dans le coin, à 20 l'endroit où elle est encore solide.

Grandet prit la chandelle, laissa sa femme, sa fille et sa servante, sans autre lumière que celle du foyer qui jetait de vives flammes, et alla dans le fournil chercher des planches, des clous et ses outils.

25 —Faut-il vous aider? lui cria Nanon en l'entendant frapper dans l'escalier.

—Non! non! ça me connaît, répondit l'ancien tonnelier.

Au moment où Grandet raccommodait lui-même son 30 escalier vermoulu, et sifflait à tue-tête en souvenir de ses jeunes années, les trois Cruchot frappèrent à la porte.

[1] *C'te*, careless pronunciation of *Cette*.

—C'est-y vous,[1] monsieur Cruchot? demanda Nanon en regardant par la petite grille.

—Oui, répondit le président.

Nanon ouvrit la porte, et la lueur du foyer, qui se reflétait sous la voûte, permit aux trois Cruchot d'apercevoir 5 l'entrée de la salle.

—Ah! vous êtes des fêteux, leur dit Nanon en sentant les fleurs.

—Excusez, messieurs, cria Grandet en reconnaissant la voix de ses amis, je suis à vous! Je ne suis pas fier, je 10 rafistole moi-même une marche de mon escalier.

—Faites, faites, monsieur Grandet, *Charbonnier est Maire chez lui*, dit sentencieusement le président en riant tout seul de son allusion que personne ne comprit.

Madame et mademoiselle Grandet se levèrent. Le 15 président, profitant de l'obscurité, dit alors à Eugénie: «Me permettez-vous, mademoiselle, de vous souhaiter, aujourd'hui que vous venez de naître, une suite d'années heureuses, et la continuation de la santé dont vous jouissez?» 20

Il offrit un gros bouquet de fleurs rares à Saumur; puis, serrant l'héritière par les coudes, il l'embrassa des deux côtés du cou, avec une complaisance qui rendit Eugénie honteuse. Le président, qui ressemblait à un grand clou rouillé, croyait ainsi faire sa cour. 25

—Ne vous gênez pas, dit Grandet en rentrant. Comme vous y allez les jours de fête, monsieur le président!

—Mais, avec mademoiselle, répondit l'abbé Cruchot armé de son bouquet, tous les jours seraient pour mon neveu des jours de fête. 30

[1] *C'est-y vous* is for *c'est-il vous*, an incorrect expression for *est-ce vous?*

L'abbé baisa la main d'Eugénie. Quant à maître Cruchot, il embrassa la jeune fille tout bonnement sur les deux joues, et dit: «Comme ça nous pousse, ça! Tous les ans douze mois.»

5 En replaçant la lumière devant le cartel, Grandet, qui ne quittait jamais une plaisanterie et la répétait à satiété quand elle lui semblait drôle, dit: «Puisque c'est la fête d'Eugénie, allumons les flambeaux!»

Il ôta soigneusement les branches des candélabres, mit 10 la bobèche à chaque piédestal, prit des mains de Nanon une chandelle neuve entortillée d'un bout de papier, la ficha dans le trou, l'assura, l'alluma, et vint s'asseoir à côté de sa femme, en regardant alternativement ses amis, sa fille et les deux chandelles. L'abbé Cruchot, petit 15 homme dodu, grassouillet, à perruque rousse et plate, à figure de vieille femme joueuse, dit en avançant ses pieds bien chaussés dans de forts souliers à agrafes d'argent: «Les des Grassins ne sont pas venus?»

—Pas encore, dit Grandet.

20 —Mais doivent-ils venir? demanda le vieux notaire en faisant grimacer sa face trouée comme une écumoire.

—Je le crois, répondit madame Grandet.

—Vos vendanges sont-elles finies? demanda le président de Bonfons à Grandet.

25 —Partout! lui dit le vieux vigneron en se levant pour se promener de long en long dans la salle et se haussant le thorax par un mouvement plein d'orgueil comme son mot, partout! Par la porte du couloir qui allait à la cuisine, il vit alors la Grande Nanon, assise à son feu, ayant 30 une lumière et se préparant à filer là, pour ne pas se mêler à la fête.—Nanon, dit-il, en s'avançant dans le couloir, veux-tu bien éteindre ton feu, ta lumière, et venir

avec nous? Pardieu! la salle est assez grande pour nous tous.

—Mais, monsieur, vous aurez du beau monde.

—Ne les vaux-tu pas bien? ils sont de la côte d'Adam tout comme toi. 5

Grandet revint vers le président et lui dit: «Avez-vous vendu votre récolte?»

—Non, ma foi, je la garde. Si maintenant le vin est bon, dans deux ans il sera meilleur. Les propriétaires, vous le savez bien, se sont juré de tenir les prix convenus, 10 et cette année les Belges ne l'emporteront pas sur nous. S'ils s'en vont, hé! bien, ils reviendront.

—Oui, mais tenons-nous bien, dit Grandet d'un ton qui fit frémir le président.

—Serait-il en marché? pensa Cruchot. 15

En ce moment, un coup de marteau annonça la famille des Grassins, et leur arrivée interrompit une conversation commencée entre madame Grandet et l'abbé.

Madame des Grassins était une de ces petites femmes vives, dodues, blanches et roses, qui, grâce au régime 20 claustral des provinces et aux habitudes d'une vie vertueuse, se sont conservées jeunes encore à quarante ans. Elles sont comme ces dernières roses de l'arrière-saison, dont la vue fait plaisir, mais dont les pétales ont je ne sais quelle froideur, et dont le parfum s'affaiblit. Elle se 25 mettait assez bien, faisait venir ses modes de Paris, donnait le ton à la ville de Saumur, et avait des soirées. Son mari, ancien quartier-maître dans la garde impériale, grièvement blessé à Austerlitz et retraité, conservait, malgré sa considération pour Grandet, l'apparente franchise des 30 militaires.

—Bonjour, Grandet, dit-il au vigneron en lui tenant

la main et affectant une sorte de supériorité sous laquelle il écrasait toujours les Cruchot.—Mademoiselle, dit-il à Eugénie après avoir salué madame Grandet, vous êtes toujours belle et sage, je ne sais en vérité ce que l'on peut 5 vous souhaiter. Puis il présenta une petite caisse que son domestique portait, et qui contenait une bruyère du Cap, fleur nouvellement apportée en Europe et fort rare.

Madame des Grassins embrassa très-affectueusement Eugénie, lui serra la main, et lui dit: «Adolphe s'est 10 chargé de vous présenter mon petit souvenir.»

Un grand jeune homme blond, pâle et frêle, ayant d'assez bonnes façons, timide en apparence, mais qui venait de dépenser à Paris, où il était allé faire son Droit, huit ou dix mille francs en sus de sa pension, s'avança 15 vers Eugénie, l'embrassa sur les deux joues, et lui offrit une boîte à ouvrage dont tous les ustensiles étaient en vermeil, véritable marchandise de pacotille, malgré l'écusson sur lequel un E. G. gothique assez bien gravé pouvait faire croire à une façon très-soignée. En l'ouvrant, 20 Eugénie eut une de ces joies inespérées et complètes qui font rougir, tressaillir, trembler d'aise les jeunes filles. Elle tourna les yeux sur son père, comme pour savoir s'il lui était permis d'accepter, et monsieur Grandet dit un «Prends, ma fille!» dont l'accent eût illustré un ac-25 teur. Les trois Cruchot restèrent stupéfaits en voyant le regard joyeux et animé lancé sur Adolphe des Grassins par l'héritière à qui de semblables richesses parurent inouïes. Monsieur des Grassins offrit à Grandet une prise de tabac, en saisit une, secoua les grains tombés sur le 30 ruban de la Légion-d'Honneur attaché à la boutonnière de son habit bleu, puis il regarda les Cruchot d'un air qui semblait dire: «Parez-moi cette botte-là?» Madame des Grassins jeta les yeux sur les bocaux bleus où étaient les bouquets des Cruchot, en cherchant leurs cadeaux avec la bonne foi jouée d'une femme moqueuse. Dans cette conjoncture délicate, l'abbé Cruchot laissa la société s'asseoir en cercle devant le feu et alla se promener au 5 fond de la salle avec Grandet. Quand ces deux vieillards furent dans l'embrasure de la fenêtre la plus éloignée des des Grassins: «Ces gens-là, dit le prêtre à l'oreille de l'avare, jettent l'argent par les fenêtres.»

—Qu'est-ce que cela fait, s'il rentre dans ma cave? 10 répliqua le vigneron.

—Si vous vouliez donner des ciseaux d'or à votre fille, vous en auriez bien le moyen, dit l'abbé.

—Je lui donne mieux que des ciseaux, répondit Grandet.

—Mon neveu est une cruche, pensa l'abbé en regar- 15 dant le président dont les cheveux ébouriffés ajoutaient encore à la mauvaise grâce de sa physionomie brune. Ne pouvait-il inventer une petite bêtise qui eût du prix.

—Nous allons faire votre partie, madame Grandet, dit madame des Grassins. 20

—Mais nous sommes tous réunis, *nous pouvons* deux tables. . . .

—Puisque c'est la fête d'Eugénie, faites votre loto général, dit le père Grandet, ces deux enfants en seront. L'ancien tonnelier, qui ne jouait jamais à aucun jeu, 25 montra sa fille et Adolphe.—Allons, Nanon, mets les tables.

—Nous allons vous aider, mademoiselle Nanon, dit gaiement madame des Grassins toute joyeuse de la joie qu'elle avait causée à Eugénie. 30

—Je n'ai jamais de ma vie été si contente, lui dit l'héritière. Je n'ai rien vu de si joli nulle part.

—C'est Adolphe qui l'a rapportée de Paris et qui l'a choisie, lui dit madame des Grassins à l'oreille.

—Va, va ton train, damnée intrigante! se disait le président; si tu es jamais en procès, toi ou ton mari, votre 5 affaire ne sera jamais bonne.

Le notaire, assis dans son coin, regardait l'abbé d'un air calme en se disant: «Les des Grassins ont beau faire, ma fortune, celle de mon frère et celle de mon neveu montent en somme à onze cent mille francs. Les des 10 Grassins en ont tout au plus la moitié, et ils ont une fille: ils peuvent offrir ce qu'ils voudront! héritière et cadeaux, tout sera pour nous un jour.»

A huit heures et demie du soir, deux tables étaient dressées. La jolie madame des Grassins avait réussi à 15 mettre son fils à côté d'Eugénie. Les acteurs de cette scène pleine d'intérêt, quoique vulgaire en apparence, munis de cartons bariolés, chiffrés, et de jetons en verre bleu, semblaient écouter les plaisanteries du vieux notaire, qui ne tirait pas un numéro sans faire une remarque; 20 mais tous pensaient aux millions de monsieur Grandet. Le vieux tonnelier contemplait vaniteusement les plumes roses, la toilette fraîche de madame des Grassins, la tête martiale du banquier, celle d'Adolphe, le président, l'abbé, le notaire, et se disait intérieurement: «Ils sont là 25 pour mes écus. Ils viennent s'ennuyer ici pour ma fille. Hé! ma fille ne sera ni pour les uns ni pour les autres, et tous ces gens-là me servent de harpons pour pêcher!»

Cette gaieté de famille, dans ce vieux salon gris, mal éclairé par deux chandelles; ces rires, accompagnés par 30 le bruit du rouet de la Grande Nanon, et qui n'étaient sincères que sur les lèvres d'Eugénie ou de sa mère; cette petitesse jointe à de si grands intérêts: tout contribuait à rendre cette scène tristement comique. La figure de Grandet exploitant le faux attachement des deux familles, en tirant d'énormes profits, dominait ce drame et l'éclairait. N'était-ce pas le seul dieu moderne auquel on ait foi, l'Argent dans toute sa puissance, exprimé par une seule 5 physionomie? Les doux sentiments de la vie n'occupaient là qu'une place secondaire, ils animaient trois cœurs purs, ceux de Nanon, d'Eugénie et de sa mère. Encore, combien d'ignorance dans leur naïveté! Eugénie et sa mère ne savaient rien de la fortune de Grandet. Affreuse condi- 10 tion de l'homme! il n'y a pas un de ses bonheurs qui ne vienne d'une ignorance quelconque.

Au moment où madame Grandet gagnait un lot de seize sous, le plus considérable qui eût jamais été ponté dans cette salle, et que la Grande Nanon riait d'aise en voyant 15 madame empochant cette riche somme, un coup de marteau retentit à la porte de la maison, et y fit un si grand tapage que les femmes sautèrent sur leurs chaises.

—Ce n'est pas un homme de Saumur qui frappe ainsi, dit le notaire. 20

—Peut-on cogner comme ça, dit Nanon. Veulent-ils casser notre porte?

—Quel diable est-ce? s'écria Grandet.

Nanon prit une des deux chandelles, et alla ouvrir accompagnée de Grandet. 25

—Grandet, Grandet! s'écria sa femme qui, poussée par un vague sentiment de peur, s'élança vers la porte de la salle.

Tous les joueurs se regardèrent.

—Si nous y allions, dit monsieur des Grassins. Ce 30 coup de marteau me paraît malveillant.

A peine fut-il permis à monsieur des Grassins d'apercevoir la figure d'un jeune homme accompagné du facteur des Messageries, qui portait deux malles énormes et traînait des sacs de nuit. Grandet se retourna brusquement vers sa femme, et lui dit: «Madame Grandet, allez à votre loto. Laissez-moi m'entendre avec monsieur.» Puis il tira vivement la porte de la salle, où les joueurs agités reprirent leurs places, mais sans continuer le jeu.

—Est-ce quelqu'un de Saumur, monsieur des Grassins? lui dit sa femme.

—Non, c'est un voyageur.

—Il ne peut venir que de Paris. En effet, dit le notaire en tirant sa vieille montre épaisse de deux doigts et qui ressemblait à un vaisseau hollandais, il est *neuffe-s-heures*. Peste! la diligence du Grand Bureau n'est jamais en retard.

—Et ce monsieur est-il jeune? demanda l'abbé Cruchot.

—Oui, répondit monsieur des Grassins. Il apporte des paquets qui doivent peser au moins trois cents kilos.

—Nanon ne revient pas, dit Eugénie.

—Ce ne peut être qu'un de vos parents, dit le président.

—Faisons les mises, s'écria doucement madame Grandet. A sa voix, j'ai vu que monsieur Grandet était contrarié, peut-être ne serait-il pas content de s'apercevoir que nous parlons de ses affaires.

—Mademoiselle, dit Adolphe à sa voisine, ce sera sans doute votre cousin Grandet, un bien joli jeune homme que j'ai vu au bal de monsieur de Nucingen. Adolphe ne continua pas, sa mère lui marcha sur le pied, puis, en lui demandant à haute voix deux sous pour sa mise: «Veux-tu te taire, grand nigaud!» lui dit-elle à l'oreille.

En ce moment, Grandet rentra sans la Grande Nanon, dont le pas et celui du facteur retentirent dans les escaliers; il était suivi du voyageur qui depuis quelques instants excitait tant de curiosités et préoccupait si vivement les imaginations, que son arrivée en ce logis et sa chute au milieu de ce monde peut être comparée à celle d'un colimaçon dans une ruche, ou à l'introduction d'un paon dans quelque obscure basse-cour de village.

—Asseyez-vous auprès du feu, lui dit Grandet.

Avant de s'asseoir, le jeune étranger salua très-gracieusement l'assemblée. Les hommes se levèrent pour répondre par une inclination polie, et les femmes firent une révérence cérémonieuse.

—Vous avez sans doute froid, monsieur, dit madame Grandet, vous arrivez peut-être de. . .

—Voilà bien les femmes! dit le vieux vigneron en quittant la lecture d'une lettre qu'il tenait à la main, laissez donc monsieur se reposer.

—Mais, mon père, monsieur a peut-être besoin de quelque chose, dit Eugénie.

—Il a une langue, répondit sévèrement le vigneron.

L'inconnu fut seul surpris de cette scène. Les autres personnes étaient faites aux façons despotiques du bonhomme. Néanmoins, quand ces deux demandes et ces deux réponses furent échangées, l'inconnu se leva, présenta le dos au feu, leva l'un de ses pieds pour chauffer la semelle de ses bottes, et dit à Eugénie: «Ma cousine, je vous remercie, j'ai dîné à Tours. Et, ajouta-t-il en regardant Grandet, je n'ai besoin de rien, je ne suis même point fatigué.»

—Monsieur vient de la Capitale? demanda madame des Grassins.

Monsieur Charles, ainsi se nommait le fils de monsieur Grandet de Paris, en s'entendant interpeller, prit un petit lorgnon suspendu par une chaîne à son col, l'appliqua sur son œil droit pour examiner et ce qu'il y avait sur la 5 table et les personnes qui y étaient assises, lorgna fort impertinemment madame des Grassins, et lui dit après avoir tout vu: «Oui, madame. Vous jouez au loto, ma tante, ajouta-t-il, je vous en prie, continuez votre jeu, il est trop amusant pour le quitter. . . .»

10 —J'étais sûre que c'était le cousin, pensait madame des Grassins en lui jetant de petites œillades.

—Quarante-sept, cria le vieil abbé. Marquez donc, madame des Grassins, n'est-ce pas votre numéro?

Monsieur des Grassins mit un jeton sur le carton de sa 15 femme, qui, saisie par de tristes pressentiments, observa tour à tour le cousin de Paris et Eugénie, sans songer au loto. De temps en temps, la jeune héritière lança de furtifs regards à son cousin, et la femme du banquier put facilement y découvrir un *crescendo* d'étonnement ou de 20 curiosité.

II. LE COUSIN DE PARIS

Monsieur Charles Grandet, beau jeune homme de vingt-deux ans, produisait en ce moment un singulier contraste avec les bons provinciaux. Quelques jours avant cette soirée, son père lui avait dit d'aller pour quel- 25 ques mois chez son frère de Saumur. Peut-être monsieur Grandet de Paris pensait-il à Eugénie. Charles, qui tombait en province pour la première fois, eut la pensée d'y paraître avec la supériorité d'un jeune homme à la mode, de désespérer l'arrondissement par son luxe, d'y faire époque, et d'y importer les inventions de la vie parisienne. Charles emporta donc le plus joli costume de chasse, le plus joli fusil, le plus joli couteau, la plus jolie gaîne de Paris. Il emporta sa collection de gilets les plus ingénieux: il y en avait de gris, de blancs, de noirs, de boutonnés jusqu'en haut, à boutons d'or. Il emporta toutes les variétés de cols et de cravates en faveur à cette époque. Il emporta deux habits de Buisson et son linge le plus fin. Il emporta sa jolie toilette d'or, présent de sa mère. Il emporta ses colifichets de dandy, sans oublier une ravissante petite écritoire donnée par la plus aimable des femmes, pour lui du moins, par une grande dame qu'il nommait Annette, et qui voyageait maritalement, ennuyeusement, en Écosse, victime de quelques soupçons auxquels besoin était de sacrifier momentanément son bonheur; puis force joli papier pour lui écrire une lettre par quinzaine.

Son père lui ayant dit de voyager seul et modestement, il était venu dans le coupé de la diligence retenu pour lui seul, assez content de ne pas gâter une délicieuse voiture de voyage commandée pour aller au-devant de son Annette, la grande dame que . . . etc., et qu'il devait rejoindre en juin prochain aux Eaux de Baden. Charles comptait rencontrer cent personnes chez son oncle, chasser à courre dans les forêts de son oncle, y vivre enfin de la vie de château; il ne savait pas le trouver à Saumur, où il ne s'était informé de lui que pour demander le chemin de Froidfond; mais, en le sachant en ville, il crut l'y voir dans un grand hôtel. Afin de débuter convenablement chez son oncle, soit à Saumur, soit à Froidfond, il avait fait la toilette de voyage la plus coquette, la plus simplement recherchée, la plus adorable, pour employer le mot qui dans ce temps résumait les perfections spéciales d'une chose ou d'un homme. A Tours, un coiffeur venait de lui refriser ses beaux cheveux châtains; il y avait changé de linge, et mis une cravate de satin noir combinée avec 5 un col rond, de manière à encadrer agréablement sa blanche et rieuse figure. Une redingote de voyage à demi boutonnée lui pinçait la taille, et laissait voir un gilet de cachemire à châle sous lequel était un second gilet blanc. Sa montre, négligemment abandonnée au hasard dans 10 une poche, se rattachait par une courte chaîne d'or à l'une des boutonnières. Son pantalon gris se boutonnait sur les côtés, où des dessins brodés en soie noire enjolivaient les coutures. Il maniait agréablement une canne dont la pomme d'or sculpté n'altérait point la fraîcheur de ses 15 gants gris. Enfin, sa casquette était d'un goût excellent. Un Parisien, un Parisien de la sphère la plus élevée pouvait seul et s'agencer ainsi sans paraître ridicule, et donner une harmonie de fatuité à toutes ces niaiseries, que soutenait d'ailleurs un air brave, l'air d'un jeune homme qui 20 a de beaux pistolets, le coup sûr et Annette. Maintenant, si vous voulez bien comprendre la surprise respective des Saumurois et du jeune Parisien, voir parfaitement le vif éclat que l'élégance du voyageur jetait au milieu des ombres grises de la salle et des figures qui composaient 25 le tableau de famille, essayez de vous représenter les Cruchot. Tous les trois prenaient du tabac, et ne songeaient plus depuis long-temps à éviter ni les roupies, ni les petites galettes noires qui parsemaient le jabot de leurs chemises rousses, à cols recroquevillés et à plis jaunâtres. 30 Leurs cravates molles se roulaient en corde aussitôt qu'ils se les étaient attachées au cou. L'énorme quantité de linge qui leur permettait de ne faire la lessive que tous les six mois, et de le garder au fond de leurs armoires, laissait le temps y imprimer ses teintes grises et vieilles. Il y avait en eux une parfaite entente de mauvaise grâce et de sénilité. Leurs figures, aussi flétries que l'étaient leurs habits râpés, aussi plissées que leurs pantalons, 5 semblaient usées, racornies, et grimaçaient. La négligence générale des autres costumes, tous incomplets, sans fraîcheur, comme le sont les toilettes de province, où l'on arrive insensiblement à ne plus s'habiller les uns pour les autres, et à prendre garde au prix d'une paire de gants, 10 s'accordait avec l'insouciance des Cruchot. L'horreur de la mode était le seul point sur lequel les Grassinistes et les Cruchotins s'entendissent parfaitement. Le Parisien prenait-il son lorgnon pour examiner les singuliers accessoires de la salle, aussitôt les joueurs de loto levaient le 15 nez et le considéraient avec autant de curiosité qu'ils en eussent manifesté pour une girafe.

Tous pouvaient d'ailleurs observer Charles à loisir, sans craindre de déplaire au maître du logis. Grandet était absorbé dans la longue lettre qu'il tenait, et il avait pris 20 pour la lire l'unique flambeau de la table, sans se soucier de ses hôtes ni de leur plaisir. Eugénie, à qui le type d'une perfection semblable, soit dans la mise, soit dans la personne, était entièrement inconnu, crut voir en son cousin une créature descendue de quelque région séraphique. 25 Elle respirait avec délices les parfums exhalés par cette chevelure si brillante, si gracieusement bouclée. Elle aurait voulu pouvoir toucher la peau blanche de ces jolis gants fins. Elle enviait les petites mains de Charles, son teint, la fraîcheur et la délicatesse de ses traits. Charles 30 tira de sa poche un mouchoir brodé par la grande dame qui voyageait en Écosse. En voyant ce joli ouvrage fait avec amour pendant les heures perdues pour l'amour, Eugénie regarda son cousin pour savoir s'il allait bien réellement s'en servir. Les manières de Charles, ses gestes, la façon dont il prenait son lorgnon, son impertinence 5 affecteé, son mépris pour le coffret qui venait de faire tant de plaisir à la riche héritière et qu'il trouvait évidemment ou sans valeur ou ridicule; enfin, tout ce qui choquait les Cruchot et les des Grassins lui plaisait si fort, qu'avant de s'endormir elle dut rêver long-temps à ce phénix des 10 cousins.

Les numéros se tiraient fort lentement, mais bientôt le loto fut arrêté. La Grande Nanon entra et dit tout haut: «Madame, va falloir me donner des draps pour faire le lit à ce monsieur.»

15 Madame Grandet suivit Nanon. Madame des Grassins dit alors à voix basse: «Gardons nos sous et laissons le loto.» Chacun reprit ses deux sous dans la vieille soucoupe écornée où il les avait mis; puis l'assemblée se remua en masse et fit un quart de conversion vers le feu.

20 —Vous avez donc fini? dit Grandet sans quitter sa lettre.

—Oui, oui, répondit madame des Grassins en venant prendre place près de Charles.

Eugénie, mue par une de ces pensées qui naissent au cœur des jeunes filles quand un sentiment s'y loge pour 25 la première fois, quitta la salle pour aller aider sa mère et Nanon. Si elle avait été questionnée par un confesseur habile, elle lui eût sans doute avoué qu'elle ne songeait ni à sa mère ni à Nanon, mais qu'elle était travaillée par un poignant désir d'inspecter la chambre de son cousin 30 pour s'y occuper de son cousin, pour y placer quoi que ce fût, pour obvier à un oubli, pour y tout prévoir, afin de la rendre, autant que possible, élégante et propre.

Eugénie se croyait déjà seule capable de comprendre les goûts et les idées de son cousin. En effet, elle arriva fort heureusement pour prouver à sa mère et à Nanon, qui revenaient pensant avoir tout fait, que tout était à faire. Elle donna l'idée à la Grande Nanon de bassiner les draps 5 avec la braise du feu; elle couvrit elle-même la vieille table d'un naperon, et recommanda bien à Nanon de changer le naperon tous les matins. Elle convainquit sa mère de la nécessité d'allumer un bon feu dans la cheminée, et détermina Nanon à monter, sans en rien dire à 10 son père, un gros tas de bois dans le corridor. Elle courut chercher dans une des encoignures de la salle un plateau de vieux laque qui venait de la succession de feu le vieux monsieur de La Bertellière, y prit également un verre de cristal à six pans, une petite cuiller dédorée, 15 un flacon antique où étaient gravés des amours, et mit triomphalement le tout sur un coin de la cheminée. Il lui avait plus surgi d'idées en un quart d'heure qu'elle n'en avait eu depuis qu'elle était au monde.

—Maman, dit-elle, jamais mon cousin ne supportera 20 l'odeur d'une chandelle. Si nous achetions de la bougie? . . . Elle alla, légère comme un oiseau, tirer de sa bourse l'écu de cent sous qu'elle avait reçu pour ses dépenses du mois.—Tiens, Nanon, dit-elle, va vite.

—Mais, que dira ton père? Cette objection terrible 25 fut proposée par madame Grandet en voyant sa fille armée d'un sucrier de vieux Sèvres rapporté du château de Froidfond par Grandet.—Et où prendras-tu donc du sucre? es-tu folle?

—Maman, Nanon achètera aussi bien du sucre que de 30 la bougie.

—Mais ton père?

—Serait-il convenable que son neveu ne pût boire un verre d'eau sucrée? D'ailleurs, il n'y fera pas attention.

—Ton père voit tout, dit madame Grandet en hochant la tête.

Nanon hésitait, elle connaissait son maître.

—Mais va donc, Nanon, puisque c'est ma fête!

Nanon laissa échapper un gros rire en entendant la première plaisanterie que sa jeune maîtresse eût jamais faite, et lui obéit. Pendant qu'Eugénie et sa mère s'efforçaient d'embellir la chambre destinée par monsieur Grandet à son neveu, Charles se trouvait l'objet des attentions de madame des Grassins, qui lui faisait des agaceries.

—Vous êtes bien courageux, monsieur, lui dit-elle, de quitter les plaisirs de la capitale pendant l'hiver pour venir habiter Saumur. Mais si nous ne vous faisons pas trop peur, vous verrez que l'on peut encore s'y amuser.

Charles répondit avec grâce à l'espèce d'invitation qui lui était adressée, et il s'engagea naturellement une conversation dans laquelle madame des Grassins baissa graduellement sa voix pour la mettre en harmonie avec la nature de ses confidences. Il existait chez elle et chez Charles un même besoin de confiance.

—Monsieur, si vous voulez nous faire l'honneur de venir nous voir, vous ferez très-certainement autant de plaisir à mon mari qu'à moi. Notre salon est le seul dans Saumur où vous trouverez réunis le haut commerce et la noblesse: nous appartenons aux deux sociétés, qui ne veulent se rencontrer que là parce qu'on s'y amuse. Mon mari, je le dis avec orgueil, est également considéré par les uns et par les autres. Ainsi, nous tâcherons de faire diversion à l'ennui de votre séjour ici. Si vous restiez chez monsieur Grandet, que deviendriez-vous, bon Dieu! Votre oncle est un grigou qui ne pense qu'à ses provins, votre tante est une dévote qui ne sait pas coudre deux idées, et votre cousine est une petite sotte, sans éducation, commune, sans dot, et qui passe sa vie à raccommoder des torchons.

—Elle est très-bien, cette femme, se dit en lui-même Charles Grandet.

Sans paraître y prêter la moindre attention, l'abbé Cruchot avait su deviner la conversation de Charles et de madame des Grassins.

—Monsieur, dit enfin Adolphe à Charles d'un air qu'il aurait voulu rendre dégagé, je ne sais si vous avez conservé quelque souvenir de moi; j'ai eu le plaisir d'être votre vis-à-vis à un bal donné par monsieur le baron de Nucingen, et. . . .

—Parfaitement, monsieur, parfaitement, répondit Charles, surpris de se voir l'objet des attentions de tout le monde.

—Monsieur est votre fils? demanda-t-il à madame des Grassins.

L'abbé regarda malicieusement la mère.

—Oui, monsieur, dit-elle.

—Vous étiez donc bien jeune à Paris? reprit Charles en s'adressant à Adolphe.

—Que voulez-vous, monsieur, dit l'abbé, nous les envoyons à Babylone aussitôt qu'ils sont sevrés.

Madame des Grassins interrogea l'abbé par un regard d'une étonnante profondeur.

—Il paraît que j'aurai beaucoup de succès à Saumur, se disait Charles en déboutonnant sa redingote, se mettant la main dans son gilet, et jetant son regard à travers les espaces pour imiter la pose donnée à lord Byron par Chantrey.

L'inattention du père Grandet, ou, pour mieux dire, la préoccupation dans laquelle le plongeait la lecture de sa lettre, n'échappèrent ni au notaire ni au président, qui tâchaient d'en conjecturer le contenu par les imperceptibles mouvements de la figure du bonhomme, alors fortement éclairée par la chandelle. Le vigneron maintenait difficilement le calme habituel de sa physionomie. D'ailleurs, chacun pourra se peindre la contenance affectée par cet homme en lisant la fatale lettre que voici:

«Mon frère, voici bientôt vingt-trois ans que nous ne nous sommes vus. Mon mariage a été l'objet de notre dernière entrevue, après laquelle nous nous sommes quittés joyeux l'un et l'autre. Certes je ne pouvais guère prévoir que tu serais un jour le seul soutien de la famille, à la prospérité de laquelle tu applaudissais alors. Quand tu tiendras cette lettre en tes mains, je n'existerai plus. Dans la position où j'étais, je n'ai pas voulu survivre à la honte d'une faillite. Je me suis tenu sur le bord du gouffre jusqu'au dernier moment, espérant surnager toujours. Il faut y tomber. Les banqueroutes réunies de mon agent de change et de Roguin, mon notaire, m'emportent mes dernières ressources et ne me laissent rien. J'ai la douleur de devoir près de quatre millions sans pouvoir offrir plus de vingt-cinq pour cent d'actif. Mes vins emmagasinés éprouvent en ce moment la baisse ruineuse que causent l'abondance et la qualité de vos récoltes. Dans trois jours, Paris dira: «Monsieur Grandet était un fripon!» Je me coucherai, moi probe, dans un linceul d'infamie. Je ravis à mon fils et son nom que j'entache et la fortune de sa mère. Il ne sait rien de cela, ce malheureux enfant que j'idolâtre. Nous nous sommes dit adieu tendrement. Il ignorait, par bonheur, que les derniers flots de ma vie s'épanchaient dans cet adieu. Ne me maudira-t-il pas un jour? Mon frère, mon frère, la malédiction de nos enfants est épouvantable; ils peuvent appeler de la nôtre, mais la leur est irrévocable. Grandet, tu es mon aîné, tu me dois ta protection: fais que Charles ne jette aucune parole amère sur ma tombe! Mon frère, si je t'écrivais avec mon sang et mes larmes, il n'y aurait pas autant de douleurs que j'en mets dans cette lettre; car je pleurerais, je saignerais, je serais mort, je ne souffrirais plus; mais je souffre et vois la mort d'un œil sec. Te voilà donc le père de Charles! il n'a point de parents du côté maternel, tu sais pourquoi. Pourquoi n'ai-je pas obéi aux préjugés sociaux? Pourquoi ai-je cédé à l'amour? Pourquoi ai-je épousé la fille naturelle d'un grand seigneur? Charles n'a plus de famille. O mon malheureux fils! mon fils! Écoute, Grandet, je ne suis pas venu t'implorer pour moi; d'ailleurs tes biens ne sont peut-être pas assez considérables pour supporter une hypothèque de trois millions; mais pour mon fils! Sache-le bien, mon frère, mes mains suppliantes se sont jointes en pensant à toi. Grandet, je te confie Charles en mourant. Enfin je regarde mes pistolets sans douleur en pensant que tu lui serviras de père. Il m'aimait bien, Charles; j'étais si bon pour lui, je ne le contrariais jamais: il ne me maudira pas. D'ailleurs, tu verras; il est doux, il tient de sa mère, il ne te donnera jamais de chagrin. Pauvre enfant! accoutumé aux jouissances du luxe, il ne connaît aucune des privations auxquelles nous a condamnés l'un et l'autre notre première misère. . . . Et le voilà ruiné, seul. Oui, tous ses amis le fuiront, et c'est moi qui serai la cause de ses humiliations. Ah! je voudrais avoir le bras assez fort pour l'envoyer d'un seul coup dans les cieux près de sa mère. Folie! je reviens à mon malheur, à celui de Charles. Je te l'ai donc envoyé pour que tu lui apprennes convenablement et ma mort et son sort à venir. Sois un père pour lui, mais un 5 bon père. Ne l'arrache pas tout à coup à sa vie oisive, tu le tuerais. Je lui demande à genoux de renoncer aux créances qu'en qualité d'héritier de sa mère il pourrait exercer contre moi. Mais c'est une prière superflue; il a de l'honneur, et sentira bien qu'il ne doit pas se joindre à 10 mes créanciers. Fais-le renoncer à ma succession en temps utile. Révèle-lui les dures conditions de la vie que je lui fais; et, s'il me conserve sa tendresse, dis-lui bien en mon nom que tout n'est pas perdu pour lui. Oui, le travail, qui nous a sauvés tous deux, peut lui rendre la fortune 15 que je lui emporte; et, s'il veut écouter la voix de son père, qui pour lui voudrait sortir un moment du tombeau, qu'il parte, qu'il aille aux Indes! Mon frère, Charles est un jeune homme probe et courageux: tu lui feras une pacotille, il mourrait plutôt que de ne pas te rendre les 20 premiers fonds que tu lui prêteras; car tu lui en prêteras, Grandet! sinon tu te créerais des remords. Ah! si mon enfant ne trouvait ni secours ni tendresse en toi, je demanderais éternellement vengeance à Dieu de ta dureté. Si j'avais pu sauver quelques valeurs, j'avais bien le droit de 25 lui remettre une somme sur le bien de sa mère; mais les paiements de ma fin du mois avaient absorbé toutes mes ressources. Je n'aurais pas voulu mourir dans le doute sur le sort de mon enfant; j'aurais voulu sentir de saintes promesses dans la chaleur de ta main, qui m'eût réchauffé; 30 mais le temps me manque. Pendant que Charles voyage, je suis obligé de dresser mon bilan. Je tâche de prouver par la bonne foi qui préside à mes affaires qu'il n'y a dans mes désastres ni faute ni improbité. N'est-ce pas m'occuper de Charles? Adieu, mon frère. Que toutes les bénédictions de Dieu te soient acquises pour la généreuse tutelle que je te confie, et que tu acceptes, je n'en doute pas. Il y aura sans cesse une voix qui priera pour toi dans le monde où nous devons aller tous un jour, et où je suis déjà.

«Victor-Ange-Guillaume GRANDET.»

—Vous causez donc? dit le père Grandet en pliant avec exactitude la lettre dans les mêmes plis et la mettant dans la poche de son gilet. Il regarda son neveu d'un air humble et craintif sous lequel il cacha ses émotions et ses calculs.—Vous êtes-vous réchauffé?

—Très-bien, mon cher oncle.

—Hé! bien, où sont donc nos femmes? dit l'oncle oubliant déjà que son neveu couchait chez lui. En ce moment Eugénie et madame Grandet rentrèrent.—Tout est-il arrangé là-haut? leur demanda le bonhomme en retrouvant son calme.

—Oui, mon père.

—Hé! bien, mon neveu, si vous êtes fatigué, Nanon va vous conduire à votre chambre. Dame, ce ne sera pas un appartement de *mirliflor!* mais vous excuserez de pauvres vignerons qui n'ont jamais le sou. Les impôts nous avalent tout.

—Nous ne voulons pas être indiscrets, Grandet, dit le banquier. Vous pouvez avoir à jaser avec votre neveu, nous vous souhaitons le bonsoir. A demain.

A ces mots, l'assemblée se leva, et chacun fit la révérence suivant son caractère. Le vieux notaire alla chercher sous la porte sa lanterne, et vint l'allumer en offrant aux des Grassins de les reconduire. Madame des Grassins n'avait pas prévu l'incident qui devait faire finir prématurément la soirée, et son domestique n'était pas arrivé.

—Voulez-vous me faire l'honneur d'accepter mon bras, madame? dit l'abbé Cruchot à madame des Grassins.

—Merci, monsieur l'abbé. J'ai mon fils, répondit-elle sèchement.

—Les dames ne sauraient se compromettre avec moi, dit l'abbé.

—Donne donc le bras à monsieur Cruchot, lui dit son mari.

L'abbé emmena la jolie dame assez lestement pour se trouver à quelques pas en avant de la caravane.

—Il est très-bien, ce jeune homme, madame, lui dit-il en lui serrant le bras. *Adieu, paniers, venaanges sont faites!* Il vous faut dire adieu à mademoiselle Grandet, Eugénie sera pour le Parisien. A moins que ce cousin ne soit amouraché d'une Parisienne, votre fils Adolphe va rencontrer en lui le rival le plus. . .

—Laissez donc, monsieur l'abbé. Ce jeune homme ne tardera pas à s'apercevoir qu'Eugénie est une niaise, une fille sans fraîcheur. L'avez-vous examinée? elle était, ce soir, jaune comme un coing.

—Vous l'avez peut-être déjà fait remarquer au cousin.

—Et je ne m'en suis pas gênée. . .

—Mettez-vous toujours auprès d'Eugénie, madame, et vous n'aurez pas grand'chose à dire à ce jeune homme contre sa cousine, il fera de lui-même une comparaison qui. . .

—D'abord, il m'a promis de venir dîner après-demain chez moi.

—Ah! si vous vouliez, madame . . . dit l'abbé.

—Et que voulez-vous que je veuille, monsieur l'abbé? Entendez-vous ainsi me donner de mauvais conseils? Pour un ecclésiastique, vous avez en vérité des idées bien incongrues.

—Mais vous me faites aussi pervers que l'est un jeune homme d'aujourd'hui, dit en riant l'abbé. Je voulais simplement vous. . . .

—Osez me dire que vous ne songiez pas à me conseiller de vilaines choses. Cela n'est-il pas clair? Si ce jeune homme, qui est très-bien, j'en conviens, me faisait la cour, il ne penserait pas à sa cousine. A Paris, je le sais, quelques bonnes mères se dévouent ainsi pour le bonheur et la fortune de leurs enfants; mais nous sommes en province, monsieur l'abbé.

—Oui, madame.

—Et, reprit-elle, je ne voudrais pas, ni Adolphe lui-même ne voudrait pas de cent millions achetés à ce prix. . . .

—Madame, je n'ai point parlé de cent millions. La tentation eût été peut-être au-dessus de nos forces à l'un et à l'autre. Seulement, je crois qu'une honnête femme peut se permettre, en tout bien tout honneur, de petites coquetteries sans conséquence, qui font partie de ses devoirs en société, et qui. . . .

—Vous croyez?

—Ne devons-nous pas, madame, tâcher de nous être agréables les uns aux autres. . . . Permettez que je me mouche.—Je vous assure, madame, reprit-il, qu'il vous lorgnait d'un air un peu plus flatteur que celui qu'il avait en me regardant; mais je lui pardonne d'honorer préférablement à la vieillesse la beauté. . . .

—Il est clair, disait le président de sa grosse voix, que

monsieur Grandet de Paris envoie son fils à Saumur dans des intentions extrêmement matrimoniales. . . .

—Mais, alors, le cousin ne serait pas tombé comme une bombe, répondait le notaire.

5 —Cela ne dirait rien, dit monsieur des Grassins, le bonhomme est *cachotier*.

—Des Grassins, mon ami, je l'ai invité à dîner, ce jeune homme. J'espère, messieurs, que vous nous ferez l'honneur de venir, ajouta-t-elle en arrêtant le cortége pour se 10 retourner vers les deux Cruchot.

—Vous voilà chez vous, madame, dit le notaire.

Après avoir salué les trois des Grassins, les trois Cruchot s'en retournèrent chez eux, en se servant de ce génie d'analyse que possèdent les provinciaux pour étudier sous 15 toutes ses faces le grand événement de cette soirée, qui changeait les positions respectives des Cruchotins et des Grassinistes. L'admirable bon sens qui dirigeait les actions de ces grands calculateurs leur fit sentir aux uns et aux autres la nécessité d'une alliance momentanée contre 20 l'ennemi commun. Ne devaient-ils pas mutuellement empêcher Eugénie d'aimer son cousin, et Charles de penser à sa cousine?

Lorsque les quatre parents se trouvèrent seuls dans la salle, monsieur Grandet dit à son neveu: «Il faut se 25 coucher. Il est trop tard pour causer des affaires qui vous amènent ici, nous prendrons demain un moment convenable. Ici, nous déjeunons à huit heures. A midi, nous mangeons un fruit, un rien de pain sur le pouce, et nous buvons un verre de vin blanc; puis nous dînons, comme 30 les Parisiens, à cinq heures. Voilà l'ordre. Si vous voulez voir la ville ou les environs, vous serez libre comme l'air. Vous m'excuserez si mes affaires ne me permettent pas toujours de vous accompagner. Vous les entendrez peut-être tous ici vous disant que je suis riche: monsieur Grandet par-ci, monsieur Grandet par-là! Je les laisse dire, leurs bavardages ne nuisent point à mon crédit. Mais je n'ai pas le sou, et je travaille à mon âge comme un jeune compagnon, qui n'a pour tout bien qu'une mauvaise plane et deux bons bras. Vous verrez peut-être bientôt par vous-même ce que coûte un écu quand il faut le suer. Allons, Nanon, les chandelles?»

—J'espère, mon neveu, que vous trouverez tout ce dont vous aurez besoin, dit madame Grandet; mais s'il vous manquait quelque chose, vous pourrez appeler Nanon.

—Ma chère tante, ce serait difficile, j'ai, je crois, emporté toutes mes affaires! Permettez-moi de vous souhaiter une bonne nuit, ainsi qu'à ma jeune cousine.

Charles prit des mains de Nanon une bougie allumée, une bougie d'Anjou, bien jaune de ton, vieillie en boutique et si pareille à de la chandelle, que monsieur Grandet, incapable d'en soupçonner l'existence au logis, ne s'aperçut pas de cette magnificence.

—Je vais vous montrer le chemin, dit le bonhomme.

Au lieu de sortir par la porte de la salle qui donnait sous la voûte, Grandet fit la cérémonie de passer par le couloir qui séparait la salle de la cuisine. Nanon alla verrouiller la grande porte, ferma la salle, et détacha dans l'écurie un chien-loup dont la voix était cassée comme s'il avait une laryngite. Cet animal d'une notable férocité ne connaissait que Nanon. Ces deux créatures champêtres s'entendaient. Quand Charles vit les murs jaunâtres et enfumés de la cage où l'escalier à rampe vermoulue tremblait sous le pas pesant de son oncle, son dégrisement alla *rinforzando*. Il se croyait dans un juchoir à poules. Sa tante et sa cousine, vers lesquelles il se retourna pour interroger leurs figures, étaient si bien façonnées à cet escalier, que, ne devinant pas la cause de son étonnement, 5 elles le prirent pour une expression amicale, et y répondirent par un sourire agréable qui le désespéra.—Que diable mon père m'envoie-t-il faire ici? se disait-il. Arrivé sur le premier palier, il aperçut trois portes peintes en rouge étrusque et sans chambranles, des portes perdues 10 dans la muraille poudreuse. Celle de ces portes qui se trouvait en haut de l'escalier et qui donnait entrée dans la pièce située au-dessus de la cuisine, était évidemment murée. On n'y pénétrait en effet que par la chambre de Grandet, à qui cette pièce servait de cabinet. L'unique 15 croisée d'où elle tirait son jour était défendue sur la cour par d'énormes barreaux en fer grillagés. Personne, pas même madame Grandet, n'avait la permission d'y venir, le bonhomme voulait y rester seul comme un alchimiste à son fourneau. Là, sans doute, quand Nanon ronflait à 20 ébranler les planchers, quand le chien-loup veillait et bâillait dans la cour, quand madame et mademoiselle Grandet étaient bien endormies, venait le vieux tonnelier choyer, caresser, couver, cuver, cercler son or. Les murs étaient épais, les contrevents discrets. Lui seul avait la 25 clef de ce laboratoire, où, dit-on, il consultait des plans sur lesquels ses arbres à fruits étaient désignés et où il chiffrait ses produits à un provin, à une bourrée près.

Quand Eugénie et sa mère arrivèrent au milieu du palier, elles se donnèrent le baiser du soir; puis, après avoir dit 30 à Charles quelques mots d'adieu, froids sur les lèvres, mais certes chaleureux au cœur de la fille. elles rentrèrent dans leurs chambres.

—Vous voilà chez vous, mon neveu, dit le père Grandet à Charles en lui ouvrant sa porte. Si vous aviez besoin de sortir, vous appelleriez Nanon. Sans elle, votre serviteur! le chien vous mangerait sans vous dire un seul mot. Dormez bien. Bonsoir. Ha! ha! ces dames vous 5 ont fait du feu, reprit-il. En ce moment la Grande Nanon apparut, armée d'une bassinoire.—En voilà bien d'une autre! dit monsieur Grandet. Prenez-vous mon neveu pour une femme en couches? Veux-tu bien remporter ta braise, Nanon. 10

—Mais, monsieur, les draps sont humides, et ce monsieur est vraiment mignon comme une femme.

—Allons, va, puisque tu l'as dans la tête, dit Grandet en la poussant par les épaules, mais prends garde de mettre le feu. Puis l'avare descendit en grommelant 15 de vagues paroles.

Charles demeura pantois au milieu de ses malles. Après avoir jeté les yeux sur les murs d'une chambre en mansarde tendue de ce papier jaune à bouquets de fleurs qui tapisse les guinguettes, sur une cheminée en pierre de 20 liais cannelée dont le seul aspect donnait froid, sur des chaises de bois jaune garnies en canne vernissée et qui semblaient avoir plus de quatre angles, sur une table de nuit ouverte dans laquelle aurait pu tenir un petit sergent de voltigeurs, sur le maigre tapis de lisière placé au bas d'un 25 lit à ciel dont les pentes en drap tremblaient comme si elles allaient tomber, achevées par les vers, il regarda sérieusement la Grande Nanon et lui dit: «Ah çà! ma chère enfant, suis-je bien chez monsieur Grandet, l'ancien maire de Saumur, frère de monsieur Grandet de 30 Paris?»

—Oui, monsieur, chez un ben aimable, un ben doux,

un ben [1] parfait monsieur. Faut-il que je vous aide à défaire vos malles?

—Ma foi, je le veux bien, mon vieux troupier! N'avez-vous pas servi dans les marins de la garde impériale?

—Oh! oh! oh! oh! dit Nanon, quoi que c'est [2] que ça, les marins de la garde? C'est-y salé? [3] Ça va-t-il sur l'eau?

—Tenez, cherchez ma robe de chambre qui est dans cette valise. En voici la clef.

Nanon fut tout émerveillée de voir une robe de chambre en soie verte à fleurs d'or et à dessins antiques.

—Vous allez mettre ça pour vous coucher, dit-elle.

—Oui.

—Sainte Vierge! le beau devant d'autel que ça ferait pour la paroisse. Mais, mon cher mignon monsieur, donnez donc ça à l'église, vous sauverez votre âme, tandis que ça vous la fera perdre. Oh! que vous êtes donc gentil comme ça. Je vais appeler mademoiselle pour qu'elle vous regarde.

—Allons, Nanon, puisque Nanon y a, voulez-vous vous taire! Laissez-moi coucher, j'arrangerai mes affaires demain; et si ma robe vous plaît tant, vous sauverez votre âme. Je suis trop bon chrétien pour vous la refuser en m'en allant, et vous pourrez en faire ce que vous voudrez.

Nanon resta plantée sur ses pieds, contemplant Charles, sans pouvoir ajouter foi à ses paroles.

—Me donner ce bel atour! dit-elle en s'en allant. Il rêve déjà, ce monsieur. Bonsoir.

—Bonsoir, Nanon.

—Qu'est-ce que je suis venu faire ici? se dit Charles en s'endormant. Mon père n'est pas un niais, mon voyage

[1] *ben* for *bien*. [2] *quoi que c'est* for *qu'est-ce que c'est.*
[3] *C'est-y salé=c'est-il salé,* for *est-ce qu'il est salé?*

doit avoir un but. Psch! à demain les affaires sérieuses, disait je ne sais quelle ganache grecque.

—Sainte Vierge! qu'il est gentil, mon cousin, se dit Eugénie en interrompant ses prières qui ce soir-là ne furent pas finies. 5

Madame Grandet n'eut aucune pensée en se couchant. Elle entendait, par la porte de communication qui se trouvait au milieu de la cloison, l'avare se promenant de long en long dans sa chambre. Semblable à toutes les femmes timides, elle avait étudié le caractère de son seigneur. De 10 même que la mouette prévoit l'orage, elle avait, à d'imperceptibles signes, pressenti la tempête intérieure qui agitait Grandet, et, pour employer l'expression dont elle se servait, elle faisait alors la morte. Grandet regardait la porte intérieurement doublée en tôle qu'il avait fait mettre 15 à son cabinet, et se disait: «Quelle idée bizarre a eue mon frère de me léguer son enfant? Jolie succession! Je n'ai pas vingt écus à donner. Mais qu'est-ce que vingt écus pour ce mirliflor?»

En songeant aux conséquences de ce testament de dou- 20 leur, Grandet était peut-être plus agité que ne l'était son frère au moment où il le traça.

—J'aurais cette robe d'or? . . . disait Nanon qui s'endormit habillée de son devant d'autel, rêvant de fleurs, de tapis, de damas, pour la première fois de sa vie, comme 25 Eugénie rêva d'amour.

III. AMOURS DE PROVINCE

Dans la pure et monotone vie des jeunes filles, il vient une heure délicieuse où le soleil leur épanche ses rayons dans l'âme, où la fleur leur exprime des pensées, où les palpitations du cœur communiquent au cerveau leur chaude fécondance, et fondent les idées en un vague désir; jour d'innocente mélancolie et de suaves joyeusetés! Quand les enfants commencent à voir, ils sourient; quand une fille entrevoit le sentiment dans la nature, elle sourit comme elle souriait enfant. Si la lumière est le premier amour de la vie, l'amour n'est-il pas la lumière du cœur? Le moment de voir clair aux choses d'ici-bas était arrivé pour Eugénie. Matinale comme toutes les filles de province, elle se leva de bonne heure, fit sa prière, et commença l'œuvre de sa toilette, occupation qui désormais allait avoir un sens. Elle lissa d'abord ses cheveux châtains, tordit leurs grosses nattes au-dessus de sa tête avec le plus grand soin, en évitant que les cheveux ne s'échappassent de leurs tresses, et introduisit dans sa coiffure une symétrie qui rehaussa la timide candeur de son visage, en accordant la simplicité des accessoires à la naïveté des lignes. En se lavant plusieurs fois les mains dans de l'eau pure qui lui durcissait et rougissait la peau, elle regarda ses beaux bras ronds, et se demanda ce que faisait son cousin pour avoir les mains si mollement blanches, les ongles si bien façonnés. Elle mit des bas neufs et ses plus jolis souliers. Enfin souhaitant, pour la première fois de sa vie, de paraître à son avantage, elle connut le bonheur d'avoir une robe fraîche, bien faite, et qui la rendait attrayante. Quand sa toilette fut achevée, elle entendit sonner l'horloge de la paroisse, et s'étonna de ne compter que sept heures. Le désir d'avoir tout le temps nécessaire pour se bien habiller l'avait fait lever trop tôt. Ignorant l'art de remanier dix fois une boucle de cheveux et d'en étudier l'effet, Eugénie se croisa bonnement les bras, s'assit à sa fenêtre, contempla la cour, le jardin étroit et les hautes terrasses qui le dominaient; vue mélancolique, bornée, mais qui n'était pas dépourvue des mystérieuses beautés particulières aux endroits solitaires ou à la nature inculte.

Un jour pur et le beau soleil des automnes naturels aux rives de la Loire commençaient à dissiper le glacis imprimé par la nuit aux pittoresques objets, aux murs, aux plantes qui meublaient ce jardin et la cour. Eugénie trouva des charmes tout nouveaux dans l'aspect de ces choses, auparavant si ordinaires pour elle. Mille pensées confuses naissaient dans son âme, et y croissaient à mesure que croissaient au dehors les rayons du soleil. Quand le soleil atteignit un pan de mur, d'où tombaient des Cheveux de Vénus aux feuilles épaisses à couleurs changeantes comme la gorge des pigeons, de célestes rayons d'espérance illuminèrent l'avenir pour Eugénie. Puis vinrent de tumultueux mouvements d'âme. Elle se leva fréquemment, se mit devant son miroir, et s'y regarda.

—Je ne suis pas assez belle pour lui. Telle était la pensée d'Eugénie, pensée humble et fertile en souffrances. La pauvre fille ne se rendait pas justice; mais la modestie, ou mieux la crainte, est une des premières vertus de l'amour. Eugénie appartenait bien à ce type d'enfants fortement constitués, comme ils le sont dans la petite bourgeoisie, et dont les beautés paraissent vulgaires; mais, si elle ressemblait à Vénus de Milo, ses formes étaient ennoblies par cette suavité du sentiment chrétien qui purifie la femme et lui donne une distinction inconnue aux sculpteurs anciens. Elle avait une tête énorme, le front masculin mais délicat du Jupiter de Phidias, et des yeux gris. Les traits de son visage rond, jadis frais et rose, avaient été grossis par une petite vérole assez clémente pour n'y point laisser de traces, mais qui avait détruit le velouté de la peau, néanmoins si douce et si fine encore que le pur baiser de sa mère y traçait passagèrement une marque rouge. Son nez était un peu trop fort, mais il s'harmoniait avec une bouche d'un rouge de minium, dont les lèvres à 5 mille raies étaient pleines d'amour et de bonté. Le col avait une rondeur parfaite.

Eugénie, grande et forte, n'avait donc rien du joli qui plaît aux masses; mais elle était belle de cette beauté si facile à reconnaître, et dont s'éprennent seulement les ar- 10 tistes. Cette physionomie calme, colorée, bordée de lueur comme une jolie fleur éclose, reposait l'âme, communiquait le charme de la conscience qui s'y reflétait, et commandait le regard. Eugénie était encore sur la rive de la vie où fleurissent les illusions enfantines, où se cueillent les mar- 15 guerites avec des délices plus tard inconnues. Aussi se dit-elle en se mirant, sans savoir encore ce qu'était l'amour: «Je suis trop laide, il ne fera pas attention à moi.»

Puis elle ouvrit la porte de sa chambre qui donnait sur l'escalier, et tendit le cou pour écouter les bruits de la mai- 20 son.—Il ne se lève pas, pensa-t-elle en entendant la tousserie matinale de Nanon, et la bonne fille allant, venant, balayant la salle, allumant son feu, enchaînant le chien et parlant à ses bêtes dans l'écurie. Aussitôt Eugénie descendit et courut à Nanon qui trayait la vache.

25 —Nanon, ma bonne Nanon, fais donc de la crème pour le café de mon cousin.

—Mais, mademoiselle, il aurait fallu s'y prendre hier, dit Nanon qui partit d'un gros éclat de rire. Je ne peux pas faire de la crème. Votre cousin est mignon, mignon, 30 mais vraiment mignon. Vous ne l'avez pas vu dans sa chambrelouque de soie et d'or. Je l'ai vu, moi. Il porte du linge fin comme celui du surplis à monsieur le curé.

—Nanon, fais-nous donc de la galette.

—Et qui me donnera du bois pour le four, et de la farine, et du beurre? dit Nanon, laquelle en sa qualité de premier ministre de Grandet prenait parfois une importance énorme aux yeux d'Eugénie et de sa mère. Faut-il pas le voler, cet homme, pour fêter votre cousin? Demandez-lui du beurre, de la farine, du bois, il est votre père, il peut vous en donner. Tenez, le voilà qui descend pour voir aux provisions. . . .

Eugénie se sauva dans le jardin, tout épouvantée en entendant trembler l'escalier sous le pas de son père. Elle éprouvait déjà les effets de cette profonde pudeur et de cette conscience particulière de notre bonheur qui nous fait croire, non sans raison peut-être, que nos pensées sont gravées sur notre front et sautent aux yeux d'autrui. En s'apercevant enfin du froid dénûment de la maison paternelle, la pauvre fille concevait une sorte de dépit de ne pouvoir la mettre en harmonie avec l'élégance de son cousin. Elle éprouva un besoin passionné de faire quelque chose pour lui: quoi? elle n'en savait rien. Pour la première fois, elle eut dans le cœur de la terreur à l'aspect de son père, vit en lui le maître de son sort, et se crut coupable d'une faute en lui taisant quelques pensées. Elle se mit à marcher à pas précipités en s'étonnant de respirer un air plus pur, de sentir les rayons du soleil plus vivifiants, et d'y puiser une chaleur morale, une vie nouvelle. Pendant qu'elle cherchait un artifice pour obtenir la galette, il s'élevait entre la Grande Nanon et Grandet une de ces querelles aussi rares entre eux que le sont les hirondelles en hiver. Muni de ses clefs, le bonhomme était venu pour mesurer les vivres nécessaires à la consommation de la journée.

—Reste-t-il du pain d'hier? dit-il à Nanon.

—Pas une miette, monsieur.

Grandet prit un gros pain rond, bien enfariné, moulé dans un de ces paniers plats qui servent à boulanger en 5 Anjou, et il allait le couper, quand Nanon lui dit: «Nous sommes cinq aujourd'hui, monsieur.»

—C'est vrai, répondit Grandet, mais ton pain pèse six livres, il en restera. D'ailleurs, ces jeunes gens de Paris, tu verras que ça ne mange point de pain.

10 —Ça mangera donc de la *frippe*, dit Nanon.

En Anjou, la frippe, mot du lexique populaire, exprime l'accompagnement du pain, depuis le beurre étendu sur la tartine, frippe vulgaire, jusqu'aux confitures d'halleberge, la plus distinguée des frippes; et tous ceux qui, dans leur 15 enfance, ont léché la frippe et laissé le pain, comprendront la portée de cette locution.

—Non, répondit Grandet, ça ne mange ni frippe, ni pain. Ils sont quasiment comme des filles à marier.

Enfin, après avoir parcimonieusement ordonné le menu 20 quotidien, le bonhomme allait se diriger vers son fruitier, en fermant néanmoins les armoires de sa *Dépense*, lorsque Nanon l'arrêta pour lui dire: Monsieur, donnez-moi donc alors de la farine et du beurre, je ferai une galette aux enfants.

25 —Ne vas-tu pas mettre la maison au pillage à cause de mon neveu?

—Je ne pensais pas plus à votre neveu qu'à votre chien, pas plus que vous n'y pensez vous-même. Ne voilà-t-il pas que vous ne m'avez *aveint* que six morceaux de 30 sucre, m'en [1] faut huit.

—Ha! çà, Nanon, je ne t'ai jamais vue comme ça.

[1] *(il) m'en faut huit.*

Qu'est-ce qui te passe donc par la tête? Es-tu la maîtresse ici? Tu n'auras que six morceaux de sucre.

—Eh! bien, votre neveu, avec quoi donc qu'il sucrera son café? [1]

—Avec deux morceaux, je m'en passerai, moi. 5

—Vous vous passerez de sucre, à votre âge! J'aimerais mieux vous en acheter de ma poche.

—Mêle-toi de ce qui te regarde.

Malgré la baisse du prix, le sucre était toujours, aux yeux du tonnelier, la plus précieuse des denrées coloniales, il valait toujours six francs la livre, pour lui. L'obligation de le ménager, prise sous l'Empire, était devenue la plus indélébile de ses habitudes. Toutes les femmes, même la plus niaise, savent ruser pour arriver à leurs fins, Nanon abandonna la question du sucre pour obtenir la galette.

—Mademoiselle, cria-t-elle par la croisée, est-ce pas [2] que vous voulez de la galette?

—Non, non, répondit Eugénie.

—Allons, Nanon, dit Grandet en entendant la voix de sa fille, tiens. Il ouvrit la *mette* où était la farine, lui en donna une mesure, et ajouta quelques onces de beurre au morceau qu'il avait déjà coupé.

—Il faudra du bois pour chauffer le four, dit l'implacable Nanon.

—Eh! bien, tu en prendras à ta suffisance, répondit-il mélancoliquement, mais alors tu nous feras une tarte aux fruits, et tu nous cuiras au four tout le dîner; par ainsi, tu n'allumeras pas deux feux.

—Quien! [3] s'écria Nanon, vous n'avez pas besoin de

[1] For *avec quoi donc sucrera-t-il son café?*

[2] *est-ce pas* for *n'est-ce pas.* [3] *Quien!* for *Tiens!*

me le dire. Grandet jeta sur son fidèle ministre un coup d'œil presque paternel.—Mademoiselle, cria la cuisinière, nous aurons une galette. Le père Grandet revint chargé de ses fruits, et en rangea une première assiettée
5 sur la table de la cuisine.—Voyez donc, monsieur, lui dit Nanon, les jolies bottes qu'a votre neveu. Quel cuir, et qui sent bon. Avec quoi que ça se nettoie donc? [1] Faut-il y mettre de votre cirage à l'œuf?

—Nanon, je crois que l'œuf gâterait ce cuir-là. D'ail-
10 leurs, dis-lui que tu ne connais point la manière de cirer le maroquin, oui, c'est du maroquin, il achètera lui-même à Saumur et t'apportera de quoi illustrer ses bottes. J'ai entendu dire qu'on fourre du sucre dans leur cirage pour le rendre brillant.

15 —C'est donc bon à manger, dit la servante en portant les bottes à son nez. Tiens, tiens, elles sentent l'eau de Cologne de madame. Ah! c'est-il drôle.[2]

—Drôle! dit le maître, tu trouves drôle de mettre à des bottes plus d'argent que n'en vaut celui qui les porte.

20 —Monsieur, dit-elle au second voyage de son maître qui avait fermé le fruitier, est-ce que vous ne mettrez pas une ou deux fois le pot-au-feu par semaine à cause de votre . . . ?

—Oui.

25 —Faudra que j'aille à la boucherie.

—Pas du tout; tu nous feras du bouillon de volaille, les fermiers ne t'en laisseront pas chômer. Mais je vais dire à Cornoiller de me tuer des corbeaux. Ce gibier-là donne le meilleur bouillon de la terre.

30 —C'est-y vrai,[3] monsieur, que ça mange les morts?

[1] *Avec quoi ça se nettoie-t-il donc?* [2] *c'est-il drôle* for *est-ce drôle?*
[3] *C'est-y vrai* for *Est-ce vrai?*

—Tu es bête, Nanon! ils mangent, comme tout le monde, ce qu'ils trouvent. Est-ce que nous ne vivons pas de morts? Qu'est-ce donc que les successions? Le père Grandet n'ayant plus d'ordre à donner, tira sa montre; et, voyant qu'il pouvait encore disposer d'une demi-heure 5 avant le déjeuner, il prit son chapeau, vint embrasser sa fille, et lui dit: «Veux-tu te promener au bord de la Loire sur mes prairies? j'ai quelque chose à y faire.»

Eugénie alla mettre son chapeau de paille cousue, doublé de taffetas rose; puis, le père et la fille descendirent 10 la rue tortueuse jusqu'à la place.

—Où dévalez-vous donc si matin? dit le notaire Cruchot qui rencontra Grandet.

—Voir quelque chose, répondit le bonhomme sans être la dupe de la promenade matinale de son ami. 15

Quand le père Grandet allait voir quelque chose, le notaire savait par expérience qu'il y avait toujours quelque chose à gagner avec lui. Donc il l'accompagna.

—Venez, Cruchot? dit Grandet au notaire. Vous êtes de mes amis, je vais vous démontrer comme quoi [1] c'est 20 une bêtise de planter des peupliers dans de bonnes terres. . . .

[Grandet proves by figures that the poplars have not proved as profitable as hay would have been]

Eugénie, qui regardait le sublime paysage de la Loire sans écouter les calculs de son père, prêta bientôt l'oreille aux discours de Cruchot en l'entendant dire à son 25 client: «Hé! bien, vous avez fait venir un gendre de Paris, il n'est question que de votre neveu dans tout Saumur. Je vais bientôt avoir un contrat à dresser, père Grandet.»

[1] *comme quoi*=*que*.

—Vous . . . ou . . . vous êtes so . . . so . . . orti de bo . . . bonne heure pooour me dire ça, reprit Grandet en accompagnant cette réflexion d'un mouvement de sa loupe. Hé! bien, mon vieux camaaaarade, je serai franc, 5 et je vous dirai ce que vooous vooulez sa . . . savoir. J'aimerais mieux, voyez-vooous, je . . . jeter ma fi . . . fi . . . fille dans la Loire que de la dooonner à son couou-ousin: vous pou . . . pou . . . ouvez aaannoncer ça. Mais non, laissez jaaser le mon . . . onde.

10 Cette réponse causa des éblouissements à Eugénie. Les lointaines espérances qui pour elle commençaient à poindre dans son cœur fleurirent soudain, se réalisèrent et formèrent un faisceau de fleurs qu'elle vit coupées et gisant à terre. Depuis la veille, elle s'attachait à Charles par tous 15 les liens de bonheur qui unissent les âmes; désormais la souffrance allait donc les corroborer. N'est-il pas dans la noble destinée de la femme d'être plus touchée des pompes de la misère que des splendeurs de la fortune? Comment le sentiment paternel avait-il pu s'éteindre au fond 20 du cœur de son père? de quel crime Charles était-il donc coupable? Questions mystérieuses! Déjà son amour naissant, mystère si profond, s'enveloppait de mystères. Elle revint tremblant sur ses jambes, et en arrivant à la vieille rue sombre, si joyeuse pour elle, elle la trouva d'un aspect 25 triste, elle y respira la mélancolie que les temps et les choses y avaient imprimée. Aucun des enseignements de l'amour ne lui manquait. A quelques pas du logis, elle devança son père et l'attendit à la porte après y avoir frappé. Mais Grandet, qui voyait dans la main du notaire 30 un journal encore sous bande, lui avait dit: «Où en sont les fonds?»

—Vous ne voulez pas m'écouter, Grandet, lui répondit Cruchot. Achetez-en vite, il y a encore vingt pour cent à gagner en deux ans, outre les intérêts à un excellent taux, cinq mille livres de rente pour quatre-vingt mille francs. Les fonds sont à quatre-vingts francs cinquante centimes. 5

—Nous verrons cela, répondit Grandet en se frottant le menton.

—Mon Dieu! dit le notaire.

—Hé! bien, quoi? s'écria Grandet au moment où Cruchot lui mettait le journal sous les yeux en lui disant:— 10 Lisez cet article.

Monsieur Grandet, l'un des négociants les plus estimés de Paris, s'est brûlé la cervelle hier, après avoir fait son apparition accoutumée à la Bourse. Il avait envoyé au présidênt de la Chambre des Députés sa démission, et s'était également 15 *démis de ses fonctions de juge au tribunal de commerce. Les faillites de messieurs Roguin et Souchet, son agent de change et son notaire, l'ont ruiné. La considération dont jouissait monsieur Grandet et son crédit étaient néanmoins tels qu'il eût sans doute trouvé des secours sur la place de Paris. Il* 20 *est à regretter que cet homme honorable ait cédé à un premier moment de désespoir, etc.*

—Je le savais, dit le vieux vigneron au notaire.

Ce mot glaça maître Cruchot, qui, malgré son impassibilité de notaire, se sentit froid dans le dos en pensant que 25 le Grandet de Paris, avait peut-être imploré vainement les millions du Grandet de Saumur.

—Et son fils, si joyeux hier. . . .

—Il ne sait rien encore, répondit Grandet avec le même calme. 30

—Adieu, monsieur Grandet, dit Cruchot, qui comprit tout et alla rassurer le président de Bonfons.

En entrant, Grandet trouva le déjeuner prêt. Madame Grandet, au cou de laquelle Eugénie sauta pour l'embrasser avec cette vive effusion de cœur que nous cause un chagrin secret, était déjà sur son siége à patins, et se tricotait des manches pour l'hiver.

—Vous pouvez manger, dit Nanon qui descendit les escaliers quatre à quatre, l'enfant dort comme un chérubin. Qu'il est gentil les yeux fermés! Je suis entrée, je l'ai appelé. Ah bien oui! personne.

—Laisse-le dormir, dit Grandet, il s'éveillera toujours assez tôt aujourd'hui pour apprendre de mauvaises nouvelles.

—Qu'y a-t-il donc? demanda Eugénie en mettant dans son café les deux petits morceaux de sucre pesant on ne sait combien de grammes que le bonhomme s'amusait à couper lui-même à ses heures perdues. Madame Grandet, qui n'avait pas osé faire cette question, regarda son mari.

—Son père s'est brûlé la cervelle.

—Mon oncle? . . . dit Eugénie.

—Le pauvre jeune homme! s'écria madame Grandet.

—Oui, pauvre, reprit Grandet, il ne possède pas un sou.

—Hé! ben,[1] il dort comme s'il était le roi de la terre, dit Nanon d'un accent doux.

Eugénie cessa de manger. Son cœur se serra, comme il se serre quand, pour la première fois, la compassion, excitée par le malheur de celui qu'elle aime, s'épanche dans le corps entier d'une femme. La pauvre fille pleura.

—Tu ne connaissais pas ton oncle, pourquoi pleures-

[1] *ben,* careless pronunciation of *bien.*

tu? lui dit son père en lui lançant un de ces regards de tigre affamé qu'il jetait sans doute à ses tas d'or.

—Mais, monsieur, dit la servante, qui ne se sentirait pas de pitié pour ce pauvre jeune homme qui dort comme un sabot sans savoir son sort? 5

—Je ne te parle pas, Nanon! tiens ta langue.

Eugénie apprit en ce moment que la femme qui aime doit toujours dissimuler ses sentiments. Elle ne répondit pas.

—Jusqu'à mon retour vous ne lui parlerez de rien, j'espère, m'ame Grandet, dit le vieillard en continuant. 10 Je suis obligé d'aller faire aligner le fossé de mes prés sur la route. Je serai revenu à midi pour le second déjeuner, et je causerai avec mon neveu de ses affaires. Quant à toi, mademoiselle Eugénie, si c'est pour ce mirliflor que tu pleures, assez comme cela, mon enfant. Il par- 15 tira, d'arre d'arre, pour les grandes Indes. Tu ne le verras plus . . .

Le père prit ses gants au bord de son chapeau, les mit avec son calme habituel, les assujettit en s'emmortaisant les doigts les uns dans les autres, et sortit. 20

—Ah! maman, j'étouffe, s'écria Eugénie quand elle fut seule avec sa mère. Je n'ai jamais souffert ainsi. Madame Grandet, voyant sa fille pâlir, ouvrit la croisée et lui fit respirer le grand air.—Je suis mieux, dit Eugénie après un moment. 25

Cette émotion nerveuse chez une nature jusqu'alors en apparence calme et froide réagit sur madame Grandet, qui regarda sa fille avec cette intuition sympathique dont sont douées les mères pour l'objet de leur tendresse, et devina tout. 30

—Ma pauvre enfant! dit madame Grandet en prenant la tête d'Eugénie pour l'appuyer contre son sein.

A ces mots, la jeune fille releva la tête, interrogea sa mère par un regard, en scruta les secrètes pensées, et lui dit: «Pourquoi l'envoyer aux Indes? S'il est malheureux, ne doit-il pas rester ici, n'est-il pas notre plus proche
5 parent?»

—Oui, mon enfant, ce serait bien naturel; mais ton père a ses raisons, nous devons les respecter.

La mère et la fille s'assirent en silence, l'une sur sa chaise à patins, l'autre sur son petit fauteuil; et, toutes
10 deux, elles reprirent leur ouvrage. Oppressée de reconnaissance pour l'admirable entente de cœur que lui avait témoignée sa mère, Eugénie lui baisa la main en disant: «Combien tu es bonne, ma chère maman!» Ces paroles firent rayonner le vieux visage maternel, flétri par de
15 longues douleurs.—Le trouves-tu bien? demanda Eugénie.

Madame Grandet ne répondit que par un sourire; puis, après un moment de silence, elle dit à voix basse: «L'aimerais-tu donc déjà? ce serait mal.»

—Mal, reprit Eugénie, pourquoi? Il te plaît, il plaît
20 à Nanon, pourquoi ne me plairait-il pas? Tiens, maman, mettons la table pour son déjeuner. Elle jeta son ouvrage, la mère en fit autant en lui disant: «Tu es folle!» Mais elle se plut à justifier la folie de sa fille en la partageant. Eugénie appela Nanon.

25 —Quoi que vous voulez encore,[1] mademoiselle?

—Nanon, tu auras bien de la crème pour midi.

—Ah! pour midi, oui, répondit la vieille servante.

—Hé! bien, donne-lui du café bien fort, j'ai entendu dire à monsieur des Grassins que le café se faisait bien
30 fort à Paris. Mets-en beaucoup.

—Et où voulez-vous que j'en prenne?

[1] For *Qu'est-ce que vous voulez encore.*

—Achètes-en.

—Et si monsieur me rencontre?

—Il est à ses prés.

—Je cours. Mais monsieur Fessard m'a déjà demandé si les trois Mages étaient chez nous, en me donnant de 5 la bougie. Toute la ville va savoir nos déportements.

—Si ton père s'aperçoit de quelque chose, dit madame Grandet, il est capable de nous battre.

—Eh! bien, il nous battra, nous recevrons ses coups à genoux. 10

Madame Grandet leva les yeux au ciel, pour toute réponse, Nanon mit sa coiffe et sortit. Eugénie donna du linge, elle alla chercher quelques-unes des grappes de raisin qu'elle s'était amusée à étendre sur des cordes dans le grenier; elle marcha légèrement le long du corridor 15 pour ne point éveiller son cousin, et ne put s'empêcher d'écouter à sa porte la respiration qui s'échappait en temps égaux de ses lèvres.—Le malheur veille pendant qu'il dort, se dit-elle. Elle prit les plus vertes feuilles de la vigne, arrangea son raisin aussi coquettement que l'aurait pu 20 dresser un vieux chef d'office, et l'apporta triomphalement sur la table. Elle fit main basse, dans la cuisine, sur les poires comptées par son père, et les disposa en pyramide parmi des feuilles. Elle allait, venait, trottait, sautait. Elle aurait bien voulu mettre à sac toute la maison 25 de son père; mais il avait les clefs de tout. Nanon revint avec deux œufs frais. En voyant les œufs, Eugénie eut l'envie de lui sauter au cou.

—Le fermier de la Lande en avait dans son panier, je les lui ai demandés, et il me les a donnés pour m'être 30 agréable, le mignon.

Après deux heures de soins, pendant lesquelles Eugénie quitta vingt fois son ouvrage pour aller voir bouillir le café, pour aller écouter le bruit que faisait son cousin en se levant, elle réussit à préparer un déjeuner très-simple, peu coûteux, mais qui dérogeait terriblement 5 aux habitudes invétérées de la maison. Le déjeuner de midi s'y faisait debout. Chacun prenait un peu de pain, un fruit ou du beurre, et un verre de vin. En voyant la table placée auprès du feu, l'un des fauteuils mis devant le couvert de son cousin, en voyant les deux assiettées de 10 fruits, le coquetier, la bouteille de vin blanc, le pain, et le sucre amoncelé dans une soucoupe, Eugénie trembla de tous ses membres en songeant seulement alors aux regards que lui lancerait son père, s'il venait à entrer en ce moment. Aussi regardait-elle souvent la pendule, afin 15 de calculer si son cousin pourrait déjeuner avant le retour du bonhomme.

—Sois tranquille, Eugénie, si ton père vient, je prendrai tout sur moi, dit madame Grandet.

Eugénie ne put retenir une larme.

20 —Oh! ma bonne mère, s'écria-t-elle, je ne t'ai pas assez aimée!

Charles, après avoir fait mille tours dans sa chambre en chanteronnant, descendit enfin. Heureusement, il n'était encore que onze heures. Le Parisien! il avait mis autant 25 de coquetterie à sa toilette que s'il se fût trouvé au château de la noble dame qui voyageait en Écosse. Il entra de cet air affable et riant qui sied si bien à la jeunesse, et qui causa une joie triste à Eugénie. Il avait pris en plaisanterie le désastre de ses châteaux en Anjou, et aborda 30 sa tante fort gaiement.

—Avez-vous bien passé la nuit, ma chère tante? Et vous, ma cousine?

—Bien, monsieur, mais vous? dit madame Grandet.

—Moi, parfaitement.

—Vous devez avoir faim, mon cousin, dit Eugénie; mettez-vous à table.

—Mais je ne déjeune jamais avant midi, le moment 5 où je me lève. Cependant, j'ai si mal vécu en route, que je me laisserai faire. D'ailleurs. . . . Il tira la plus délicieuse montre plate que Bréguet ait faite. Tiens, mais il est onze heures, j'ai été matinal.

—Matinal? . . . dit madame Grandet. 10

—Oui, mais je voulais ranger mes affaires. Eh! bien, je mangerais volontiers quelque chose, un rien, une volaille, un perdreau.

—Sainte Vierge! cria Nanon en entendant ces paroles.

—Un perdreau, se disait Eugénie, qui aurait voulu payer 15 un perdreau de tout son pécule.

—Venez vous asseoir, lui dit sa tante.

Le dandy se laissa aller sur le fauteuil comme une jolie femme qui se pose sur son divan. Eugénie et sa mère prirent des chaises et se mirent près de lui devant le feu. 20

—Vous vivez toujours ici? leur dit Charles en trouvant la salle encore plus laide au jour qu'elle ne l'était aux lumières.

—Toujours, répondit Eugénie en le regardant, excepté pendant les vendanges. Nous allons alors aider Na- 25 non, et logeons tous à l'abbaye de Noyers.

—Vous ne vous promenez jamais?

—Quelquefois le dimanche après vêpres, quand il fait beau, dit madame Grandet, nous allons sur le pont, ou voir les foins quand on les fauche. 30

—Avez-vous un théâtre?

—Aller au spectacle, s'écria madame Grandet, voir

des comédiens! Mais, monsieur, ne savez-vous pas que c'est un péché mortel?

—Tenez, mon cher monsieur, dit Nanon en apportant les œufs, nous vous donnerons les poulets à la coque.

5 —Oh! des œufs frais, dit Charles, qui, semblable aux gens habitués au luxe, ne pensait déjà plus à son perdreau. Mais c'est délicieux, si vous aviez du beurre? Hein, ma chère enfant.

—Ah! du beurre! Vous n'aurez donc pas de galette, 10 dit la servante.

—Mais donne du beurre, Nanon? s'écria Eugénie.

La jeune fille examinait son cousin coupant ses mouillettes et y prenait plaisir, autant que la plus sensible grisette de Paris en prend à voir jouer un mélodrame où 15 triomphe l'innocence. Il est vrai que Charles, élevé par une mère gracieuse, perfectionné par une femme à la mode, avait des mouvements coquets, élégants, menus, comme le sont ceux d'une petite-maîtresse. La compatissance et la tendresse d'une jeune fille possèdent une in- 20 fluence vraiment magnétique. Aussi Charles, en se voyant l'objet des attentions de sa cousine et de sa tante, ne put-il se soustraire à l'influence des sentiments qui se dirigeaient vers lui en l'inondant pour ainsi dire. Il jeta sur Eugénie un de ces regards brillants de bonté, de caresses, un re- 25 gard qui semblait sourire. Il s'aperçut, en contemplant Eugénie, de l'exquise harmonie des traits de ce pur visage, de son innocente attitude, de la clarté magique de ses yeux, où scintillaient de jeunes pensées d'amour.

—Ma foi, ma chère cousine, si vous étiez en grande 30 loge et en grande toilette à l'Opéra, je vous garantis que ma tante aurait bien raison, vous y feriez faire bien des péchés de jalousie aux femmes.

Ce compliment étreignit le cœur d'Eugénie, et le fit palpiter de joie, quoiqu'elle n'y comprît rien.

—Oh! mon cousin, vous voulez vous moquer d'une pauvre petite provinciale.

—Si vous me connaissiez, ma cousine, vous sauriez 5 que j'abhorre la raillerie, elle flétrit le cœur, froisse tous les sentiments. . . . Et il goba fort agréablement sa mouillette beurrée. Non, je n'ai probablement pas assez d'esprit pour me moquer des autres, et ce défaut me fait beaucoup de tort. A Paris, on trouve moyen de vous as- 10 sassiner un homme en disant: «Il a bon cœur.» Cette phrase veut dire: «Le pauvre garçon est bête comme un rhinocéros.» Mais comme je suis riche et connu pour abattre une poupée du premier coup à trente pas avec toute espèce de pistolet et en plein champ, la raillerie me 15 respecte.

—Ce que vous dites, mon neveu, annonce un bon cœur.

—Vous avez une bien jolie bague, dit Eugénie, est-ce mal de vous demander à la voir?

Charles tendit la main en défaisant son anneau, et Eu- 20 génie rougit en effleurant du bout de ses doigts les ongles roses de son cousin.

—Voyez, ma mère, le beau travail.

—Oh! il y a gros d'or, dit Nanon en apportant le café.

—Qu'est-ce que c'est que cela? demanda Charles en 25 riant.

Et il montrait un pot oblong, en terre brune, verni, faïencé à l'intérieur, bordé d'une frange de cendre, et au fond duquel tombait le café en revenant à la surface du liquide bouillonnant. 30

—C'est du café boullu, dit Nanon.

—Ah! ma chère tante, je laisserai du moins quelque

trace bienfaisante de mon passage ici. Vous êtes bien arriérés! Je vous apprendrai à faire du bon café dans une cafetière à la Chaptal.

Il tenta d'expliquer le système de la cafetière à la Chaptal.

—Ah! bien, s'il y a tant d'affaires que ça, dit Nanon, il faudrait bien y passer sa vie. Jamais je ne ferai de café comme ça. Ah! bien, oui. Et qui est-ce qui ferait de l'herbe pour notre vache pendant que je ferais le café?

—C'est moi qui le ferai, dit Eugénie.

—Enfant, dit madame Grandet en regardant sa fille.

A ce mot, qui rappelait le chagrin près de fondre sur ce malheureux jeune homme, les trois femmes se turent et le contemplèrent d'un air de commisération qui le frappa.

—Qu'avez-vous donc, ma cousine?

—Chut! dit madame Grandet à Eugénie, qui allait parler. Tu sais, ma fille, que ton père s'est chargé de parler à monsieur. . . .

—Dites Charles, dit le jeune Grandet.

—Ah! vous vous nommez Charles? C'est un beau nom, s'écria Eugénie.

Les malheurs pressentis arrivent presque toujours. Là, Nanon, madame Grandet et Eugénie, qui ne pensaient pas sans frisson au retour du vieux tonnelier, entendirent un coup de marteau dont le retentissement leur était bien connu.

—Voilà papa, dit Eugénie.

Elle ôta la soucoupe au sucre, en en laissant quelques morceaux sur la nappe. Nanon emporta l'assiette aux œufs. Madame Grandet se dressa comme une biche effrayée. Ce fut une peur panique de laquelle Charles s'étonna, sans pouvoir se l'expliquer.

—Eh! bien, qu'avez-vous donc? leur demanda-t-il.

—Mais voilà mon père, dit Eugénie.

—Eh! bien? . . . 5

Monsieur Grandet entra, jeta son regard clair sur la table, sur Charles, il vit tout.

—Ah! ah! vous avez fait fête à votre neveu, c'est bien, très-bien, c'est fort bien! dit-il sans bégayer. Quand le chat court sur les toits, les souris dansent sur les plan- 10 chers.

—Fête? . . . se dit Charles, incapable de soupçonner le régime et les mœurs de cette maison.

—Donne-moi mon verre, Nanon? dit le bonhomme. Eugénie apporta le verre. Grandet tira de son gousset 15 un couteau de corne à grosse lame, coupa une tartine, prit un peu de beurre, l'étendit soigneusement et se mit à manger debout. En ce moment, Charles sucrait son café. Le père Grandet aperçut les morceaux de sucre, examina sa femme qui pâlit, et fit trois pas; il se pencha 20 vers l'oreille de la pauvre vieille, et lui dit: «Où donc avez-vous pris tout ce sucre?»

—Nanon est allée en chercher chez Fessard, il n'y en avait pas.

Il est impossible de se figurer l'intérêt profond que 25 cette scène muette offrait à ces trois femmes: Nanon avait quitté sa cuisine et regardait dans la salle pour voir comment les choses s'y passeraient. Charles ayant goûté son café, le trouva trop amer, et chercha le sucre que Grandet avait déjà serré. 30

—Que voulez-vous, mon neveu? lui dit le bonhomme.

—Le sucre

—Mettez du lait, répondit le maître de la maison, votre café s'adoucira.

Eugénie reprit la soucoupe au sucre que Grandet avait déjà serrée, et la mit sur la table en contemplant son père d'un air calme. Certes, la Parisienne qui, pour faciliter la fuite de son amant, soutient de ses faibles bras une échelle de soie, ne montre pas plus de courage que n'en déployait Eugénie en remettant le sucre sur la table.

—Tu ne manges pas, ma femme?

La pauvre ilote s'avança, coupa piteusement un morceau de pain, et prit une poire. Eugénie offrit audacieusement à son père du raisin, en lui disant: «Goûte donc à ma conserve, papa! Mon cousin, vous en mangerez, n'est-ce pas? Je suis allée chercher ces jolies grappes-là pour vous.»

—Oh! si on ne les arrête, elles mettront Saumur au pillage pour vous, mon neveu. Quand vous aurez fini, nous irons ensemble dans le jardin, j'ai à vous dire des choses qui ne sont pas sucrées.

Eugénie et sa mère lancèrent un regard sur Charles, à l'expression duquel le jeune homme ne put se tromper.

—Qu'est-ce que ces mots signifient, mon oncle? Depuis la mort de ma pauvre mère . . . (à ces deux mots, sa voix mollit) il n'y a pas de malheur possible pour moi. . . .

—Mon neveu, qui peut connaître les afflictions par lesquelles Dieu veut nous éprouver? lui dit sa tante.

—Ta! ta! ta! ta! dit Grandet, voilà les bêtises qui commencent. Je vois avec peine, mon neveu, vos jolies mains blanches. Il lui montra les espèces d'épaules de mouton que la nature lui avait mises au bout des bras. Voilà des mains faites pour ramasser des écus! Vous avez été élevé à mettre vos pieds dans la peau avec laquelle se fabriquent les porte-feuilles où nous serrons les billets de commerce. Mauvais! mauvais!

—Que voulez-vous dire, mon oncle, je veux être pendu si je comprends un seul mot.

—Venez, dit Grandet.

L'avare fit claquer la lame de son couteau, but le reste de son vin blanc et ouvrit la porte.

—Mon cousin, ayez du courage!

L'accent de la jeune fille avait glacé Charles, qui suivit son terrible parent en proie à de mortelles inquiétudes. Eugénie, sa mère et Nanon vinrent dans la cuisine, excitées par une invincible curiosité à épier les deux acteurs de la scène qui allait se passer dans le petit jardin humide, où l'oncle marcha d'abord silencieusement avec le neveu. Grandet n'était pas embarrassé pour apprendre à Charles la mort de son père, mais il éprouvait une sorte de compassion en le sachant sans un sou, et il cherchait des formules pour adoucir l'expression de cette cruelle vérité. «Vous avez perdu votre père!» ce n'était rien à dire. Les pères meurent avant les enfants. Mais: «Vous êtes sans aucune espèce de fortune!» tous les malheurs de la terre étaient réunis dans ces paroles. Et le bonhomme de faire, pour la troisième fois, le tour de l'allée du milieu, dont le sable craquait sous ses pieds. Dans les grandes circonstances de la vie, notre âme s'attache fortement aux lieux où les plaisirs et les chagrins fondent sur nous. Aussi Charles examinait-il avec une attention particulière les buis de ce petit jardin, les feuilles pâles qui tombaient, les dégradations des murs, les bizarreries des arbres fruitiers, détails pittoresques qui devaient rester gravés dans son souvenir, éternellement mêlés à cette heure suprême, par une mnémotechnie particulière aux passions.

—Il fait bien chaud, bien beau, dit Grandet en aspirant une forte partie d'air.

5 —Oui, mon oncle, mais pourquoi. . . .

—Eh! bien, mon garçon, reprit l'oncle, j'ai de mauvaises nouvelles à t'apprendre. Ton père est bien mal . . .

—Pourquoi suis-je ici? dit Charles. Nanon! cria-t-il, des chevaux de poste. Je trouverai bien une voiture dans 10 le pays, ajouta-t-il en se tournant vers son oncle qui demeurait immobile.

—Les chevaux et la voiture sont inutiles, répondit Grandet en regardant Charles qui resta muet et dont les yeux devinrent fixes.—Oui, mon pauvre garçon, tu de- 15 vines. Il est mort. Mais ce n'est rien, il y a quelque chose de plus grave, il s'est brûlé la cervelle. . . .

—Mon père?

—Oui. Mais ce n'est rien. Les journaux glosent de cela comme s'ils en avaient le droit. Tiens, lis.

20 Grandet, qui avait emprunté le journal de Cruchot, mit le fatal article sous les yeux de Charles. En ce moment le pauvre jeune homme, encore enfant, encore dans l'âge où les sentiments se produisent avec naïveté, fondit en larmes.

25 —Allons, bien, se dit Grandet. Ses yeux m'effrayaient. Il pleure, le voilà sauvé. Ce n'est encore rien, mon pauvre neveu, reprit Grandet à haute voix, sans savoir si Charles l'écoutait, ce n'est rien, tu te consoleras; mais. . . .

—Jamais! jamais! mon père! mon père!

30 —Il t'a ruiné, tu es sans argent.

—Qu'est-ce que cela me fait! Où est mon père, mon père?

Les pleurs et les sanglots retentissaient entre ces murailles d'une horrible façon, et se répercutaient dans les échos. Les trois femmes, saisies de pitié, pleuraient: les larmes sont aussi contagieuses que peut l'être le rire. Charles, sans écouter son oncle, se sauva dans la cour, 5 trouva l'escalier, monta dans sa chambre, et se jeta en travers sur son lit en se mettant la face dans les draps pour pleurer à son aise loin de ses parents.

—Il faut laisser passer la première averse, dit Grandet en rentrant dans la salle où Eugénie et sa mère avaient 10 brusquement repris leurs places, et travaillaient d'une main tremblante après s'être essuyé les yeux. Mais ce jeune homme n'est bon à rien, il s'occupe plus des morts que de l'argent.

Eugénie frissonna en entendant son père s'exprimant 15 ainsi sur la plus sainte des douleurs. Dès ce moment, elle commença à juger son père. Quoique assourdis, les sanglots de Charles retentissaient dans cette sonore maison; et sa plainte profonde, qui semblait sortir de dessous terre, ne cessa que vers le soir, après s'être graduellement 20 affaiblie.

—Pauvre jeune homme! dit madame Grandet.

Fatale exclamation! Le père Grandet regarda sa femme, Eugénie et le sucrier; il se souvint du déjeuner extraordinaire apprêté pour le parent malheureux, et se posa au 25 milieu de la salle.

—Ah! çà, j'espère, dit-il avec son calme habituel, que vous n'allez pas continuer vos prodigalités, madame Grandet. Je ne vous donne pas MON argent pour embucquer de sucre ce jeune drôle. 30

—Ma mère n'y est pour rien, dit Eugénie. C'est moi qui. . .

—Est-ce parce que tu es majeure, reprit Grandet en interrompant sa fille, que tu voudrais me contrarier? Songe, Eugénie. . . .

—Mon père, le fils de votre frère ne devait pas man-
5 quer chez vous de. . . .

—Ta, ta, ta, ta, dit le tonnelier sur quatre tons chromatiques, le fils de mon frère par-ci, mon neveu par-là. Charles ne nous est de rien, il n'a ni sou ni maille; son père a fait faillite; et quand ce mirliflor aura pleuré son
10 soûl, il décampera d'ici; je ne veux pas qu'il révolutionne ma maison.

—Qu'est-ce que c'est, mon père, que de faire faillite? demanda Eugénie.

—Faire faillite, reprit le père, c'est commettre l'ac-
15 tion la plus déshonorante entre toutes celles qui peuvent déshonorer l'homme.

—Ce doit être un bien grand péché, dit madame Grandet, et notre frère serait damné.

—Allons, voilà tes litanies, dit-il à sa femme en haus-
20 sant les épaules. Faire faillite, Eugénie, reprit-il, est un vol que la loi prend malheureusement sous sa protection. Des gens ont donné leurs denrées à Guillaume Grandet sur sa réputation d'honneur et de probité, puis il a tout pris, et ne leur laisse que les yeux pour pleurer. Le vo-
25 leur de grand chemin est préférable au banqueroutier: celui-là vous attaque, vous pouvez vous défendre, il risque sa tête; mais l'autre. . . . Enfin Charles est déshonoré.

Ces mots retentirent dans le cœur de la pauvre fille et
30 y pesèrent de tout leur poids. Probe autant qu'une fleur née au fond d'une forêt est délicate, elle ne connaissait ni les maximes du monde, ni ses raisonnements captieux,

ni ses sophismes: elle accepta donc l'atroce explication que son père lui donnait à dessein de la faillite, sans lui faire connaître la distinction qui existe entre une faillite involontaire et une faillite calculée.

—Eh! bien, mon père, vous n'avez donc pu empêcher ce malheur?

—Mon frère ne m'a pas consulté; d'ailleurs, il doit quatre millions.

—Qu'est-ce que c'est donc qu'un million, mon père? demanda-t-elle avec la naïveté d'un enfant qui croit pouvoir trouver promptement ce qu'il désire.

—Deux millions? dit Grandet, mais c'est deux millions de pièces de vingt sous, et il faut cinq pièces de vingt sous pour faire cinq francs.

—Mon Dieu! mon Dieu! s'écria Eugénie, comment mon oncle avait-il eu à lui quatre millions? Y a-t-il quelque autre personne en France qui puisse avoir autant de millions? (Le père Grandet se caressait le menton, souriait, et sa loupe semblait se dilater.)—Mais que va devenir mon cousin Charles?

—Il va partir pour les Grandes-Indes, où, selon le vœu de son père, il tâchera de faire fortune.

—Mais a-t-il de l'argent pour aller là?

—Je lui paierai son voyage . . . jusqu'à . . . oui, jusqu'à Nantes.

Eugénie sauta d'un bond au cou de son père.

—Ah! mon père, vous êtes bon, vous!

Elle l'embrassait de manière à rendre presque honteux Grandet, que sa conscience harcelait un peu.

—Faut-il beaucoup de temps pour amasser un million? lui demanda-t-elle.

—Dame! dit le tonnelier, tu sais ce que c'est qu'un

napoléon. Eh! bien, il en faut cinquante mille pour faire un million.

—Maman, nous dirons des neuvaines pour lui.

—J'y pensais, répondit la mère.

5 —C'est cela: toujours dépenser de l'argent, s'écria le père. Ah! çà, croyez-vous donc qu'il y ait des mille et des cent ici?

En ce moment une plainte sourde, plus lugubre que toutes les autres, retentit dans les greniers et glaça de ter-
10 reur Eugénie et sa mère.

—Nanon, va voir là-haut s'il ne se tue pas, dit Grandet. Ha! çà, reprit-il en se tournant vers sa femme et sa fille, que son mot avait rendues pâles, pas de bêtises, vous deux. Je vous laisse. Je vais tourner autour de nos
15 Hollandais, qui s'en vont aujourd'hui. Puis j'irai voir Cruchot, et causer avec lui de tout ça.

Il partit. Quand Grandet eut tiré la porte, Eugénie et sa mère respirèrent à leur aise. Avant cette matinée, jamais la fille n'avait senti de contrainte en présence de
20 son père; mais, depuis quelques heures, elle changeait à tous moments et de sentiments et d'idées.

—Maman, pour combien de louis vend-on une pièce de vin?

—Ton père vend les siennes entre cent et cent cin-
25 quante francs, quelquefois deux cents, à ce que j'ai entendu dire.

—Quand il récolte quatorze cents pièces de vin. . . .

—Ma foi, mon enfant, je ne sais pas ce que cela fait; ton père ne me dit jamais ses affaires.

30 —Mais alors papa doit être riche.

—Peut-être. Mais monsieur Cruchot m'a dit qu'il avait acheté Froidfond il y a deux ans. Ça l'aura gêné.

Eugénie, ne comprenant plus rien à la fortune de son père, en resta là de ses calculs.

—Il ne m'a tant seulement point vue, le mignon! dit Nanon en revenant. Il est étendu comme un veau sur son lit, et pleure comme une Madeleine, que c'est une vraie bénédiction! Quel chagrin a donc ce pauvre gentil jeune homme?

—Allons donc le consoler bien vite, maman; et, si l'on frappe, nous descendrons.

Madame Grandet fut sans défense contre les harmonies de la voix de sa fille. Eugénie était sublime, elle était femme. Toutes deux, le cœur palpitant, montèrent à la chambre de Charles. La porte était ouverte. Le jeune homme ne voyait ni n'entendait rien. Plongé dans les larmes, il poussait des plaintes inarticulées.

—Comme il aime son père! dit Eugénie à voix basse.

Il était impossible de méconnaître dans l'accent de ces paroles les espérances d'un cœur à son insu passionné. Aussi madame Grandet jeta-t-elle à sa fille un regard empreint de maternité, puis tout bas à l'oreille: «Prends garde, tu l'aimerais,» dit-elle.

—L'aimer! reprit Eugénie. Ah! si tu savais ce que mon père a dit!

Charles se retourna, aperçut sa tante et sa cousine.

—J'ai perdu mon père, mon pauvre père! S'il m'avait confié le secret de son malheur, nous aurions travaillé tous deux à le réparer. Mon Dieu! mon bon père! je comptais si bien le revoir que je l'ai, je crois, froidement embrassé.

Les sanglots lui coupèrent la parole.

—Nous prierons bien pour lui, dit madame Grandet. Résignez-vous à la volonté de Dieu.

—Mon cousin, dit Eugénie, prenez courage! Votre

perte est irréparable: ainsi songez maintenant à sauver votre honneur. . . .

Avec cet instinct, cette finesse de la femme qui a de l'esprit en toute chose, même quand elle console, Eugé-
5 nie voulait tromper la douleur de son cousin en l'occupant de lui-même.

—Mon honneur? . . . cria le jeune homme en chassant ses cheveux par un mouvement brusque, et il s'assit sur son lit en se croisant les bras.—Ah! c'est vrai. Mon
10 père, disait mon oncle, a fait faillite. Il poussa un cri déchirant et se cacha le visage dans ses mains.—Laissez-moi, ma cousine, laissez-moi! Mon Dieu! mon Dieu! pardonnez à mon père, il a dû bien souffrir.

Il y avait quelque chose d'horriblement attachant à voir
15 l'expression de cette douleur jeune, vraie, sans calcul, sans arrière-pensée. C'était une pudique douleur que les cœurs simples d'Eugénie et de sa mère comprirent quand Charles fit un geste pour leur demander de l'abandonner à lui-même. Elles descendirent, reprirent en silence leurs
20 places près de la croisée, et travaillèrent pendant une heure environ sans se dire un mot. Eugénie avait aperçu, par le regard furtif qu'elle jeta sur le ménage du jeune homme, ce regard des jeunes filles qui voient tout en un clin d'œil, les jolies bagatelles de sa toilette, ses ciseaux,
25 ses rasoirs enrichis d'or. Cette échappée d'un luxe vu à travers la douleur lui rendit Charles encore plus intéressant, par contraste peut-être. Jamais un événement si grave, jamais un spectacle si dramatique n'avait frappé l'imagination de ces deux créatures incessamment plon-
30 gées dans le calme et la solitude.

—Maman, dit Eugénie, nous porterons le deuil de mon oncle.

—Ton père décidera de cela, répondit madame Grandet.

Elles restèrent de nouveau silencieuses. Eugénie tirait ses points avec une régularité de mouvement qui eût dévoilé à un observateur les fécondes pensées de sa méditation. Le premier désir de cette adorable fille était de partager le deuil de son cousin. Vers quatre heures, un coup de marteau brusque retentit au cœur de madame Grandet.

—Qu'a donc ton père? dit-elle à sa fille.

Le vigneron entra joyeux. Après avoir ôté ses gants, il se frotta les mains à s'en emporter la peau, si l'épiderme n'en eût pas été tanné comme du cuir de Russie, sauf l'odeur des mélèzes et de l'encens. Il se promenait, il regardait le temps. Enfin son secret lui échappa.

—Ma femme, dit-il sans bégayer, je les ai tous attrapés. Notre vin est vendu! Les Hollandais et les Belges partaient ce matin, je me suis promené sur la place, devant leur auberge, en ayant l'air de bêtiser. Chose, que tu connais, est venu à moi. Les propriétaires de tous les bons vignobles gardent leur récolte et veulent attendre, je ne les en ai pas empêchés. Notre Belge était désespéré. J'ai vu cela. Affaire faite, il prend notre récolte à deux cents francs la pièce, moitié comptant. Je suis payé en or. Les billets sont faits, voilà six louis pour toi. Dans trois mois, les vins baisseront.

Ces derniers mots furent prononcés d'un ton calme, mais si profondément ironique, que les gens de Saumur, groupés en ce moment sur la place, et anéantis par la nouvelle de la vente que venait de faire Grandet, en auraient frémi s'ils les eussent entendus. Une peur panique eût fait tomber les vins de cinquante pour cent.

—Vous avez mille pièces cette année, mon père? dit Eugénie.

—Oui, *fifille*.

Ce mot était l'expression superlative de la joie du vieux tonnelier.

—Cela fait deux cent mille pièces de vingt sous.

5 —Oui, mademoiselle Grandet.

—Eh! bien, mon père, vous pouvez facilement secourir Charles.

L'étonnement, la colère, la stupéfaction de Balthazar en apercevant le *Mane-Tekel-Pharès* ne sauraient se com-
10 parer au froid courroux de Grandet qui, ne pensant plus à son neveu, le retrouvait logé au cœur et dans les calculs de sa fille.

—Ah! çà, depuis que ce mirliflor a mis le pied dans *ma* maison, tout y va de travers. Vous vous donnez des
15 airs d'acheter des dragées, de faire des noces et des festins. Je ne veux pas de ces choses-là. Je sais, à mon âge, comment je dois me conduire, peut-être! D'ailleurs je n'ai de leçons à prendre ni de ma fille ni de personne. Je ferai pour mon neveu ce qu'il sera convenable de faire, vous
20 n'avez pas à y fourrer le nez. Quant à toi, Eugénie, ajouta-t-il en se tournant vers elle, ne m'en parle plus, sinon je t'envoie à l'abbaye de Noyers avec Nanon voir si j'y suis; et pas plus tard que demain, si tu bronches. Où est-il donc, ce garçon, est-il descendu?

25 —Non, mon ami, répondit madame Grandet.

—Eh! bien, que fait-il donc?

—Il pleure son père, répondit Eugénie.

Grandet regarda sa fille sans trouver un mot à dire. Il était un peu père, lui. Après avoir fait un ou deux tours
30 dans la salle, il monta promptement à son cabinet pour y méditer un placement dans les fonds publics. Les vingt pour cent à gagner en peu de temps sur les rentes, qui

étaient à 70 francs, le tentaient. Il chiffra sa spéculation sur le journal où la mort de son frère était annoncée, en entendant, sans les écouter, les gémissements de son neveu. Nanon vint cogner au mur pour inviter son maître à descendre, le dîner était servi. Sous la voûte et à la der- 5 nière marche de l'escalier, Grandet disait en lui-même: «Puisque je toucherai mes intérêts à huit, je ferai cette affaire. En deux ans, j'aurai quinze cent mille francs que je retirerai de Paris en bon or.»

—Eh! bien, où donc est mon neveu? 10

—Il dit qu'il ne veut pas manger, répondit Nanon. Ça n'est pas sain.

—Autant d'économisé, lui répliqua son maître.

—Dame, *voui*,[1] dit-elle.

—Bah! il ne pleurera pas toujours. La faim chasse le 15 loup hors du bois.

Le dîner fut étrangement silencieux.

—Mon bon ami, dit madame Grandet lorsque la nappe fut ôtée, il faut que nous prenions le deuil.

—En vérité, madame Grandet, vous ne savez quoi 20 vous inventer pour dépenser de l'argent. Le deuil est dans le cœur et non dans les habits.

—Mais le deuil d'un frère est indispensable, et l'Église nous ordonne de. . . .

—Achetez votre deuil sur vos six louis. Vous me don- 25 nerez un crêpe, cela me suffira.

Eugénie leva les yeux au ciel sans mot dire. Pour la première fois dans sa vie, ses généreux penchants endormis, comprimés, mais subitement éveillés, étaient à tout moment froissés. Cette soirée fut semblable en apparence 30 à mille soirées de leur existence monotone, mais ce fut

[1] *voui* for *oui*.

certes la plus horrible. Eugénie travailla sans lever la tête, et ne se servit point du nécessaire que Charles avait dédaigné la veille. Madame Grandet tricota ses manches. Grandet tourna ses pouces pendant quatre heures, abîmé 5 dans des calculs dont les résultats devaient, le lendemain, étonner Saumur. Personne ne vint ce jour-là visiter la famille. En ce moment, la ville entière retentissait du tour de force de Grandet, de la faillite de son frère et de l'arrivée de son neveu. Pour obéir au besoin de bavarder 10 sur leurs intérêts communs, tous les propriétaires de vignobles des hautes et moyennes sociétés de Saumur étaient chez monsieur des Grassins, où se fulminèrent de terribles imprécations contre l'ancien maire. Nanon filait, et le bruit de son rouet fut la seule voix qui se fît entendre 15 sous les planchers grisâtres de la salle.

—Nous n'usons point nos langues, dit-elle en montrant ses dents blanches et grosses comme des amandes pelées.

—Ne faut rien user,[1] répondit Grandet en se réveillant 20 de ses méditations. Il se voyait en perspective huit millions dans trois ans, il voguait sur cette longue nappe d'or.—Couchons-nous. J'irai dire bonsoir à mon neveu pour tout le monde, et voir s'il veut prendre quelque chose.

Madame Grandet resta sur le palier du premier étage 25 pour entendre la conversation qui allait avoir lieu entre Charles et le bonhomme. Eugénie, plus hardie que sa mère, monta deux marches.

—Hé! bien, mon neveu, vous avez du chagrin. Oui, pleurez, c'est naturel. Un père est un père. Mais faut 30 prendre notre mal en patience. Je m'occupe de vous pendant que vous pleurez. Je suis un bon parent, voyez-

[1] *(Il) ne faut rien user. . . .*

vous. Allons, du courage. Voulez-vous boire un petit verre de vin? Le vin ne coûte rien à Saumur, on y offre du vin comme dans les Indes une tasse de thé.—Mais, dit Grandet en continuant, vous êtes sans lumière. Mauvais, mauvais! faut voir clair à ce que l'on fait. Grandet 5 marcha vers la cheminée.—Tiens! s'écria-t-il, voilà de la bougie. Où diable a-t-on pêché de la bougie? Les garces démoliraient le plancher de ma maison pour cuire des œufs à ce garçon-là.

En entendant ces mots, la mère et la fille rentrèrent 10 dans leurs chambres et se fourrèrent dans leurs lits avec la célérité de souris effrayées qui rentrent dans leurs trous.

—Madame Grandet, vous avez donc un trésor? dit l'homme en entrant dans la chambre de sa femme.

—Mon ami, je fais mes prières, attendez, répondit 15 d'une voix altérée la pauvre mère.

—Que le diable emporte ton bon Dieu! répliqua Grandet en grommelant.

Les avares ne croient point à une vie à venir, le présent est tout pour eux. Cette réflexion jette une horrible clarté 20 sur l'époque actuelle, où, plus qu'en aucun autre temps, l'argent domine les lois, la politique et les mœurs. Arriver *per fas et nefas* au paradis terrestre du luxe et des jouissances vaniteuses, pétrifier son cœur et se macérer le corps en vue de possessions passagères, comme on souf- 25 frait jadis le martyre de la vie en vue de biens éternels, est la pensée générale! pensée d'ailleurs écrite partout, jusque dans les lois, qui demandent au législateur: «Que paies-tu?» au lieu de lui dire: «Que penses-tu?» Quand cette doctrine aura passé de la bourgeoisie au peuple, 30 que deviendra le pays?

—Madame Grandet, as-tu fini? dit le vieux tonnelier.

—Mon ami, je prie pour toi.

—Très-bien! bonsoir. Demain matin, nous causerons.

La pauvre femme s'endormit comme l'écolier qui, n'ayant pas appris ses leçons, craint de trouver à son réveil le visage irrité du maître. Au moment où, par frayeur, elle se roulait dans ses draps pour ne rien entendre, Eugénie se coula près d'elle, pieds nus, et vint la baiser au front.

—Oh! bonne mère, dit-elle, demain je lui dirai que c'est moi.

—Non, il t'enverrait à Noyers. Laisse-moi faire, il ne me mangera pas.

—Entends-tu, maman?

—Quoi?

—Hé! bien, *il* pleure toujours.

—Va donc te coucher, ma fille. Tu gagneras froid aux pieds. Le carreau est humide.

Ainsi se passa la journée solennelle qui devait peser sur toute la vie de la riche et pauvre héritière dont le sommeil ne fut plus aussi complet ni aussi pur qu'il l'avait été jusqu'alors. Plus sa vie avait été tranquille, plus vivement la pitié féminine, le plus ingénieux des sentiments, se déploya dans son âme. Aussi, troublée par les événements de la journée, s'éveilla-t-elle, à plusieurs reprises, pour écouter son cousin, croyant en avoir entendu les soupirs qui depuis la veille lui retentissaient au cœur: tantôt elle le voyait expirant de chagrin, tantôt elle le rêvait mourant de faim. Vers le matin, elle entendit certainement une terrible exclamation. Aussitôt elle se vêtit, et accourut au petit jour, d'un pied léger, auprès de son cousin qui avait laissé sa porte ouverte. La bougie avait brûlé dans la bobèche du flambeau. Charles, vaincu par la nature, dormait habillé, assis dans un fauteuil la tête renversée sur le lit; il rêvait comme rêvent les gens qui ont l'estomac vide. Eugénie put pleurer à son aise; elle put admirer ce jeune et beau visage, marbré par la douleur, ces yeux gonflés par les larmes, et qui tout endormis semblaient encore verser des pleurs. Charles devina sympathiquement la présence d'Eugénie, il ouvrit les yeux, et la vit attendrie.

—Pardon, ma cousine, dit-il, ne sachant évidemment ni l'heure qu'il était, ni le lieu où il se trouvait.

—Il y a des cœurs qui vous entendent ici, mon cousin, et *nous* avons cru que vous aviez besoin de quelque chose. Vous devriez vous coucher, vous vous fatiguez en restant ainsi.

—Cela est vrai.

—Hé! bien, adieu.

Elle se sauva, honteuse et heureuse d'être venue. L'innocence ose seule de telles hardiesses. Instruite, la Vertu calcule aussi bien que le Vice. Eugénie qui, près de son cousin, n'avait pas tremblé, put à peine se tenir sur ses jambes quand elle fut dans sa chambre. Son ignorante vie avait cessé tout à coup, elle raisonna, se fit mille reproches. «Quelle idée va-t-il prendre de moi? Il croira que je l'aime.» C'était précisément ce qu'elle désirait le plus de lui voir croire. L'amour franc a sa prescience et sait que l'amour excite l'amour. Quel événement pour cette jeune fille solitaire, d'être ainsi entrée furtivement chez un jeune homme! N'y a-t-il pas des pensées, des actions qui, en amour, équivalent, pour certaines âmes, à de saintes fiançailles! Une heure après, elle entra chez sa mère, et l'habilla suivant son habitude. Puis elles vinrent s'asseoir à leurs places devant la fenêtre, et atten-

dirent Grandet avec cette anxiété qui glace le cœur ou l'échauffe, le serre ou le dilate suivant les caractères, alors que l'on redoute une scène, une punition; sentiment d'ailleurs si naturel, que les animaux domestiques l'éprouvent
5 au point de crier pour le faible mal d'une correction, eux qui se taisent quand ils se blessent par inadvertence. Le bonhomme descendit, mais il parla d'un air distrait à sa femme, embrassa Eugénie, et se mit à table sans paraître penser à ses menaces de la veille.

10 —Que devient mon neveu? l'enfant n'est pas gênant.

—Monsieur, il dort, répondit Nanon.

—Tant mieux, il n'a pas besoin de bougie, dit Grandet d'un ton goguenard.

Cette clémence insolite, cette amère gaieté frappèrent
15 madame Grandet, qui regarda son mari fort attentivement. Le bonhomme prit son chapeau, ses gants, et dit: «Je vais muser sur la place pour rencontrer nos Cruchot.»

—Eugénie, ton père a décidément quelque chose.
20 En effet, peu dormeur, Grandet employait la moitié de ses nuits aux calculs préliminaires qui donnaient à ses vues, à ses observations, à ses plans, leur étonnante justesse et leur assuraient cette constante réussite de laquelle s'émerveillaient les Saumurois. Tout pouvoir hu-
25 main est un composé de patience et de temps. Les gens puissants veulent et veillent. Pendant la nuit, les idées du bonhomme avaient pris un autre cours: de là, sa clémence. Il avait ourdi une trame pour se moquer des Parisiens, pour les tordre, les rouler, les pétrir, les faire aller,
30 venir, suer, espérer, pâlir; pour s'amuser d'eux, lui, ancien tonnelier, au fond de sa salle grise, en montant l'escalier vermoulu de sa maison de Saumur. Son neveu l'avait

occupé. Il voulait sauver l'honneur de son frère mort, sans qu'il en coûtât un sou ni à son neveu ni à lui. Ses fonds allaient être placés pour trois ans, il n'avait plus qu'à gérer ses biens; il fallait donc un aliment à son activité malicieuse, et il l'avait trouvé dans la faillite de son frère. Ne se sentant rien entre les pattes à pressurer, il voulait concasser les Parisiens au profit de Charles, et se montrer excellent frère à bon marché. L'honneur de la famille entrait pour si peu de chose dans son projet, que sa bonne volonté doit être comparée au besoin qu'éprouvent les joueurs de voir bien jouer une partie dans laquelle ils n'ont pas d'enjeu. Et les Cruchot lui étaient nécessaires, et il ne voulait pas les aller chercher, et il avait décidé de les faire arriver chez lui, et d'y commencer ce soir même la comédie dont le plan venait d'être conçu, afin d'être le lendemain, sans qu'il lui en coûtât un denier, l'objet de l'admiration de sa ville.

IV. PROMESSES D'AVARE—SERMENTS D'AMOUR

En l'absence de son père, Eugénie eut le bonheur de pouvoir s'occuper ouvertement de son bien aimé cousin, d'épancher sur lui sans crainte les trésors de sa pitié, l'une des sublimes supériorités de la femme, la seule qu'elle veuille faire sentir, la seule qu'elle pardonne à l'homme de lui laisser prendre sur lui. Trois ou quatre fois, Eugénie alla écouter la respiration de son cousin; savoir s'il dormait, s'il se réveillait; puis, quand il se leva, la crème, le café, les œufs, les fruits, les assiettes, le verre, tout ce qui faisait partie du déjeuner, fut pour elle l'objet de quelque soin. Elle grimpa lestement dans le vieil escalier pour écouter le bruit que faisait son cousin. S'habillait-il? pleurait-il encore? Elle vint jusqu'à la porte.

—Mon cousin?

—Ma cousine.

5 —Voulez-vous déjeuner dans la salle ou dans votre chambre?

—Où vous voudrez.

—Comment vous trouvez-vous?

—Ma chère cousine, j'ai honte d'avoir faim.

10 Cette conversation à travers la porte était pour Eugénie tout un épisode de roman.

—Eh! bien, nous vous apporterons à déjeuner dans votre chambre, afin de ne pas contrarier mon père. Elle descendit dans la cuisine avec la légèreté d'un oiseau.—
15 Nanon, va donc faire sa chambre.

Cet escalier si souvent monté, descendu, où retentissait le moindre bruit, semblait à Eugénie avoir perdu son caractère de vétusté; elle le voyait lumineux, il parlait, il était jeune comme elle, jeune comme son amour auquel
20 il servait. Enfin sa mère, sa bonne et indulgente mère, voulut bien se prêter aux fantaisies de son amour, et lorsque la chambre de Charles fut faite, elles allèrent toutes deux tenir compagnie au malheureux: la charité chrétienne n'ordonnait-elle pas de le consoler? Ces deux
25 femmes puisèrent dans la religion bon nombre de petits sophismes pour se justifier leurs déportements. Charles Grandet se vit donc l'objet des soins les plus affectueux et les plus tendres. Son cœur endolori sentit vivement la douceur de cette amitié veloutée, de cette exquise sym-
30 pathie, que ces deux âmes toujours contraintes surent déployer en se trouvant libres un moment dans la région des souffrances, leur sphère naturelle. Autorisée par la

parenté, Eugénie se mit à ranger le linge, les objets de toilette que son cousin avait apportés, et put s'émerveiller à son aise de chaque luxueuse babiole, des colifichets d'argent, d'or travaillé qui lui tombaient sous la main, et qu'elle tenait long-temps sous prétexte de les examiner. 5 Charles ne vit pas sans un attendrissement profond l'intérêt généreux que lui portaient sa tante et sa cousine, il connaissait assez la société de Paris pour savoir que dans sa position il n'y eût trouvé que des cœurs indifférents ou froids, Eugénie lui apparut dans toute la splendeur de sa 10 beauté spéciale, et il admira dès lors l'innocence de ces mœurs dont il se moquait la veille. Aussi, quand Eugénie prit des mains de Nanon le bol de faïence plein de café à la crème pour le servir à son cousin avec toute l'ingénuité du sentiment, en lui jetant un bon regard, les yeux du 15 Parisien se mouillèrent-ils de larmes, il lui prit la main et la baisa.

—Hé! bien, qu'avez-vous encore? demanda-t-elle.

—Oh! ce sont des larmes de reconnaissance, répondit-il. Eugénie se tourna brusquement vers la cheminée pour 20 prendre les flambeaux.

—Nanon, tenez, emportez, dit-elle.

Quand elle regarda son cousin, elle était bien rouge encore, mais au moins ses regards purent mentir et ne pas peindre la joie excessive qui lui inondait le cœur; 25 mais leurs yeux exprimèrent un même sentiment, comme leurs âmes se fondirent dans une même pensée: l'avenir était à eux. Cette douce émotion fut d'autant plus délicieuse pour Charles au milieu de son immense chagrin, qu'elle était moins attendue. Un coup de marteau rappela 30 les deux femmes à leurs places. Par bonheur, elles purent redescendre assez rapidement l'escalier pour se trouver à

l'ouvrage quand Grandet entra; s'il les eût rencontrées sous la voûte, il n'en aurait pas fallu davantage pour exciter ses soupçons. Après le déjeuner, que le bonhomme fit sur le pouce, le garde, auquel l'indemnité promise n'avait
5 pas encore été donnée, arriva de Froidfond, d'où il apportait un lièvre, des perdreaux tués dans le parc, des anguilles et deux brochets dus par les meuniers.

—Eh! eh! ce pauvre Cornoiller, il vient comme marée en carême. Est-ce bon à manger, ça?

10 —Oui, mon cher généreux monsieur, c'est tué depuis deux jours.

—Allons, Nanon, haut le pied, dit le bonhomme. Prends-moi cela, ce sera pour le dîner; je régale deux Cruchot.

Nanon ouvrit des yeux bêtes et regarda tout le monde.

15 —Eh! bien, dit-elle, où que [1] je trouverai du lard et des épices?

—Ma femme, dit Grandet, donne six francs à Nanon, et fais-moi souvenir d'aller à la cave chercher du bon vin.

20 —Eh! bien donc, monsieur Grandet, reprit le garde qui avait préparé sa harangue, afin de faire décider la question de ses appointements, monsieur Grandet. . . .

—Ta, ta, ta, ta, dit Grandet, je sais ce que tu veux dire, tu es un bon diable, nous verrons cela demain, je
25 suis trop pressé aujourd'hui.—Ma femme, donne-lui cent sous, dit-il à madame Grandet.

Il décampa. La pauvre femme fut trop heureuse d'acheter la paix pour onze francs. Elle savait que Grandet se taisait pendant quinze jours, après avoir ainsi repris,
30 pièce à pièce, l'argent qu'il avait donné.

—Tiens, Cornoiller, dit-elle en lui glissant dix francs

[1] *où que* for *où est-ce que*.

dans la main, quelque jour nous reconnaîtrons tes services.

Cornoiller n'eut rien à dire. Il partit.

—Madame, dit Nanon, qui avait mis sa coiffe noire et pris son panier, je n'ai besoin que de trois francs, gardez le reste. Allez, ça ira tout de même.

—Fais un bon dîner, Nanon, mon cousin descendra, dit Eugénie.

—Décidément il se passe ici quelque chose d'extraordinaire, dit madame Grandet. Voici la troisième fois que, depuis notre mariage, ton père donne à dîner.

Vers quatre heures, au moment où Eugénie et sa mère avaient fini de mettre un couvert pour six personnes, et où le maître du logis avait monté quelques bouteilles de ces vins exquis que conservent les provinciaux avec amour, Charles vint dans la salle. Le jeune homme était pâle. Ses gestes, sa contenance, ses regards et le son de sa voix eurent une tristesse pleine de grâce. Il ne jouait pas la douleur, il souffrait véritablement, et le voile étendu sur ses traits par la peine lui donnait cet air intéressant qui plaît tant aux femmes. Eugénie l'en aima bien davantage. Peut-être aussi le malheur l'avait-il rapproché d'elle. Charles n'était plus ce riche et beau jeune homme placé dans une sphère inabordable pour elle; mais un parent plongé dans une effroyable misère. La misère enfante l'égalité. La femme a cela de commun avec l'ange que les êtres souffrants lui appartiennent. Charles et Eugénie s'entendirent et se parlèrent des yeux seulement; car le pauvre dandy déchu, l'orphelin se mit dans un coin, s'y tint muet, calme et fier; mais, de moment en moment, le regard doux et caressant de sa cousine venait luire sur lui, le contraignait à quitter ses tristes pensées, à s'élancer avec elle dans les champs de l'Espérance et de l'Avenir où elle aimait à s'engager avec lui. En ce moment, la ville de Saumur était plus émue du dîner offert par Grandet aux Cruchot qu'elle ne l'avait été la veille par la vente 5 de sa récolte qui constituait un crime de haute trahison envers le vignoble. Les des Grassins apprirent bientôt la mort violente et la faillite probable du père de Charles, ils résolurent d'aller dès le soir même chez leur client, afin de prendre part à son malheur et lui donner des signes 10 d'amitié, tout en s'informant des motifs qui pouvaient l'avoir déterminé à inviter, en semblable occurrence, les Cruchot à dîner. A cinq heures précises, le président C. de Bonfons et son oncle le notaire arrivèrent endimanchés jusqu'aux dents. Les convives se mirent à table et com-15 mencèrent par manger notablement bien. Grandet était grave, Charles silencieux, Eugénie muette, madame Grandet ne parla pas plus que de coutume, en sorte que ce dîner fut un véritable repas de condoléance. Quand on se leva de table, Charles dit à sa tante et à son oncle: 20 «Permettez-moi de me retirer. Je suis obligé de m'occuper d'une longue et triste correspondance.»

—Faites, mon neveu.

Lorsque après son départ, le bonhomme put présumer que Charles ne pouvait rien entendre, et devait être plongé 25 dans ses écritures, il regarda sournoisement sa femme.

—Madame Grandet, ce que nous avons à dire serait du latin pour vous; il est sept heures et demie, vous devriez aller vous serrer dans votre portefeuille. Bonne nuit, ma fille.

30 Il embrassa Eugénie, et les deux femmes sortirent. Là commença la scène où le père Grandet, plus qu'en aucun autre moment de sa vie, employa l'adresse qu'il avait ac-

quise dans le commerce des hommes, et qui lui valait souvent, de la part de ceux dont il mordait un peu trop rudement la peau, le surnom de *vieux chien.*

[Grandet, by incessant stammering and by pretending ignorance, learns from the lawyers of a way to weary out the creditors of his brother; he also manages so that Judge Cruchot himself offers to go up to Paris to attend to the business, provided Grandet will pay the traveling expenses.]

Un coup de marteau annonça l'arrivée de la famille des Grassins. Le notaire fut content de cette interruption; 5
déjà Grandet le regardait de travers, et sa loupe indiquait un orage intérieur. Mais d'abord le prudent notaire ne trouvait pas convenable à un président de tribunal de première instance d'aller à Paris pour y faire capituler des créanciers et y prêter les mains à un tripotage qui 10
froissait les lois de la stricte probité; puis, n'ayant pas encore entendu le père Grandet exprimant la moindre velléité de payer quoi que ce fût, il tremblait instinctivement de voir son neveu engagé dans cette affaire. Il profita donc du moment où les des Grassins entraient 15
pour prendre le président par le bras et l'attirer dans l'embrasure de la fenêtre.

—Tu t'es bien suffisamment montré, mon neveu; mais assez de dévouement comme ça. L'envie d'avoir la fille t'aveugle. Diable! il n'y faut pas aller comme une cor- 20
neille qui abat des noix. Laisse-moi maintenant conduire la barque, aide seulement à la manœuvre. Est-ce bien ton rôle de compromettre ta dignité de magistrat dans une pareille. . . .

Il n'acheva pas; il entendait monsieur des Grassins di- 25
sant au vieux tonnelier en lui tendant la main: «Grandet, nous avons appris l'affreux malheur arrivé dans votre

famille, le désastre de la maison Guillaume Grandet et la mort de votre frère; nous venons vous exprimer toute la part que nous prenons à ce triste événement.»

—Il n'y a d'autre malheur, dit le notaire en interrompant le banquier, que la mort de monsieur Grandet junior. Encore ne se serait-il pas tué s'il avait eu l'idée d'appeler son frère à son secours. Notre vieil ami, qui a de l'honneur jusqu'au bout des ongles, compte liquider les dettes de la maison Grandet de Paris. Mon neveu le président, pour lui éviter les tracas d'une affaire toute judiciaire, lui offre de partir sur-le-champ pour Paris, afin de transiger avec les créanciers et les satisfaire convenablement.

Ces paroles, confirmées par l'attitude du vigneron, qui se caressait le menton, surprirent étrangement les trois des Grassins, qui pendant le chemin avaient médit tout à loisir de l'avarice de Grandet en l'accusant presque d'un fratricide.

—Ah! je le savais bien, s'écria le banquier en regardant sa femme. Que te disais-je en route, madame des Grassins? Grandet a de l'honneur jusqu'au bout des cheveux, et ne souffrira pas que son nom reçoive la plus légère atteinte! L'argent sans l'honneur est une maladie. Il y a de l'honneur dans nos provinces! Cela est bien, très-bien, Grandet. Je suis un vieux militaire, je ne sais pas déguiser ma pensée; je la dis rudement: cela est, mille tonnerres! sublime.

—Aaalors lle su . . . su . . . sub . . . sublime est bi . . . bi . . . bien cher, répondit le bonhomme pendant que le banquier lui secouait chaleureusement la main.

—Mais ceci, mon brave Grandet, n'en déplaise à monsieur le président, reprit des Grassins, est une affaire purement commerciale, et veut un négociant consommé. Ne faut-il pas se connaître aux comptes de retour, débours, calculs d'intérêts? Je dois aller à Paris pour mes affaires, et je pourrais alors me charger de. . . .

—Nous verrions donc à tâ . . . tâ . . . tâcher de nous aaaarranger tou . . . tous deux dans les po . . . po . . . po . . . possibilités relatives et sans m'en . . . m'en . . . m'engager à quelque chose que je . . . je . . . je ne vooou . . . oudrais pas faire, dit Grandet en bégayant. Parce que, voyez-vous, monsieur le président me demandait naturellement les frais du voyage.

Le bonhomme ne bredouilla plus ces derniers mots.

—Eh! dit madame des Grassins, mais c'est un plaisir que d'être à Paris. Je paierais volontiers pour y aller, moi.

Et elle fit un signe à son mari comme pour l'encourager à souffler cette commission à leurs adversaires coûte que coûte; puis elle regarda fort ironiquement les deux Cruchot, qui prirent une mine piteuse. Grandet saisit alors le banquier par un des boutons de son habit et l'attira dans un coin.

—J'aurais bien plus de confiance en vous que dans le président, lui dit-il. Puis il y a des anguilles sous roche, ajouta-t-il en remuant sa loupe. Je veux me mettre dans la rente; j'ai quelques milliers de francs de rente à faire acheter, et je ne veux placer qu'à quatre-vingts francs. Cette mécanique baisse, dit-on, à la fin des mois. Vous vous connaissez à ça, pas vrai?

—Pardieu! Eh! bien, j'aurais donc quelque mille livres de rente à lever pour vous?

—Pas grand'chose pour commencer. *Motus!* Je veux jouer ce jeu-là sans qu'on n'en sache rien. Vous me concluriez un marché pour la fin du mois; mais n'en dites rien aux Cruchot, ça les taquinerait. Puisque vous allez à Paris, nous y verrons en même temps, pour mon pauvre neveu, de quelle couleur sont les atouts.

5 —Voilà qui est entendu. Je partirai demain en poste, dit à haute voix des Grassins, et je viendrai prendre vos dernières instructions à . . . à quelle heure?

—A cinq heures, avant le dîner, dit le vigneron en se frottant les mains.

10 Les deux partis restèrent encore quelques instants en présence. Des Grassins dit après une pause en frappant sur l'épaule de Grandet: «Il fait bon avoir de bons parents comme ça. . . .»

—Oui, oui, sans que ça paraisse, répondit Grandet, 15 je suis un bon pa . . . parent. J'aimais mon frère, et je le prouverai bien si si ça ne ne coûte pas. . . .

—Nous allons vous quitter, Grandet, lui dit le banquier en l'interrompant heureusement avant qu'il achevât sa phrase. Si j'avance mon départ, il faut mettre en ordre 20 quelques affaires.

—Bien, bien. Moi-même, raa . . . apport à ce que vouvous savez, je je vais me rereretirer dans ma cham . . . ambre des dédélibérations, comme dit le président Cruchot.

—Peste! je ne suis plus monsieur de Bonfons, pensa 25 tristement le magistrat dont la figure prit l'expression de celle d'un juge ennuyé par une plaidoirie.

Les chefs des deux familles rivales s'en allèrent ensemble. Ni les uns ni les autres ne songeaient plus à la trahison dont s'était rendu coupable Grandet le matin 30 envers le pays vignoble, et se sondèrent mutuellement, mais en vain, pour connaître ce qu'ils pensaient sur les intentions réelles du bonhomme en cette nouvelle affaire.

—Eh! bien, mon oncle, s'écria le magistrat quand il vit les des Grassins éloignés, j'ai commencé par être le président de Bonfons, et j'ai fini par être tout simplement un Cruchot.

—J'ai bien vu que ça te contrariait; mais le vent était aux des Grassins. Es-tu bête, avec tout ton esprit? . . . Laisse-les s'embarquer sur un *nous verrons* du père Grandet, et tiens-toi tranquille, mon petit: Eugénie n'en sera pas moins ta femme.

En quelques instants la nouvelle de la magnanime résolution de Grandet se répandit dans trois maisons à la fois, et il ne fut plus question dans toute la ville que de ce dévouement fraternel. Chacun pardonnait à Grandet sa vente faite au mépris de la foi jurée entre les propriétaires, en admirant son honneur, en vantant une générosité dont on ne le croyait pas capable. Il est dans le caractère français de s'enthousiasmer, de se colérer, de se passionner pour le météore du moment, pour les bâtons flottants de l'actualité. Les êtres collectifs, les peuples, seraient-ils donc sans mémoire?

Quand le père Grandet eut fermé sa porte, il appela Nanon.

—Ne lâche pas le chien et ne dors pas, nous avons à travailler ensemble. A onze heures Cornoiller doit se trouver à ma porte avec le berlingot de Froidfond. Ecoute-le venir afin de l'empêcher de cogner, et dis-lui d'entrer tout bellement. Les lois de police défendent le tapage nocturne. D'ailleurs le quartier n'a pas besoin de savoir que je vais me mettre en route.

Ayant dit, Grandet remonta dans son laboratoire, où Nanon l'entendit remuant, fouillant, allant, venant, mais avec précaution. Il ne voulait évidemment réveiller ni sa femme ni sa fille, et surtout ne point exciter l'attention de son neveu, qu'il avait commencé par maudire en apercevant de la lumière dans sa chambre. Au milieu de la nuit, Eugénie, préoccupée de son cousin, crut avoir entendu la plainte d'un mourant, et pour elle ce mourant était Charles: elle l'avait quitté si pâle, si désespéré! peut-être s'était-il tué. Soudain elle s'enveloppa d'une coiffe, espèce de pelisse à capuchon, et voulut sortir. D'abord une vive lumière qui passait par les fentes de sa porte lui donna peur du feu; puis elle se rassura bientôt en entendant les pas pesants de Nanon et sa voix mêlée au hennissement de plusieurs chevaux.

—Mon père enlèverait-il mon cousin? se dit-elle en entr'ouvrant sa porte avec assez de précaution pour l'empêcher de crier, mais de manière à voir ce qui se passait dans le corridor.

Tout à coup son œil rencontra celui de son père, dont le regard, quelque vague et insouciant qu'il fût, la glaça de terreur. Le bonhomme et Nanon étaient accouplés par un gros gourdin dont chaque bout reposait sur leur épaule droite et soutenait un câble auquel était attaché un barillet semblable à ceux que le père Grandet s'amusait à faire dans son fournil à ses moments perdus.

—Sainte Vierge! monsieur, ça pèse-t-i![1] dit à voix basse la Nanon.

—Quel malheur que ce ne soit que des gros sous! répondit le bonhomme. Prends garde de heurter le chandelier.

Cette scène était éclairée par une seule chandelle placée entre deux barreaux de la rampe.

—Cornoiller, dit Grandet à son garde *in partibus*, as-tu pris tes pistolets?

[1] *Ça pèse-t-i* for *ça-pèse-t-il*.

—Non, monsieur. Pardé! quoi qu'il y a donc à craindre pour vos gros sous? . . .

—Oh! rien, dit le père Grandet.

—D'ailleurs nous irons vite, reprit le garde, vos fermiers ont choisi pour vous leurs meilleurs chevaux. 5

—Bien, bien. Tu ne leur as pas dit où j'allais?

—Je ne le savais point.

—Bien. La voiture est solide?

—Ça, notre maître? ah! ben, ça porterait trois mille. Qu-est-ce que ça pèse donc vos méchants 10 barils?

—Tiens, dit Nanon, je le savons[1] bien! Y a ben près de dix-huit cents.

—Veux-tu te taire, Nanon! Tu diras à ma femme que je suis allé à la campagne. Je serai revenu pour dîner. 15 Va bon train, Cornoiller, faut être à Angers avant neuf heures.

La voiture partit. Nanon verrouilla la grande porte, lâcha le chien, se coucha l'épaule meurtrie, et personne dans le quartier ne soupçonna ni le départ de Grandet ni 20 l'objet de son voyage. Après avoir appris dans la matinée par les causeries du port que l'or avait doublé de prix par suite de nombreux armements entrepris à Nantes, et que des spéculateurs étaient arrivés à Angers pour en acheter, le vieux vigneron, par un simple emprunt de chevaux 25 fait à ses fermiers, se mit en mesure d'aller y vendre le sien.

—Mon père s'en va, dit Eugénie qui du haut de l'escalier avait tout entendu. Le silence était rétabli dans la maison, et le lointain roulement de la voiture, qui cessa 30 par degrés, ne retentissait déjà plus dans Saumur endormi.

[1] *Je le savons* for *nous le savons*. *Y a* for *Il y a*.

En ce moment, Eugénie entendit en son cœur, avant de l'écouter par l'oreille, une plainte qui perça les cloisons, et qui venait de la chambre de son cousin. Une bande lumineuse, fine autant que le tranchant d'un sabre, passait 5 par la fente de la porte et coupait horizontalement les balustres du vieil escalier.—Il souffre, dit-elle en grimpant deux marches. Un second gémissement la fit arriver sur le palier de la chambre. La porte était entr'ouverte, elle la poussa. Charles dormait la tête penchée en dehors du 10 vieux fauteuil, sa main avait laissée tomber la plume et touchait presque à terre. La respiration saccadée que nécessitait la posture du jeune homme effraya soudain Eugénie, qui entra promptement.—Il doit être bien fatigué, se dit-elle en regardant une dizaine de lettres cachetées, 15 elle en lut les adresses: A messieurs Farry, Breilman et Cie, carrossiers.—A monsieur Buisson, tailleur, etc.—Il a sans doute arrangé toutes ses affaires pour pouvoir bientôt quitter la France, pensa-t-elle. Ses yeux tombèrent sur deux lettres ouvertes. Ces mots qui en commen-20 çaient une: «Ma chère Annette. . . .» lui causèrent un éblouissement. Son cœur palpita, ses pieds se clouèrent sur le carreau. Sa chère Annette, il aime, il est aimé! Plus d'espoir! Que lui dit-il? Ces idées lui traversèrent la tête et le cœur. Elle lisait ces mots partout, même sur 25 les carreaux, en traits de flammes.—Déjà renoncer à lui! Non, je ne lirai pas cette lettre. Je dois m'en aller. Si je la lisais, cependant? Elle regarda Charles, lui prit doucement la tête, la posa sur le dos du fauteuil, et il se laissa faire comme un enfant qui, même en dormant, connaît 30 encore sa mère et reçoit, sans s'éveiller, ses soins et ses baisers. Comme une mère, Eugénie releva la main pendante, et, comme une mère, elle baisa doucement les cheveux. «Chère Annette!» Un démon lui criait ces deux mots aux oreilles.—Je sais que je fais peut-être mal, mais je lirai la lettre, dit-elle. Eugénie détourna la tête, car sa noble probité gronda. Pour la première fois de sa vie, le bien et le mal étaient en présence dans son cœur. 5 Jusque-là elle n'avait eu à rougir d'aucune action. La passion, la curiosité l'emportèrent. A chaque phrase, son cœur se gonfla davantage et l'ardeur piquante qui anima sa vie pendant cette lecture lui rendit encore plus friands les plaisirs du premier amour. 10

«Ma chère Annette, rien ne devait nous séparer, si ce n'est le malheur qui m'accable et qu'aucune prudence humaine n'aurait su prévoir. Mon père s'est tué, sa fortune et la mienne sont entièrement perdues. Je suis orphelin à un âge où, par la nature de mon éducation, je puis passer 15 pour un enfant; et je dois néanmoins me relever homme de l'abîme où je suis tombé. Je viens d'employer une partie de cette nuit à faire mes calculs. Si je veux quitter la France en honnête homme, et ce n'est pas un doute, je n'ai pas cent francs à moi pour aller tenter le sort aux 20 Indes ou en Amérique. Oui, ma pauvre Anna, j'irai chercher la fortune sous les climats les plus meurtriers. Sous de tels cieux, elle est sûre et prompte, m'a-t-on dit. Quant à rester à Paris, je ne saurais. Ni mon âme ni mon visage ne sont faits à supporter les affronts, la froideur, le dédain 25 qui attendent l'homme ruiné, le fils du failli! Bon Dieu! devoir deux millions? . . . J'y serais tué en duel dans la première semaine. Aussi n'y retournerai-je point. Ton amour, le plus tendre et le plus dévoué qui jamais ait ennobli le cœur d'un homme, ne saurait m'y attirer. Hélas! 30 ma bien-aimée, je n'ai point assez d'argent pour aller là où tu es, donner, recevoir un dernier baiser, un baiser où je puiserais la force nécessaire à mon entreprise.»

—Pauvre Charles, j'ai bien fait de lire! J'ai de l'or, je le lui donnerai, dit Eugénie.

5 Elle reprit sa lecture après avoir essuyé ses pleurs.

«Je n'avais point encore songé aux malheurs de la misère. Si j'ai les cent louis indispensables au passage, je n'aurai pas un sou pour me faire une pacotille. Mais non, je n'aurai ni cent louis ni un louis, je ne connaîtrai ce qui 10 me restera d'argent qu'après le règlement de mes dettes à Paris. Si je n'ai rien, j'irai tranquillement à Nantes, je m'y embarquerai simple matelot, et je commencerai là-bas comme ont commencé les hommes d'énergie qui, jeunes, n'avaient pas un sou, et sont revenus, riches, des 15 Indes. Depuis ce matin, j'ai froidement envisagé mon avenir. Il est plus horrible pour moi que pour tout autre, moi choyé par une mère qui m'adorait, chéri par le meilleur des pères, et qui, à mon début dans le monde, ai rencontré l'amour d'une Anna! Je n'ai connu que les 20 fleurs de la vie: ce bonheur ne pouvait pas durer. J'ai néanmoins, ma chère Annette, plus de courage qu'il n'était permis à un insouciant jeune homme d'en avoir, surtout à un jeune homme habitué aux cajoleries de la plus délicieuse femme de Paris, bercé dans les joies de 25 la famille, à qui tout souriait au logis, et dont les désirs étaient des lois pour un père. . . . Oh! mon père, Annette, il est mort. . . . Eh! bien, j'ai réfléchi à ma position, j'ai réfléchi à la tienne aussi. J'ai bien vieilli en vingt-quatre heures. Chère Anna, si, pour me garder près de 30 toi, dans Paris, tu sacrifiais toutes les jouissances de ton luxe, ta toilette, ta loge à l'Opéra, nous n'arriverions pas encore au chiffre des dépenses nécessaires à ma vie dissipée; puis je ne saurais accepter tant de sacrifices. Nous nous quittons donc aujourd'hui pour toujours.»

—Il la quitte, Sainte Vierge! Oh! bonheur! . . .

Eugénie sauta de joie. Charles fit un mouvement, elle en eut froid de terreur; mais, heureusement pour elle, il ne s'éveilla pas. Elle reprit:

«Quand reviendrai-je? je ne sais. Le climat des Indes vieillit promptement un Européen, et surtout un Européen qui travaille. Garde au fond de ton âme comme je le garderai moi-même le souvenir de ces quatre années de bonheur, et sois fidèle, si tu peux, à ton pauvre ami. Je ne saurais toutefois l'exiger, parce que, vois-tu, ma chère Annette, je dois me conformer à ma position, voir bourgeoisement la vie, et la chiffrer au plus vrai. Donc je dois penser au mariage, qui devient une nécessité de ma nouvelle existence; et je t'avouerai que, j'ai trouvé ici, à Saumur, chez mon oncle, une cousine dont les manières, la figure, l'esprit et le cœur te plairaient, et qui, en outre, me paraît avoir. . . .»

—Il devait être bien fatigué, pour avoir cessé de lui écrire, se dit Eugénie en voyant la lettre arrêtée au milieu de cette phrase.

Elle le justifiait! N'était-il pas impossible alors que cette innocente fille s'aperçût de la froideur empreinte dans cette lettre? Aux jeunes filles religieusement élevées, ignorantes et pures, tout est amour dès qu'elles mettent le pied dans les régions enchantées de l'amour. Elles y marchent entourées de la céleste lumière que leur âme

projette, et qui rejaillit en rayons sur leur amant; elles le colorent des feux de leur propre sentiment et lui prêtent leurs belles pensées. Les erreurs de la femme viennent presque toujours de sa croyance au bien, ou dans sa con-
5 fiance dans le vrai. Pour Eugénie, ces mots: «Ma chère Annette, ma bien-aimée,» lui résonnaient au cœur comme le plus joli langage de l'amour, et lui caressaient l'âme comme, dans son enfance, les notes divines du *Venite adoremus*, redites par l'orgue, lui caressèrent l'oreille.
10 D'ailleurs, les larmes qui baignaient encore les yeux de Charles lui accusaient toutes les noblesses de cœur par lesquelles une jeune fille doit être séduite. Pouvait-elle savoir que si Charles aimait tant son père et le pleurait si véritablement, cette tendresse venait moins de la bonté de
15 son cœur que des bontés paternelles? Monsieur et madame Guillaume Grandet, en satisfaisant toujours les fantaisies de leur fils, en lui donnant tous les plaisirs de la fortune, l'avaient empêché de faire les horribles calculs dont sont plus ou moins coupables, à Paris, la plupart
20 des enfants quand, en présence des jouissances parisiennes, ils forment des désirs et conçoivent des plans qu'ils voient avec chagrin incessamment ajournés et retardés par la vie de leurs parents. La prodigalité du père alla donc jusqu'à semer dans le cœur de son fils un amour filial
25 vrai, sans arrière-pensée. Néanmoins, Charles était un enfant de Paris, habitué par les mœurs de Paris, par Annette elle-même, à tout calculer, déjà vieillard sous le masque du jeune homme.

—Vous êtes niais, Charles, lui disait-elle. J'aurai bien
30 de la peine à vous apprendre le monde. Vous avez été très-mal pour monsieur des Lupeaulx. Je sais bien que c'est un homme peu honorable; mais attendez qu'il soit

sans pouvoir, alors vous le mépriserez à votre aise. Savez-vous ce que madame Campan nous disait? Mes enfants, tant qu'un homme est au Ministère, adorez-le; tombe-t-il, aidez à le traîner à la voirie. Puissant, il est une espèce de dieu; détruit, il est au-dessous de Marat 5 dans son égout, parce qu'il vit et que Marat était mort. La vie est une suite de combinaisons, et il faut les étudier, les suivre, pour arriver à se maintenir toujours en bonne position.

Charles était un homme trop à la mode, il avait été 10 trop constamment heureux par ses parents, trop adulé par le monde pour avoir de grands sentiments. Le grain d'or que sa mère lui avait jeté au cœur s'était étendu dans la filière parisienne, il l'avait employé en superficie et devait l'user par le frottement. Charles n'avait jamais eu 15 l'occasion d'appliquer les maximes de la morale parisienne, et jusqu'à ce jour il était beau d'inexpérience. Mais, à son insu, l'égoïsme lui avait été inoculé. Les germes de l'économie politique à l'usage du Parisien, latents en son cœur, ne devaient pas tarder à y fleurir, aussitôt que de 20 spectateur oisif il deviendrait acteur dans le drame de la vie réelle.

Presque toutes les jeunes filles s'abandonnent aux douces promesses de ces dehors; mais Eugénie eût-elle été prudente et observatrice autant que le sont certaines filles 25 en province, aurait-elle pu se défier de son cousin, quand, chez lui, les manières, les paroles et les actions s'accordaient encore avec les inspirations du cœur? Un hasard, fatal pour elle, lui fit essuyer les dernières effusions de sensibilité vraie qui fût en ce jeune cœur, et entendre, 30 pour ainsi dire, les derniers soupirs de la conscience. Elle laissa donc cette lettre pour elle pleine d'amour, et se mit complaisamment à contempler son cousin endormi: les fraîches illusions de la vie jouaient encore pour elle sur ce visage, elle se jura d'abord à elle-même de l'aimer toujours. Puis elle jeta les yeux sur l'autre lettre sans attacher beaucoup d'importance à cette indiscrétion; et, si elle commença de la lire, ce fut pour acquérir de nouvelles preuves des nobles qualités que, semblable à toutes les femmes, elle prêtait à celui qu'elle choisissait.

«Mon cher Alphonse, au moment où tu liras cette lettre je n'aurai plus d'amis; mais je t'avoue qu'en doutant de ces gens du monde habitués à prodiguer ce mot, je n'ai pas douté de ton amitié. Je te charge donc d'arranger mes affaires, et compte sur toi, pour tirer un bon parti de tout ce que je possède. Tu dois maintenant connaître ma position. Je n'ai plus rien, et veux partir pour les Indes. Je viens d'écrire à toutes les personnes auxquelles je crois devoir quelque argent, et tu en trouveras ci-joint la liste aussi exacte qu'il m'est possible de la donner de mémoire. Ma bibliothèque, mes meubles, mes voitures, mes chevaux, etc., suffiront, je crois, à payer mes dettes. Je ne veux me réserver que les babioles sans valeur qui seront susceptibles de me faire un commencement de pacotille. Mon cher Alphonse, je t'enverrai d'ici, pour cette vente, une procuration régulière, en cas de contestations. Tu m'adresseras toutes mes armes. Puis tu garderas pour toi Briton. Personne ne voudrait donner le prix de cette admirable bête, j'aime mieux te l'offrir, comme la bague d'usage que lègue un mourant à son exécuteur testamentaire. On m'a fait une très-*comfortable* voiture de voyage chez les Farry, Breilman et Cie, mais ils ne l'ont pas livrée, obtiens d'eux qu'ils la gardent sans me demander d'indemnité; s'ils se refusaient à cet arrangement, évite tout ce qui pourrait entacher ma loyauté, dans les circonstances où je me trouve. Je dois six louis à l'insulaire, perdus au jeu, ne manque pas de les lui. . . .»

—Cher cousin, dit Eugénie en laissant la lettre, et se sauvant à petits pas chez elle avec une des bougies allumées. Là ce ne fut pas sans une vive émotion de plaisir qu'elle ouvrit le tiroir d'un vieux meuble en chêne. Elle y prit une grosse bourse en velours rouge à glands d'or, et bordée de cannetille usée, provenant de la succession de sa grand-mère. Puis elle pesa fort orgueilleusement cette bourse, et se plut à vérifier le compte oublié de son petit pécule. Elle sépara d'abord vingt portugaises encore neuves, frappées sous le règne de Jean V, en 1725, valant réellement au change cinq lisbonines ou chacune cent soixante-huit francs soixante-quatre centimes, lui disait son père, mais dont la valeur conventionnelle était de cent quatre-vingts francs, attendu la rareté, la beauté desdites pièces qui reluisaient comme des soleils. ITEM, cinq génovines ou pièces de cent livres de Gênes, autre monnaie rare et valant quatre-vingt-sept francs au change, mais cent francs pour les amateurs d'or. Elles lui venaient du vieux monsieur La Bertellière. ITEM, trois quadruples d'or espagnols de Philippe V, frappés en 1729, donnés par madame Gentillet, qui, en les lui offrant, lui disait toujours la même phrase: «Ce cher serin-là, ce petit jaunet, vaut quatre-vingt-dix-huit livres! Gardez-le bien, ma mignonne, ce sera la fleur de votre trésor.» ITEM, ce que son père estimait le plus (l'or de ces pièces était à vingt-trois carats et une fraction), cent ducats de Hollande, fabriqués en l'an 1756, et valant près de treize francs. ITEM, une grande curiosité! . . . des espèces de médailles précieuses aux avares, trois roupies au signe de la Balance, et cinq roupies au signe de la Vierge, toutes d'or pur à vingt-quatre carats, 5 la magnifique monnaie du Grand-Mogol, et dont chacune valait trente-sept francs quarante centimes au poids; mais au moins cinquante francs pour les connaisseurs qui aiment à manier l'or. ITEM, le napoléon de quarante francs reçu l'avant-veille, et qu'elle avait négligemment mis dans sa 10 bourse rouge. Ce trésor contenait des pièces neuves et vierges, de véritables morceaux d'art desquels le père Grandet s'informait parfois et qu'il voulait revoir, afin de détailler à sa fille les vertus intrinsèques, comme la beauté du cordon, la clarté du plat, la richesse des lettres dont les 15 vives arêtes n'étaient pas encore rayées. Mais elle ne pensait ni à ces raretés, ni à la manie de son père, ni au danger qu'il y avait pour elle de se démunir d'un trésor si cher à son père; non, elle songeait à son cousin, et parvint enfin à comprendre, après quelques fautes de calcul, qu'elle 20 possédait environ cinq mille huit cents francs en valeurs réelles, qui, conventionnellement, pouvaient se vendre près de deux mille écus. A la vue de ses richesses, elle se mit à applaudir en battant des mains, comme un enfant forcé de perdre son trop-plein de joie dans les naïfs mou-25 vements du corps. Ainsi le père et la fille avaient compté chacun leur fortune: lui, pour aller vendre son or; Eugénie, pour jeter le sien dans un océan d'affection.

Elle remit les pièces dans la vieille bourse, la prit et remonta sans hésitation. La misère secrète de son cousin 30 lui faisait oublier la nuit, les convenances; puis, elle était forte de sa conscience, de son dévouement, de son bonheur. Au moment où elle se montra sur le seuil de la porte, en tenant d'une main la bougie, de l'autre sa bourse, Charles se réveilla, vit sa cousine et resta béant de surprise. Eugénie s'avança, posa le flambeau sur la table et dit d'une voix émue: «Mon cousin, j'ai à vous demander pardon d'une faute grave que j'ai commise envers vous; mais Dieu me le pardonnera, ce péché, si vous voulez l'effacer.»

—Qu'est-ce donc? dit Charles en se frottant les yeux.

—J'ai lu ces deux lettres.

Charles rougit.

—Comment cela s'est-il fait? reprit-elle, pourquoi suis-je montée? En vérité, maintenant je ne le sais plus. Mais, je suis tentée de ne pas trop me repentir d'avoir lu ces lettres, puisqu'elles m'ont fait connaître votre cœur, votre âme et. . . .

—Et quoi? demanda Charles.

—Et vos projets, la nécessité où vous êtes d'avoir une somme. . . .

—Ma chère cousine. . . .

—Chut, chut, mon cousin, pas si haut, n'éveillons personne. Voici, dit-elle en ouvrant la bourse, les économies d'une pauvre fille qui n'a besoin de rien. Charles, acceptez-les. Ce matin, j'ignorais ce qu'était l'argent, vous me l'avez appris, ce n'est qu'un moyen, voilà tout. Un cousin est presque un frère, vous pouvez bien emprunter la bourse de votre sœur.

Eugénie, autant femme que jeune fille, n'avait pas prévu des refus, et son cousin restait muet.

—Eh! bien, vous refuseriez? demanda Eugénie dont les palpitations retentirent au milieu du profond silence.

L'hésitation de son cousin l'humilia; mais la nécessité dans laquelle il se trouvait se représenta plus vivement à son esprit, et elle plia le genou.

—Je ne me relèverai pas que vous n'ayez pris cet or! dit-elle. Mon cousin, de grâce, une réponse? . . . que je sache si vous m'honorez, si vous êtes généreux, si. . . .

En entendant le cri d'un noble désespoir, Charles laissa 5 tomber des larmes sur les mains de sa cousine, qu'il saisit afin de l'empêcher de s'agenouiller. En recevant ces larmes chaudes, Eugénie sauta sur la bourse, la lui versa sur la table.

—Eh! bien, oui, n'est-ce pas? dit-elle en pleurant de 10 joie. Ne craignez rien, mon cousin, vous serez riche. Cet or vous portera bonheur; un jour vous me le rendrez; d'ailleurs, nous nous associerons; enfin je passerai par toutes les conditions que vous m'imposerez. Mais vous devriez ne pas donner tant de prix à ce don.

15 Charles put enfin exprimer ses sentiments.

—Oui, Eugénie, j'aurais l'âme bien petite, si je n'acceptais pas. Cependant, rien pour rien, confiance pour confiance.

—Que voulez-vous? dit-elle effrayée.

20 —Écoutez, ma chère cousine, j'ai là. . . . Il s'interrompit pour montrer sur la commode une caisse carrée enveloppée d'un surtout de cuir.—Là, voyez-vous, une chose qui m'est aussi précieuse que la vie. Cette boîte est un présent de ma mère. Depuis ce matin je pensais que, 25 si elle pouvait sortir de sa tombe, elle vendrait elle-même l'or que sa tendresse lui a fait prodiguer dans ce nécessaire; mais, accomplie par moi, cette action me paraîtrait un sacrilège. Eugénie serra convulsivement la main de son cousin en entendant ces derniers mots.—Non, reprit-il 30 après une légère pause, pendant laquelle tous deux ils se jetèrent un regard humide, non, je ne veux ni le détruire, ni le risquer dans mes voyages. Chère Eugénie,

vous en serez dépositaire. Jamais ami n'aura confié quelque chose de plus sacré à son ami. Soyez-en juge. Il alla prendre la boîte, la sortit du fourreau, l'ouvrit et montra tristement à sa cousine émerveillée un nécessaire où le travail donnait à l'or un prix bien supérieur à celui 5 de son poids.—Ce que vous admirez n'est rien, dit-il en poussant un ressort qui fit partir un double fond. Voilà ce qui, pour moi, vaut la terre entière. Il tira deux portraits, deux chefs-d'œuvre de madame de Mirbel, richement entourés de perles. 10

—Oh! la belle personne, n'est-ce pas cette dame à qui vous écriv. . . .

—Non, dit-il en souriant. Cette femme est ma mère, et voici mon père, qui sont votre tante et votre oncle. Eugénie, je devrais vous supplier à genoux de me garder 15 ce trésor. Si je périssais en perdant votre petite fortune, cet or vous dédommagerait; et, à vous seule, je puis laisser les deux portraits, vous êtes digne de les conserver; mais détruisez-les, afin qu'après vous ils n'aillent pas en d'autres mains. . . . Eugénie se taisait.—Hé! bien, oui, 20 n'est-ce pas? ajouta-t-il avec grâce.

En entendant les mots que venait de dire son cousin, elle lui jeta son premier regard de femme aimante, un de ces regards où il y a presque autant de coquetterie que de profondeur; il lui prit la main et la baisa. 25

—Ange de pureté! entre nous, n'est-ce pas? . . . l'argent ne sera jamais rien. Le sentiment, qui en fait quelque chose, sera tout désormais.

—Vous ressemblez à votre mère. Avait-elle la voix aussi douce que la vôtre? 30

—Oh! bien plus douce. . . .

—Oui, pour vous, dit-elle en abaissant ses paupières.

Allons, Charles, couchez-vous, je le veux, vous êtes fatigué. A demain.

Elle dégagea doucement sa main d'entre celles de son cousin, qui la reconduisit en l'éclairant. Quand ils furent 5 tous deux sur le seuil de la porte:

—Ah! pourquoi suis-je ruiné? dit-il.

—Bah! mon père est riche, je le crois, répondit-elle.

—Pauvre enfant, reprit Charles en s'appuyant le dos au mur, il n'aurait pas laissé mourir le mien, il ne vous 10 laisserait pas dans ce dénûment, enfin il vivrait autrement.

—Mais il a Froidfond.

—Et que vaut Froidfond?

—Je ne sais pas; mais il a Noyers.

—Quelque mauvaise ferme!

15 —Il a des vignes et des prés. . . .

—Des misères, dit Charles d'un air dédaigneux. Si votre père avait seulement vingt-quatre mille livres de rente, habiteriez-vous cette chambre froide et nue? ajouta-t-il.

20 —Allez dormir, dit-elle en l'empêchant d'entrer dans une chambre en désordre.

Charles se retira, et ils se dirent bonsoir par un mutuel sourire.

Tous deux ils s'endormirent dans le même rêve, et 25 Charles commença dès lors à jeter quelques roses sur son deuil. Le lendemain matin, madame Grandet trouva sa fille se promenant, avant le déjeuner, en compagnie de Charles. Le jeune homme était encore triste comme devait l'être un malheureux descendu, pour ainsi dire, au 30 fond de ses chagrins, et qui, en mesurant la profondeur de l'abîme où il était tombé, avait senti tout le poids de sa vie future.

—Mon père ne reviendra que pour le dîner, dit Eugénie en voyant l'inquiétude peinte sur le visage de sa mère.

Charles resta dans la salle, et sa mélancolie y fut respectée. Chacune des trois femmes eut à s'occuper. Grandet ayant oublié ses affaires, il vint un assez grand nombre de personnes. Le couvreur, le plombier, le maçon, les terrassiers, le charpentier, des closiers, des fermiers, les uns pour conclure des marchés relatifs à des réparations, les autres pour payer des fermages ou recevoir de l'argent. Madame Grandet et Eugénie furent donc obligées d'aller et de venir, de répondre aux interminables discours des ouvriers et des gens de la campagne. Nanon encaissait les redevances dans sa cuisine. Elle attendait toujours les ordres de son maître pour savoir ce qui devait être gardé pour la maison ou vendu au marché. L'habitude du bonhomme était, comme celle d'un grand nombre de gentilshommes campagnards, de boire son mauvais vin et de manger ses fruits gâtés. Vers cinq heures du soir, Grandet revint d'Angers, ayant eu quatorze mille francs de son or, et tenant dans son portefeuille des bons royaux qui lui portaient intérêt jusqu'au jour où il aurait à payer ses rentes. Il avait laissé Cornoiller à Angers, pour y soigner les chevaux à demi fourbus, et les ramener lentement après les avoir bien fait reposer.

—Je reviens d'Angers, ma femme, dit-il. J'ai faim.

Nanon lui cria de la cuisine:

—Est-ce que vous n'avez rien mangé depuis hier?

—Rien, répondit le bonhomme.

Nanon apporta la soupe. Des Grassins vint prendre les ordres de son client au moment où la famille était à table. Le père Grandet n'avait seulement pas vu son neveu.

—Mangez tranquillement, Grandet, dit le banquier. Nous causerons. Savez-vous ce que vaut l'or à Angers, où l'on en est venu chercher pour Nantes? Je vais en envoyer.

—N'en envoyez pas, répondit le bonhomme, il y en a déjà suffisamment. Nous sommes trop bons amis pour que je ne vous évite pas une perte de temps.

—Mais l'or y vaut treize francs cinquante centimes.

—Dites donc valait.

—D'où diable en serait-il venu?

—Je suis allé cette nuit à Angers, lui répondit Grandet à voix basse.

Le banquier tressaillit de surprise. Puis une conversation s'établit entre eux d'oreille à oreille, pendant laquelle des Grassins et Grandet regardèrent Charles à plusieurs reprises. Au moment où sans doute l'ancien tonnelier dit au banquier de lui acheter cent mille livres de rente, des Grassins laissa derechef échapper un geste d'étonnement.

—Monsieur Grandet, dit-il à Charles, je pars pour Paris; et, si vous aviez des commissions à me donner. . . .

—Aucune, monsieur. Je vous remercie, répondit Charles.

—Remerciez-le mieux que ça, mon neveu. Monsieur va pour arranger les affaires de la maison Guillaume Grandet.

—Y aurait-il donc quelque espoir? demanda Charles.

—Mais, s'écria le tonnelier avec un orgueil bien joué, n'êtes-vous pas mon neveu? votre honneur est le nôtre. Ne vous nommez-vous pas Grandet?

Charles se leva, saisit le père Grandet, l'embrassa, pâlit et sortit. Eugénie contemplait son père avec admiration.

—Allons, adieu, mon bon des Grassins, tout à vous, et emboisez-moi bien ces gens-là! Les deux diplomates se donnèrent une poignée de main, l'ancien tonnelier reconduisit le banquier jusqu'à la porte; puis, après l'avoir fermée, il revint et dit à Nanon en se plongeant dans son 5 fauteuil: «Donne-moi du cassis?» Mais trop ému pour rester en place, il se leva, regarda le portrait de monsieur de La Bertellière et se mit à chanter, en faisant ce que Nanon appelait des pas de danse:

Dans les gardes-françaises 10
J'avais un bon papa.

Nanon, madame Grandet, Eugénie s'examinèrent mutuellement et en silence. La joie du vignernon les épouvantait toujours quand elle arrivait à son apogée. La soirée fut bientôt finie. D'abord le père Grandet voulut 15 se coucher de bonne heure; et, lorsqu'il se couchait, chez lui tout devait dormir, de même que, quand Auguste buvait, la Pologne était ivre. Puis Nanon, Charles et Eugénie n'étaient pas moins las que le maître. Quant à madame Grandet, elle dormait, mangeait, buvait, marchait 20 suivant les désirs de son mari. Néanmoins, pendant les deux heures accordées à la digestion, le tonnelier, plus facétieux qu'il ne l'avait jamais été, dit beaucoup de ses apophthegmes particuliers, dont un seul donnera la mesure de son esprit. Quand il eut avalé son cassis, il re- 25 garda le verre.

—On n'a pas plutôt mis les lèvres à un verre qu'il est déjà vide! Voilà notre histoire. On ne peut pas être et avoir été. Les écus ne peuvent pas rouler et rester dans votre bourse, autrement la vie serait trop belle. 30

Il fut jovial et clément. Lorsque Nanon vint avec

son rouet: «Tu dois être lasse, lui dit-il. Laisse ton chanvre.»

—Ah! ben! . . . quien,[1] je m'ennuierais, répondit la servante.

5 —Pauvre Nanon! Veux-tu du cassis?

—Ah! pour du cassis, je ne dis pas non; madame le fait ben mieux que les apothicaires. Celui qu'i vendent [2] est de la drogue.

—Ils y mettent trop de sucre, ça ne sent plus rien, dit 10 le bonhomme.

Le lendemain, la famille, réunie à huit heures pour le déjeuner, offrit le tableau de la première scène d'une intimité bien réelle. Le malheur avait promptement mis en rapport madame Grandet, Eugénie et Charles; Nanon 15 elle-même sympathisait avec eux sans le savoir. Tous quatre commencèrent à faire une même famille. Quant au vieux vigneron, son avarice satisfaite, et la certitude de voir bientôt partir le mirliflor sans avoir à lui payer autre chose que son voyage à Nantes, le rendirent presque 20 indifférent à sa présence au logis. Il laissa les deux enfants, ainsi qu'il nomma Charles et Eugénie, libres de se comporter comme bon leur semblerait sous l'œil de madame Grandet. L'alignement de ses prés et des fossés jouxtant la route, ses plantations de peupliers en Loire, 25 et les travaux d'hiver dans ses clos et à Froidfond l'occupèrent exclusivement. Dès lors commença pour Eugénie le primevère de l'amour. Depuis la scène de nuit pendant laquelle la cousine donna son trésor au cousin, son cœur avait suivi le trésor. Complices tous deux du même secret, 30 ils se regardaient en s'exprimant une mutuelle intelligence,

[1] *ben* for *bien; quien* for *tiens!*

[2] *qu'i vendent* for *qu'ils vendent.*

qui approfondissait leurs sentiments et les leur rendait mieux communs, plus intimes, en les mettant, pour ainsi dire, tous deux en dehors de la vie ordinaire. La parenté n'autorisait-elle pas une certaine douceur dans l'accent, une tendresse dans les regards: aussi Eugénie se plut-elle à endormir les souffrances de son cousin dans les joies enfantines d'un naissant amour. 5

En échangeant quelques mots avec sa cousine au bord du puits, dans cette cour muette; en restant dans ce jardinet, assis sur un banc moussu jusqu'à l'heure où le soleil se couchait, occupés à se dire de grands riens ou recueillis dans le calme qui régnait entre le rempart et la maison, comme on l'est sous les arcades d'une église, Charles comprit la sainteté de l'amour; car sa grande dame, sa chère Annette, ne lui en avait fait connaître que les troubles orageux. Il quittait en ce moment la passion parisienne, coquette, vaniteuse, éclatante, pour l'amour pur et vrai. Il aimait cette maison, dont les mœurs ne lui semblèrent plus si ridicules. Il descendait dès le matin, afin de pouvoir causer avec Eugénie quelques moments avant que Grandet ne vînt donner les provisions; et, quand les pas du bonhomme retentissaient dans les escaliers, il se sauvait au jardin. La petite criminalité de ce rendez-vous matinal, secret même pour la mère d'Eugénie, et que Nanon faisait semblant de ne pas apercevoir, imprimait à l'amour le plus innocent du monde la vivacité des plaisirs défendus. Puis, quand, après le déjeuner, le père Grandet était parti pour aller voir ses propriétés et ses exploitations, Charles demeurait entre la mère et la fille, éprouvant des délices inconnues à leur prêter les mains pour dévider du fil, à les voir travaillant, à les entendre jaser. La simplicité de cette vie presque monastique, 10 15 20 25 30 qui lui révéla les beautés de ces âmes auxquelles le monde était inconnu, le toucha vivement. Il avait cru ces mœurs impossibles en France, et n'avait admis leur existence qu'en Allemagne, encore n'était-ce que fabuleusement et dans les romans d'Auguste Lafontaine. Bientôt pour lui Eugénie fut l'idéal de la Marguerite de Gœthe, moins la faute. Enfin de jour en jour ses regards, ses paroles ravirent la pauvre fille, qui s'abandonna délicieusement au courant de l'amour; elle saisissait sa félicité comme un nageur saisit la branche de saule pour se tirer du fleuve et se reposer sur la rive. Les chagrins d'une prochaine absence n'attristaient-ils pas déjà les heures les plus joyeuses de ces fuyardes journées? Chaque jour un petit événement leur rappelait la prochaine séparation. Ainsi, trois jours après le départ de des Grassins, Charles fut emmené par Grandet au Tribunal de Première Instance avec la solennité que les gens de province attachent à de tels actes, pour y signer une renonciation à la succession de son père. Répudiation terrible! espèce d'apostasie domestique. Il alla chez maître Cruchot faire faire deux procurations, l'une pour des Grassins, l'autre pour l'ami chargé de vendre son mobilier. Puis il fallut remplir les formalités nécessaires pour obtenir un passe-port à l'étranger. Enfin, quand arrivèrent les simples vêtements de deuil que Charles avait demandés à Paris, il fit venir un tailleur de Saumur, et lui vendit sa garde-robe inutile. Cet acte plut singulièrement au père Grandet.

—Ah! vous voilà comme un homme qui doit s'embarquer et qui veut faire fortune, lui dit-il en le voyant vêtu d'une redingote de gros drap noir. Bien, très-bien!

—Je vous prie de croire, monsieur, lui répondit Charles, que je saurai bien avoir l'esprit de ma situation.

—Qu'est-ce que c'est que cela? dit le bonhomme dont les yeux s'animèrent à la vue d'une poignée d'or que lui montra Charles.

—Monsieur, j'ai réuni mes boutons, mes anneaux, toutes les superfluités que je possède et qui pouvaient avoir quelque valeur; mais, ne connaissant personne à Saumur, je voulais vous prier ce matin de. . . .

—De vous acheter cela? dit Grandet en l'interrompant.

—Non, mon oncle, de m'indiquer un honnête homme qui. . . .

—Donnez-moi cela, mon neveu; j'irai vous estimer cela là-haut, et je reviendrai vous dire ce que cela vaut, à un centime près. Or de bijou, dit-il en examinant une longue chaîne, dix-huit à dix-neuf carats.

Le bonhomme tendit sa large main et emporta la masse d'or.

—Ma cousine, dit Charles, permettez-moi de vous offrir ces deux boutons, qui pourront vous servir à attacher des rubans à vos poignets. Cela fait un bracelet fort à la mode en ce moment.

—J'accepte sans hésiter, mon cousin, dit-elle en lui jetant un regard d'intelligence.

—Ma tante, voici le dé de ma mère, je le gardais précieusement dans ma toilette de voyage, dit Charles en présentant un joli dé d'or à madame Grandet, qui depuis dix ans en désirait un.

—Il n'y a pas de remercîments possibles, mon neveu, dit la vieille mère, dont les yeux se mouillèrent de larmes. Soir et matin dans mes prières j'ajouterai la plus pressante de toutes pour vous, en disant celle des voyageurs. Si je mourais, Eugénie vous conserverait ce bijou.

—Cela vaut neuf cent quatre-vingt-neuf francs soixante-quinze centimes, mon neveu, dit Grandet en ouvrant la porte. Mais, pour vous éviter la peine de vendre cela, je vous en compterai l'argent . . . en livres.

Le mot en livres signifie sur le littoral de la Loire que 5 les écus de six livres doivent être acceptés pour six francs sans déduction.

—Je n'osais vous le proposer, répondit Charles; mais il me répugnait de brocanter mes bijoux dans la ville que vous habitez. Il faut laver son linge sale en famille, 10 disait Napoléon. Je vous remercie donc de votre complaisance. Grandet se gratta l'oreille, et il y eut un moment de silence.—Mon cher oncle, reprit Charles en le regardant d'un air inquiet, comme s'il eût craint de blesser sa susceptibilité, ma cousine et ma tante ont bien voulu 15 accepter un faible souvenir de moi; veuillez à votre tour agréer des boutons de manche qui me deviennent inutiles: ils vous rappelleront un pauvre garçon qui, loin de vous, pensera certes à ceux qui désormais seront toute sa famille.

—Mon garçon! mon garçon, faut pas te dénuer comme 20 ça. . . . Qu'as-tu donc, ma femme? dit-il en se tournant avec avidité vers elle, ah! un dé d'or. Et toi, fifille, tiens, des agrafes de diamants. Allons, je prends tes boutons, mon garçon, reprit-il en serrant la main de Charles. Mais . . . tu me permettras de . . . te payer . . . ton, 25 oui . . . ton passage aux Indes. Oui, je veux te payer ton passage. D'autant, vois-tu, garçon, qu'en estimant tes bijoux, je n'en ai compté que l'or brut, il y a peut-être quelque chose à gagner sur les façons. Ainsi, voilà qui est dit. Je te donnerai quinze cents francs . . . en livres, 30 que Cruchot me prêtera; car je n'ai pas un rouge liard ici, à moins que Perrottet, qui est en retard de son fermage, ne me le paie. Tiens, tiens, je vais l'aller voir.

Il prit son chapeau, mit ses gants et sortit.

—Vous vous en irez donc, dit Eugénie en lui jetant un regard de tristesse mêlée d'admiration.

—Il le faut, dit-il en baissant la tête.

Depuis quelques jours, le maintien, les manières, les paroles de Charles étaient devenus ceux d'un homme profondément affligé, mais qui, sentant peser sur lui d'immenses obligations, puise un nouveau courage dans son malheur. Il ne soupirait plus, il s'était fait homme. Aussi jamais Eugénie ne présuma-t-elle mieux du caractère de son cousin qu'en le voyant descendre dans ses habits de gros drap noir, qui allaient bien à sa figure pâlie et à sa sombre contenance. Ce jour-là le deuil fut pris par les deux femmes, qui assistèrent avec Charles à un *Requiem* célébré à la paroisse pour l'âme de feu Guillaume Grandet.

Au second déjeuner, Charles reçut des lettres de Paris, et les lut.

—Hé! bien, mon cousin, êtes-vous content de vos affaires, dit Eugénie à voix basse.

—Ne fais donc jamais de ces questions-là, ma fille, répondit Grandet. Que diable, je ne te dis pas les miennes, pourquoi fourres-tu le nez dans celles de ton cousin? Laisse-le donc, ce garçon.

—Oh! je n'ai point de secrets, dit Charles.

—Ta, ta, ta, mon neveu, tu sauras qu'il faut tenir sa langue en bride dans le commerce.

Quand les deux amants furent seuls dans le jardin, Charles dit à Eugénie en l'attirant sur le vieux banc où ils s'assirent sous le noyer: «J'avais bien présumé d'Alphonse, il s'est conduit à merveille. Il a fait mes affaires avec prudence et loyauté. Je ne dois rien à Paris, tous mes meubles sont bien vendus, et il m'annonce avoir, d'après les conseils d'un capitaine au long cours, employé trois mille francs qui lui restaient en une pacotille composée de curiosités européennes, desquelles on tire un excellent parti aux Indes. Il a dirigé mes colis sur Nantes, où se trouve un navire en charge pour Java. Dans cinq jours, Eugénie, il faudra nous dire adieu pour toujours peut-être, mais au moins pour long-temps. Ma pacotille et dix mille francs que m'envoient deux de mes amis sont un bien petit commencement. Je ne puis songer à mon retour avant plusieurs années. Ma chère cousine, ne mettez pas en balance ma vie et la vôtre, je puis périr, peut-être se présentera-t-il pour vous un riche établissement. . . .

—Vous m'aimez? . . . dit-elle.

—Oh! oui, bien, répondit-il avec une profondeur d'accent qui révélait une égale profondeur dans le sentiment.

—J'attendrai, Charles. Dieu! mon père est à sa fenêtre, dit-elle en repoussant son cousin, qui s'approchait pour l'embrasser.

Elle se sauva sous la voûte, Charles l'y suivit; en le voyant, elle se retira au pied de l'escalier et ouvrit la porte battante; puis, sans trop savoir où elle allait, Eugénie se trouva près du bouge de Nanon, à l'endroit le moins clair du couloir; là Charles, qui l'avait accompagnée, lui prit la main, l'attira sur son cœur, la saisit par la taille, et l'appuya doucement sur lui. Eugénie ne résista plus, elle reçut et donna le plus pur, le plus suave, mais aussi le plus entier de tous les baisers.

—Chère Eugénie, un cousin est mieux qu'un frère, il peut t'épouser, lui dit Charles.

—Ainsi soit-il! cria Nanon en ouvrant la porte de son taudis.

Les deux amants, effrayés, se sauvèrent dans la salle, où Eugénie reprit son ouvrage, et où Charles se mit à lire les litanies de la Vierge dans le paroissien de madame 5 Grandet.

—Quien! dit Nanon, nous faisons tous nos prières.

Dès que Charles eut annoncé son départ, Grandet se mit en mouvement pour faire croire qu'il lui portait beaucoup d'intérêt; il se montra libéral de tout ce qui ne 10 coûtait rien, s'occupa de lui trouver un emballeur, et dit que cet homme prétendait vendre ses caisses trop cher; il voulut alors à toute force les faire lui-même, et y employa de vieilles planches; il se leva dès le matin pour raboter, ajuster, planer, clouer ses voliges et en confectionner de 15 très-belles caisses, dans lesquelles il emballa tous les effets de Charles; il se chargea de les faire descendre par bateau sur la Loire, de les assurer, et de les expédier en temps utile à Nantes.

Depuis le baiser pris dans le couloir, les heures s'en- 20 fuyaient pour Eugénie avec une effrayante rapidité. Parfois elle voulait suivre son cousin. Celui qui a connu la plus attachante des passions, celle dont la durée est chaque jour abrégée par l'âge, par le temps, par une maladie mortelle, par quelques-unes des fatalités hu- 25 maines, celui-là comprendra les tourments d'Eugénie. Elle pleurait souvent en se promenant dans ce jardin, maintenant trop étroit pour elle, ainsi que la cour, la maison, la ville: elle s'élançait par avance sur la vaste étendue des mers. Enfin la veille du départ arriva. Le 30 matin, en l'absence de Grandet et de Nanon, le précieux coffret où se trouvaient les deux portraits fut solennelle-

ment installé dans le seul tiroir du bahut qui fermait à clef, et où était la bourse maintenant vide. Le dépôt de ce trésor n'alla pas sans bon nombre de baisers et de larmes. Quand Eugénie mit la clef dans son sein, elle n'eut pas le
5 courage de défendre à Charles d'y baiser la place.

—Elle ne sortira pas de là, mon ami.

—Eh! bien, mon cœur y sera toujours aussi.

—Ah! Charles, ce n'est pas bien, dit-elle d'un accent peu grondeur.

10 —Ne sommes-nous pas mariés? répondit-il; j'ai ta parole, prends la mienne.

—A toi, pour jamais! fut dit deux fois de part et d'autre.

Aucune promesse faite sur cette terre ne fut plus pure: la candeur d'Eugénie avait momentanément sanctifié
15 l'amour de Charles. Le lendemain matin le déjeuner fut triste. Malgré la robe d'or et une croix à la Jeannette que lui donna Charles, Nanon elle-même, libre d'exprimer ses sentiments, eut la larme à l'œil.

—Ce pauvre mignon monsieur, qui s'en va sur mer.
20 Que Dieu le conduise.

A dix heures et demie, la famille se mit en route pour accompagner Charles à la diligence de Nantes. Nanon avait lâché le chien, fermé la porte, et voulut porter le sac de nuit de Charles. Tous les marchands de la vieille
25 rue étaient sur le seuil de leurs boutiques pour voir passer ce cortége, auquel se joignit sur la place maître Cruchot.

—Ne va pas pleurer, Eugénie, lui dit sa mère.

—Mon neveu, dit Grandet sous la porte de l'auberge, en embrassant Charles sur les deux joues, partez pauvre,
30 revenez riche, vous trouverez l'honneur de votre père sauf. Je vous en réponds, moi, Grandet; car, alors, il ne tiendra qu'à vous de. . . .

—Ah! mon oncle, vous adoucissez l'amertume de mon départ. N'est-ce pas le plus beau présent que vous puissiez me faire?

Ne comprenant pas les paroles du vieux tonnelier, qu'il avait interrompu, Charles répandit sur le visage tanné de son oncle des larmes de reconnaissance, tandis qu'Eugénie serrait de toutes ses forces la main de son cousin et celle de son père. Le notaire seul souriait en admirant la finesse de Grandet, car lui seul avait bien compris le bonhomme. Les quatre Saumurois, environnés de plusieurs personnes, restèrent devant la voiture jusqu'à ce qu'elle partît; puis, quand elle disparut sur le pont et ne retentit plus que dans le lointain: «Bon voyage!» dit le vigneron. Heureusement maître Cruchot fut le seul qui entendit cette exclamation. Eugénie et sa mère étaient allées à un endroit du quai d'où elles pouvaient encore voir la diligence, et agitaient leurs mouchoirs blancs, signe auquel répondit Charles en déployant le sien.

—Ma mère, je voudrais avoir pour un moment la puissance de Dieu, dit Eugénie au moment où elle ne vit plus le mouchoir de Charles.

[The creditors of Guillaume Grandet, at Paris, are paid out of his estate 47 per cent. of what is due them; on pressing for the balance they are put off from time to time by various devices, until finally, after five years of tedious negotiations, Grandet of Saumur informs them that Charles Grandet has made a fortune in the Indies and intends to pay his father's debts in full. Charles has not even written to his uncle.]

V. CHAGRINS DE FAMILLE

En toute situation, les femmes ont plus de causes de douleur que n'en a l'homme, et souffrent plus que lui.

L'homme a sa force, et l'exercice de sa puissance: il agit, il va, il s'occupe, il pense, il embrasse l'avenir et y trouve des consolations. Ainsi faisait Charles. Mais la femme demeure, elle reste face à face avec le chagrin dont rien
5 ne la distrait, elle descend jusqu'au fond de l'abîme qu'il a ouvert, le mesure et souvent le comble de ses vœux et de ses larmes. Ainsi faisait Eugénie. Elle s'initiait à sa destinée. Sentir, aimer, souffrir, se dévouer, sera toujours le texte de la vie des femmes. Eugénie devait être toute
10 la femme, moins ce qui la console. Son bonheur, amassé comme les clous semés sur la muraille, suivant la sublime expression de Bossuet, ne devait pas un jour lui remplir le creux de la main. Les chagrins ne se font jamais attendre, et pour elle ils arrivèrent bientôt. Le lendemain
15 du départ de Charles, la maison Grandet reprit sa physionomie pour tout le monde, excepté pour Eugénie, qui la trouva tout à coup bien vide. A l'insu de son père, elle voulut que la chambre de Charles restât dans l'état où il l'avait laissée. Madame Grandet et Nanon furent volon-
20 tiers complices de ce *statu quo*.

—Qui sait s'il ne reviendra pas plus tôt que nous ne le croyons? dit-elle.

—Ah! je le voudrais voir ici, répondit Nanon. Je m'accoutumais ben à lui! C'était un ben par-
25 fait monsieur, quasiment joli, moutonné comme une fille. Eugénie regarda Nanon.—Sainte Vierge, mademoiselle, vous avez les yeux à la perdition de votre âme! Ne regardez donc pas le monde comme ça.

Depuis ce jour, la beauté de mademoiselle Grandet
30 prit un nouveau caractère. Les graves pensées d'amour par lesquelles son âme était lentement envahie, la dignité de la femme aimée donnèrent à ses traits cette espèce

d'éclat que les peintres figurent par l'auréole. En revenant de la messe, où elle alla le lendemain du départ de Charles, et où elle avait fait vœu d'aller tous les jours, elle prit, chez le libraire de la ville, une mappemonde qu'elle cloua près de son miroir, afin de suivre son cousin dans sa route 5 vers les Indes, afin de pouvoir se mettre un peu, soir et matin, dans le vaisseau qui l'y transportait, de le voir, de lui adresser mille questions, de lui dire: «Es-tu bien? ne souffres-tu pas? penses-tu bien à moi, en voyant cette étoile dont tu m'as appris à connaître les beautés et 10 l'usage?» Puis, le matin, elle restait pensive sous le noyer, assise sur le banc de bois rongé par les vers et garni de mousse grise où ils s'étaient dit tant de bonnes choses, de niaiseries, où ils avaient bâti les châteaux en Espagne de leur joli ménage. Quand les soi-disant amis du père 15 Grandet venaient faire la partie le soir, elle était gaie, elle dissimulait; mais, pendant toute la matinée, elle causait de Charles avec sa mère et Nanon. Nanon avait compris qu'elle pouvait compatir aux souffrances de sa jeune maîtresse sans manquer à ses devoirs envers son vieux patron, 20 elle qui disait à Eugénie: «Si j'avais eu un homme à moi, je l'aurais . . . suivi dans l'enfer. Je l'aurais . . . quoi. . . . Enfin, j'aurais voulu m'exterminer pour lui; mais . . . rin.[1] Je mourrai sans savoir ce que c'est que la vie. Croiriez-vous, mademoiselle, que ce vieux Cor- 25 noiller, qu'est un bon homme tout de même, tourne autour de ma jupe, rapport à mes rentes, tout comme ceux qui viennent ici flairer le magot de monsieur, en vous faisant la cour? Je vois ça, parce que je suis encore fine, quoique je sois grosse comme une tour; hé! bien, mam'zelle, ça 30 me fait plaisir, quoique ça ne soye pas [2] de l'amour.»

[1] *rin* for *rien*.

[2] *ne soye pas* for *ne soit pas*.

Deux mois se passèrent ainsi. Cette vie domestique, jadis si monotone, s'était animée par l'immense intérêt du secret qui liait plus intimement ces trois femmes. Pour elles, sous les planchers grisâtres de cette salle, Charles
5 vivait, allait, venait encore. Soir et matin Eugénie ouvrait la toilette et contemplait le portrait de sa tante. Un dimanche matin elle fut surprise par sa mère au moment où elle était occupée à chercher les traits de Charles dans ceux du portrait. Madame Grandet fut alors initiée au
10 terrible secret de l'échange fait par le voyageur contre le trésor d'Eugénie.

—Tu lui as tout donné, dit la mère épouvantée. Que diras-tu donc à ton père, au jour de l'an, quand il voudra voir ton or?

15 Les yeux d'Eugénie devinrent fixes, et ces deux femmes demeurèrent dans un effroi mortel pendant la moitié de la matinée. Elles furent assez troublées pour manquer la grand'messe, et n'allèrent qu'à la messe militaire. Dans trois jours l'année 1819 finissait. Dans trois jours
20 devait commencer une terrible action, une tragédie bourgeoise sans poison, ni poignard, ni sang répandu; mais, relativement aux acteurs, plus cruelle que tous les drames accomplis dans l'illustre famille des Atrides.

—Qu'allons-nous devenir? dit madame Grandet à sa
25 fille en laissant son tricot sur ses genoux.

La pauvre mère subissait de tels troubles depuis deux mois que les manches de laine dont elle avait besoin pour son hiver n'étaient pas encore finies. Ce fait domestique, minime en apparence, eut de tristes résultats pour elle.
30 Faute de manches, le froid la saisit d'une façon fâcheuse au milieu d'une sueur causée par une épouvantable colère de son mari.

—Je pensais, ma pauvre enfant, que, si tu m'avais confié ton secret, nous aurions eu le temps d'écrire à Paris à monsieur des Grassins. Il aurait pu nous envoyer des pièces d'or semblables aux tiennes; et, quoique Grandet les connaisse bien, peut-être. . . . 5

—Mais où donc aurions-nous pris tant d'argent?

—J'aurais engagé mes propres. D'ailleurs monsieur des Grassins nous eût bien. . . .

—Il n'est plus temps, répondit Eugénie d'une voix sourde et altérée en interrompant sa mère. Demain matin 10 ne devons-nous pas aller lui souhaiter la bonne année dans sa chambre?

—Mais, ma fille, pourquoi n'irais-je donc pas voir les Cruchot?

—Non, non, ce serait me livrer à eux et nous mettre 15 sous leur dépendance. D'ailleurs j'ai pris mon parti. J'ai bien fait, je ne me repens de rien. Dieu me protégera. Que sa sainte volonté se fasse. Ah! si vous aviez lu sa lettre, vous n'auriez pensé qu'à lui, ma mère.

Le lendemain matin, premier janvier 1820, la terreur 20 flagrante à laquelle la mère et la fille étaient en proie leur suggéra la plus naturelle des excuses pour ne pas venir solennellement dans la chambre de Grandet. L'hiver de 1819 à 1820 fut un des plus rigoureux de l'époque. La neige encombrait les toits. 25

Madame Grandet dit à son mari, dès qu'elle l'entendit se remuant dans sa chambre: «Grandet, fais donc allumer par Nanon un peu de feu chez moi; le froid est si vif que je gèle sous ma couverture. Je suis arrivée à un âge où j'ai besoin de ménagements. D'ailleurs, reprit-elle 30 après une légère pause, Eugénie viendra s'habiller là. Cette pauvre fille pourrait gagner une maladie à faire sa toilette chez elle par un temps pareil. Puis nous irons te souhaiter le bon an près du feu, dans la salle.»

—Ta, ta, ta, ta, quelle langue! comme tu commences l'année, madame Grandet? Tu n'as jamais tant parlé. 5 Cependant tu n'as pas mangé de pain trempé dans du vin, je pense. Il y eut un moment de silence. Eh! bien, reprit le bonhomme, que sans doute la proposition de sa femme arrangeait, je vais faire ce que vous voulez, madame Grandet. Tu es vraiment une bonne femme, et 10 je ne veux pas qu'il t'arrive malheur à l'échéance de ton âge, quoique en général les La Bertellière soient faits de vieux ciment. Hein! pas vrai? cria-t-il après une pause. Enfin, nous en avons hérité, je leur pardonne. Et il toussa.

15 —Vous êtes gai ce matin, monsieur, dit gravement la pauvre femme.

—Toujours gai, moi. . . .

Gai, gai, gai, le tonnelier,
Raccommodez votre cuvier!

20 ajouta-t-il en entrant chez sa femme tout habillé. Oui, nom d'un petit bonhomme, il fait solidement froid tout de même. Nous déjeunerons bien, ma femme. Des Grassins m'a envoyé un pâté de foies gras truffés! Je vais aller le chercher à la diligence. Il doit y avoir joint un double 25 napoléon pour Eugénie, vint lui dire le tonnelier à l'oreille. Je n'ai plus d'or, ma femme. J'avais bien encore quelques vieilles pièces, je puis te dire cela à toi; mais il a fallu les lâcher pour les affaires. Et, pour célébrer le premier jour de l'an, il l'embrassa sur le front.

30 —Eugénie, cria la bonne mère, je ne sais sur quel côté ton père a dormi; mais il est bon homme, ce matin. Bah! nous nous en tirerons.

—Quoi qu'il a donc, notre maître? dit Nanon en entrant chez sa maîtresse pour y allumer du feu. D'abord, il m'a dit: «Bon jour, bon an, grosse bête! Va faire du feu chez ma femme, elle a froid.» Ai-je été sotte quand je l'ai vu me tendant la main pour me donner un écu de six francs qui n'est quasi point rogné du tout! Tenez, madame, regardez-le donc? Oh! le brave homme. C'est un digne homme, tout de même. Il y en a qui, pus y[1] deviennent vieux, pus y durcissent; mais lui, il se fait doux comme votre cassis, et y rabonnit.[2] C'est un ben parfait, un ben bon homme. . . .

Le secret de cette joie était dans une entière réussite de la spéculation de Grandet. Monsieur des Grassins lui avait annoncé la hausse des fonds publics. Ils étaient alors à 89, les plus célèbres capitalistes en achetaient, fin janvier, à 92. Grandet gagnait, depuis deux mois, douze pour cent sur ses capitaux, il avait apuré ses comptes, et allait désormais toucher cinquante mille francs tous les six mois sans avoir à payer ni impositions, ni réparations. Il se voyait, après cinq ans, maître d'un capital de six millions grossi sans beaucoup de soins, et qui, joint à la valeur territoriale de ses propriétés, composerait une fortune colossale.

—Oh! oh! où va donc le père Grandet, qu'il court dès le matin comme au feu? se dirent les marchands occupés à ouvrir leurs boutiques. Puis, quand ils le virent revenant du quai suivi d'un facteur des Messageries transportant sur une brouette des sacs pleins: «L'eau va toujours à la rivière, le bonhomme allait à ses écus, disait l'un.—Il lui en vient de Paris, de Froidfond, de Hollande! disait un autre.—Il finira par acheter Saumur, s'écriait un

[1] *pus y* for *plus ils*. [2] *y rabonnit* for *il rabonnit*

troisième.—Il se moque du froid, il est toujours à son affaire, disait une femme à son mari.—Eh! eh! monsieur Grandet, si ça vous gênait, lui dit un marchand de drap, son plus proche voisin, je vous en débarrasserais.

5 —Ouin! ce sont des sous, répondit le vigneron.

—D'argent, dit le facteur à voix basse.

—Si tu veux que je te soigne, mets une bride à ta *margoulette*, dit le bonhomme au facteur en ouvrant sa porte.

—Ah! le vieux renard, je le croyais sourd, pensa le 10 facteur; il paraît que quand il fait froid il entend.

—Voilà vingt sous pour tes étrennes, et *motus!* Détale! lui dit Grandet. Nanon te reportera ta brouette.—Nanon, les linottes sont-elles à la messe?

—Oui, monsieur.

15 —Allons, haut la patte! à l'ouvrage, cria-t-il en la chargeant de sacs. En un moment les écus furent transportés dans sa chambre où il s'enferma. Quand le déjeuner sera prêt, tu me cogneras au mur. Reporte la brouette aux Messageries.

20 La famille ne déjeuna qu'à dix heures.

—Ici ton père ne demandera pas à voir ton or, dit madame Grandet à sa fille en rentrant de la messe. D'ailleurs tu feras la frileuse. Puis nous aurons le temps de remplir ton trésor pour le jour de ta naissance. . . .

25 Grandet descendit l'escalier en pensant à son admirable spéculation des rentes sur l'État. Il était décidé à placer ainsi ses revenus jusqu'à ce que la rente atteignît le taux de cent francs. Méditation funeste à Eugénie. Aussitôt qu'il entra, les deux femmes lui souhaitèrent une bonne 30 année, sa fille en lui sautant au cou et le câlinant, madame Grandet gravement et avec dignité.

—Ah! ah! mon enfant. dit-il en baisant sa fille sur les

joues, je travaille pour toi, vois-tu? . . . je veux ton bonheur. Il faut de l'argent pour être heureux. Sans argent, bernique. Tiens, voilà un napoléon tout neuf, je l'ai fait venir de Paris. Nom d'un petit bonhomme, il n'y a pas un grain d'or ici. Il n'y a que toi qui as de l'or. 5
Montre-moi ton or, fifille.

—Bah! il fait trop froid; déjeunons, lui répondit Eugénie.

—Hé! bien, après, hein? Ça nous aidera tous à digérer. Ce gros des Grassins, il nous a envoyé ça tout de même, reprit-il. Ainsi mangez, mes enfants, ça ne nous 10
coûte rien. Il va bien des Grassins, je suis content de lui. Le merluchon rend service à Charles, et gratis encore. Il arrange très-bien les affaires de ce pauvre défunt Grandet.—Ououh! ououh! fit-il, la bouche pleine, après une pause, cela est bon! Manges-en donc, ma femme! ça 15
nourrit au moins pour deux jours.

—Je n'ai pas faim. Je suis toute malingre, tu le sais bien.

—Ah! ouin! Tu peux te bourrer sans crainte de faire crever ton coffre; tu es une La Bertellière, une femme 20
solide. Tu es bien un petit brin jaunette, mais j'aime le jaune.

L'attente d'une mort ignominieuse et publique est moins horrible peut-être pour un condamné que ne l'était pour madame Grandet et pour sa fille l'attente des événe- 25
ments qui devaient terminer ce déjeuner de famille. Plus gaiement parlait et mangeait le vieux vigneron, plus le cœur de ces deux femmes se serrait. La fille avait néanmoins un appui dans cette conjoncture: elle puisait de la force en son amour. 30

—Pour lui, pour lui, se disait-elle, je souffrirais mille morts.

A cette pensée, elle jetait à sa mère des regards flamboyants de courage.

—Ote tout cela, dit Grandet à Nanon quand, vers onze heures, le déjeuner fut achevé; mais laisse-nous la
5 table. Nous serons plus à l'aise pour voir ton petit trésor, dit-il en regardant Eugénie. Petit, ma foi, non. Tu possèdes, valeur intrinsèque, cinq mille neuf cent cinquante-neuf francs, et quarante de ce matin, cela fait six mille francs moins un. Eh! bien, je te donnerai, moi, ce franc
10 pour compléter la somme, parce que, vois-tu, fifille. . . . Hé! bien, pourquoi nous écoutes-tu? Montre-moi tes talons, Nanon, et va faire ton ouvrage, dit le bonhomme. Nanon disparut.—Écoute, Eugénie, il faut que tu me donnes ton or. Tu ne le refuseras pas à ton pépère, ma
15 petite fifille, hein? Les deux femmes étaient muettes.—Je n'ai plus d'or, moi. J'en avais, je n'en ai plus. Je te rendrai six mille francs en livres, et tu vas les placer comme je vais te le dire. Il ne faut plus penser au douzain. Quand je te marierai, ce qui sera bientôt, je te trouverai
20 un futur qui pourra t'offrir le plus beau douzain dont on aura jamais parlé dans la province. Écoute donc, fifille. Il se présente une belle occasion: tu peux mettre tes six mille francs dans le gouvernement, et tu en auras tous les six mois près de deux cents francs d'intérêts, sans im-
25 pôts, ni réparations, ni grêle, ni gelée, ni marée, ni rien de ce qui tracasse les revenus. Tu répugnes peut-être à te séparer de ton or, hein, fifille? Apporte-le-moi tout de même. Je te ramasserai des pièces d'or, des hollandaises, des portugaises, des roupies du Mogol, des génovines; et,
30 avec celles que je te donnerai à tes fêtes, en trois ans tu auras rétabli la moitié de ton joli petit trésor en or. Que dis-tu, fifille? Lève donc le nez. Allons, va le chercher,

le mignon. Tu devrais me baiser sur les yeux pour te dire ainsi des secrets et des mystères de vie et de mort pour les écus. Vraiment les écus vivent et grouillent comme des hommes: ça va, ça vient, ça sue, ça produit.

Eugénie se leva, mais, après avoir fait quelques pas vers la porte, elle se retourna brusquement, regarda son père en face et lui dit: «Je n'ai plus *mon* or.»

—Tu n'as plus ton or! s'écria Grandet en se dressant sur ses jarrets comme un cheval qui entend tirer le canon à dix pas de lui.

—Non, je ne l'ai plus.

—Tu te trompes, Eugénie.

—Non.

—Par la serpette de mon père!

Quand le tonnelier jurait ainsi, les planchers tremblaient.

—Bon saint bon Dieu! voilà madame qui pâlit, cria Nanon.

—Grandet, ta colère me fera mourir, dit la pauvre femme.

—Ta, ta, ta, ta, vous autres, vous ne mourez jamais dans votre famille!—Eugénie, qu'avez-vous fait de vos pièces? cria-t-il, en fondant sur elle.

—Monsieur, dit la fille aux genoux de madame Grandet, ma mère souffre beaucoup. Voyez, ne la tuez pas.

Grandet fut épouvanté de la pâleur répandue sur le teint de sa femme, naguère si jaune.

—Nanon, venez m'aider à me coucher, dit la mère d'une voix faible. Je meurs.

Aussitôt Nanon donna le bras à sa maîtresse, autant en fit Eugénie, et ce ne fut pas sans des peines infinies qu'elles purent la monter chez elle, car elle tombait en défaillance de marche en marche. Grandet resta seul. Néanmoins, quelques moments après, il monta sept ou huit marches, et cria: «Eugénie, quand votre mère sera couchée, vous descendrez.»

5 —Oui, mon père.

Elle ne tarda pas à venir, après avoir rassuré sa mère.

—Ma fille, lui dit Grandet, vous allez me dire où est votre trésor.

—Mon père, si vous me faites des présents dont je ne 10 sois pas entièrement maîtresse, reprenez-les, répondit froidement Eugénie en cherchant le napoléon sur la cheminée et le lui présentant.

Grandet saisit vivement le napoléon et le coula dans son gousset.

15 —Je crois bien que je ne te donnerai plus rien. Pas seulement ça! dit-il en faisant claquer l'ongle de son pouce sous sa maîtresse dent. Vous méprisez donc votre père, vous n'avez donc pas confiance en lui, vous ne savez donc pas ce que c'est qu'un père. S'il n'est pas tout pour vous, 20 il n'est rien. Où est votre or?

—Mon père, je vous aime et vous respecte, malgré votre colère; mais je vous ferai fort humblement observer que j'ai vingt-deux ans. Vous m'avez assez souvent dit que je suis majeure, pour que je le sache. J'ai fait de mon 25 argent ce qu'il m'a plu d'en faire, et soyez sûr qu'il est bien placé. . . .

—Où?

—C'est un secret inviolable, dit-elle. N'avez-vous pas vos secrets?

30 —Ne suis-je pas le chef de ma famille, ne puis-je avoir mes affaires?

—C'est aussi mon affaire.

—Cette affaire doit être mauvaise, si vous ne pouvez pas la dire à votre père, mademoiselle Grandet.

—Elle est excellente, et je ne puis pas la dire à mon père.

—Au moins, quand avez-vous donné votre or? Eugénie fit un signe de tête négatif.—Vous l'aviez encore le jour de votre fête, hein? Eugénie, devenue aussi rusée par amour que son père l'était par avarice, réitéra le même signe de tête.—Mais l'on n'a jamais vu pareil entêtement, ni vol pareil, dit Grandet d'une voix qui alla *crescendo* et qui fit graduellement retentir la maison. Comment! ici, dans ma propre maison, chez moi, quelqu'un aura pris ton or! le seul or qu'il y avait! et je ne saurai pas qui? L'or est une chose chère. Les plus honnêtes filles peuvent faire des fautes, donner je ne sais quoi, cela se voit chez les grands seigneurs et même chez les bourgeois; mais donner de l'or, car vous l'avez donné à quelqu'un, hein? Eugénie fut impassible. A-t-on vu pareille fille! Est-ce moi qui suis votre père? Si vous l'avez placé, vous en avez un reçu. . . .

—Etais-je libre, oui ou non, d'en faire ce que bon me semblait? Etait-ce à moi?

—Mais tu es un enfant.

—Majeure.

Abasourdi par la logique de sa fille, Grandet pâlit, trépigna, jura; puis trouvant enfin des paroles, il cria: «Maudit serpent de fille! ah! mauvaise graine, tu sais bien que je t'aime, et tu en abuses. Elle égorge son père! Pardieu, tu auras jeté notre fortune aux pieds de ce va-nu-pieds qui a des bottes de maroquin. Par la serpette de mon père, je ne peux pas te déshériter, nom d'un tonneau! mais je te maudis, toi, ton cousin, et tes enfants! Tu ne verras rien arriver de bon de tout cela, entends-tu? Si c'était à Charles, que. . . . Mais, non, ce n'est pas possible. Quoi! ce méchant mirliflor m'aurait dévalisé. . . .» Il regarda sa fille qui restait muette et froide.—Elle ne bougera pas, elle ne sourcillera pas, elle est plus Grandet que je ne suis Grandet. Tu n'as pas donné ton or pour rien, au moins. Voyons, dis? Eugénie regarda son père, en lui jetant un regard ironique qui l'offensa. Eugénie, vous êtes chez moi, chez votre père. Vous devez, pour y rester, vous soumettre à ses ordres. Les prêtres vous ordonnent de m'obéir. Eugénie baissa la tête. Vous m'offensez dans ce que j'ai de plus cher, reprit-il, je ne veux vous voir que soumise. Allez dans votre chambre. Vous y demeurerez jusqu'à ce que je vous permette d'en sortir. Nanon vous y portera du pain et de l'eau. Vous m'avez entendu, marchez!

Eugénie fondit en larmes et se sauva près de sa mère. Après avoir fait un certain nombre de fois le tour de son jardin dans la neige, sans s'apercevoir du froid, Grandet se douta que sa fille devait être chez sa femme; et, charmé de la prendre en contravention à ses ordres, il grimpa les escaliers avec l'agilité d'un chat, et apparut dans la chambre de madame Grandet au moment où elle caressait les cheveux d'Eugénie dont le visage était plongé dans le sein maternel.

—Console-toi, ma pauvre enfant, ton père s'apaisera.

—Elle n'a plus de père, dit le tonnelier. Est-ce bien vous et moi, madame Grandet, qui avons fait une fille désobéissante comme l'est celle-là? Jolie éducation, et religieuse surtout. Hé! bien, vous n'êtes pas dans votre chambre. Allons, en prison, en prison, mademoiselle.

—Voulez-vous me priver de ma fille, monsieur? dit

madame Grandet en montrant un visage rougi par la fièvre.

—Si vous la voulez garder, emportez-la, videz-moi toutes deux la maison. Tonnerre, où est l'or, qu'est devenu l'or? 5

Eugénie se leva, lança un regard d'orgueil sur son père, et rentra dans sa chambre à laquelle le bonhomme donna un tour de clef.

—Nanon, cria-t-il, éteins le feu de la salle. Et il vint s'asseoir sur un fauteuil au coin de la cheminée de sa 10 femme, en lui disant: «Elle l'a donné sans doute à ce misérable séducteur de Charles qui n'en voulait qu'à notre argent.»

Madame Grandet trouva, dans le danger qui menaçait sa fille et dans son sentiment pour elle, assez de 15 force pour demeurer en apparence froide, muette et sourde.

—Je ne savais rien de tout ceci, répondit-elle en se tournant du côté de la ruelle du lit pour ne pas subir les regards étincelants de son mari. Je souffre tant de votre 20 violence, que si j'en crois mes pressentiments, je ne sortirai d'ici que les pieds en avant. Vous auriez dû m'épargner en ce moment, monsieur, moi qui ne vous ai jamais causé de chagrin, du moins, je le pense. Votre fille vous aime, je la crois innocente autant que l'enfant qui naît; 25 ainsi ne lui faites pas de peine, révoquez votre arrêt. Le froid est bien vif, vous pouvez être cause de quelque grave maladie.

—Je ne la verrai ni ne lui parlerai. Elle restera dans sa chambre au pain et à l'eau jusqu'à ce qu'elle ait satisfait 30 son père. Que diable, un chef de famille doit savoir où va l'or de sa maison. Elle possédait les seules roupies qui fussent en France peut-être, puis des génovines, des ducats de Hollande.

—Monsieur, Eugénie est notre unique enfant, et quand même elle les aurait jetés à l'eau. . . .

—A l'eau? cria le bonhomme, à l'eau! Vous êtes folle, madame Grandet. Ce que j'ai dit est dit, vous le savez. Si vous voulez avoir la paix au logis, confessez votre fille, tirez-lui les vers du nez? les femmes s'entendent mieux entre elles à ça que nous autres. Quoi qu'elle ait pu faire, je ne la mangerai point. A-t-elle peur de moi? Quand elle aurait doré son cousin de la tête aux pieds, il est en pleine mer, hein! nous ne pouvons pas courir après. . . .

—Eh! bien, monsieur? Excitée par la crise nerveuse où elle se trouvait, ou par le malheur de sa fille qui développait sa tendresse et son intelligence, la perspicacité de madame Grandet lui fit apercevoir un mouvement terrible dans la loupe de son mari, au moment où elle répondait; elle changea d'idée sans changer de ton.—Eh! bien, monsieur, ai-je plus d'empire sur elle que vous n'en avez? Elle ne m'a rien dit, elle tient de vous.

—Tudieu! comme vous avez la langue pendue ce matin! Ta, ta, ta, ta, vous me narguez, je crois. Vous vous entendez peut-être avec elle.

Il regarda sa femme fixement.

—En vérité, monsieur Grandet, si vous voulez me tuer, vous n'avez qu'à continuer ainsi. Je vous le dis, monsieur, et, dût-il m'en coûter la vie, je vous le répéterais encore: vous avez tort envers votre fille, elle est plus raisonnable que vous ne l'êtes. Cet argent lui appartenait, elle n'a pu qu'en faire un bel usage, et Dieu seul a le droit de connaître nos bonnes œuvres. Monsieur, je vous en supplie, rendez vos bonnes grâces à Eugénie! . . . Vous amoindrirez ainsi l'effet du coup que m'a porté votre colère, et vous me sauverez peut-être la vie. Ma fille, monsieur, rendez-moi ma fille.

—Je décampe, dit-il. Ma maison n'est pas tenable, la mère et la fille raisonnent et parlent comme si. . . . 5
Brooouh! Pouah! Vous m'avez donné de cruelles étrennes, Eugénie, cria-t-il. Oui, oui, pleurez! Ce que vous faites vous causera des remords, entendez-vous. A quoi donc vous sert de manger le bon Dieu six fois tous les trois mois, si vous donnez l'or de votre père en cachette à un 10
fainéant qui vous dévorera votre cœur quand vous n'aurez plus que ça à lui prêter? Vous verrez ce que vaut votre Charles avec ses bottes de maroquin et son air de n'y pas toucher. Il n'a ni cœur ni âme, puisqu'il ose emporter le trésor d'une pauvre fille sans l'agrément des parents. 15

Quand la porte de la rue fut fermée, Eugénie sortit de sa chambre et vint près de sa mère.

—Vous avez eu bien du courage pour votre fille, lui dit-elle.

—Vois-tu, mon enfant, où nous mènent les choses 20
illicites? . . . tu m'as fait faire un mensonge.

—Oh! je demanderai à Dieu de m'en punir seule.

—C'est-y vrai,[1] dit Nanon effarée en arrivant, que voilà mademoiselle au pain et à l'eau pour le reste des jours? 25

—Qu'est-ce que cela fait, Nanon? dit tranquillement Eugénie.

—Ah! pus [2] souvent que je mangerai de la frippe quand la fille de la maison mange du pain sec. Non, non.

—Pas un mot de tout ça, Nanon, dit Eugénie. 30

—J'aurai la goule morte, mais vous verrez.

[1] *C'est-y vrai* for *Est-ce vrai?* [2] *pus* for *plus.*

Grandet dîna seul pour la première fois depuis vingt-quatre ans.

—Vous voilà donc veuf, monsieur, lui dit Nanon. C'est bien désagréable d'être veuf avec deux femmes dans sa maison.

—Je ne te parle pas à toi. Tiens ta margoulette ou je te chasse. Qu'est-ce que tu as dans ta casserole que j'entends bouilloter sur le fourneau?

—C'est des graisses que je fonds. . . .

—Il viendra du monde ce soir, allume le feu.

Les Cruchot, madame des Grassins et son fils arrivèrent à huit heures, et s'étonnèrent de ne voir ni madame Grandet ni sa fille.

—Ma femme est un peu indisposée. Eugénie est auprès d'elle, répondit le vieux vigneron dont la figure ne trahit aucune émotion.

Au bout d'une heure employée en conversations insignifiantes, madame des Grassins, qui était montée faire sa visite à madame Grandet, descendit, et chacun lui demanda: «Comment va madame Grandet?»

—Mais, pas bien du tout, du tout, dit-elle. L'état de sa santé me paraît vraiment inquiétant. A son âge, il faut prendre les plus grandes précautions, papa Grandet.

—Nous verrons cela, répondit le vigneron d'un air distrait.

Chacun lui souhaita le bonsoir. Quand les Cruchot furent dans la rue, madame des Grassins leur dit: «Il y a quelque chose de nouveau chez les Grandet. La mère est très-mal sans seulement qu'elle s'en doute. La fille a les yeux rouges comme quelqu'un qui a pleuré longtemps. Voudraient-ils la marier contre son gré?»

Lorsque le vigneron fut couché, Nanon vint en chaussons à pas muets chez Eugénie, et lui découvrit un pâté fait à la casserole.

—Tenez, mademoiselle, dit la bonne fille, Cornoiller m'a donné un lièvre. Vous mangez si peu, que ce pâté vous durera bien huit jours; et, par la gelée, il ne risquera 5 point de se gâter. Au moins, vous ne demeurerez pas au pain sec. C'est que ça n'est point sain du tout.

—Pauvre Nanon, dit Eugénie en lui serrant la main.

—Je l'ai fait ben bon, ben délicat, et *il* ne s'en est point aperçu. J'ai pris le lard, le laurier, tout sur mes six francs; 10 j'en suis ben la maîtresse. Puis la servante se sauva, croyant entendre Grandet.

Pendant quelques mois, le vigneron vint voir constamment sa femme à des heures différentes dans la journée, sans prononcer le nom de sa fille, sans la voir, ni faire à 15 elle la moindre allusion. Madame Grandet ne quitta point sa chambre, et, de jour en jour, son état empira. Rien ne fit plier le vieux tonnelier. Il restait inébranlable, âpre et froid comme une pile de granit. Il continua d'aller et venir selon ses habitudes; mais il ne bégaya plus, causa 20 moins, et se montra dans les affaires plus dur qu'il ne l'avait jamais été. Souvent il lui échappait quelque erreur dans ses chiffres.—Il s'est passé quelque chose chez les Grandet, disaient les Cruchotins et les Grassinistes.—Qu'est-il donc arrivé dans la maison Grandet? fut une 25 question convenue que l'on s'adressait généralement dans toutes les soirées à Saumur. Eugénie allait aux offices sous la conduite de Nanon. Au sortir de l'église, si madame des Grassins lui adressait quelques paroles, elle y répondait d'une manière évasive et sans satisfaire sa 30 curiosité. Néanmoins il fut impossible au bout de deux mois de cacher, soit aux trois Cruchot, soit à madame des

Grassins, le secret de la reclusion d'Eugénie. Il y eut un moment où les prétextes manquèrent pour justifier sa perpétuelle absence. Puis, sans qu'il fût possible de savoir par qui le secret avait été trahi, toute la ville apprit que 5 depuis le premier jour de l'an mademoiselle Grandet était, par l'ordre de son père, enfermée dans sa chambre, au pain et à l'eau, sans feu; que Nanon lui faisait des friandises, les lui apportait pendant la nuit; et l'on savait même que la jeune personne ne pouvait voir et soigner sa mère 10 que pendant le temps où son père était absent du logis. La conduite de Grandet fut alors jugée très-sévèrement. La ville entière le mit pour ainsi dire hors la loi, se souvint de ses trahisons, de ses duretés, et l'excommunia. Quand il passait, chacun se le montrait en chuchotant. Lorsque 15 sa fille descendait la rue tortueuse pour aller à la messe ou à vêpres, accompagnée de Nanon, tous les habitants se mettaient aux fenêtres pour examiner avec curiosité la contenance de la riche héritière et son visage, où se peignaient une mélancolie et une douceur angéliques. Sa re- 20 clusion, la disgrâce de son père, n'étaient rien pour elle. Ne voyait-elle pas la mappemonde, le petit banc, le jardin, le pan de mur, et ne reprenait-elle pas sur ses lèvres le miel qu'y avaient laissé les baisers de l'amour? Elle ignora pendant quelque temps les conversations dont elle 25 était l'objet en ville, tout aussi bien que les ignorait son père. Religieuse et pure devant Dieu, sa conscience et l'amour l'aidaient à patiemment supporter la colère et la vengeance paternelles. Mais une douleur profonde faisait taire toutes les autres douleurs. Chaque jour, sa mère, 30 douce et tendre créature, qui s'embellissait de l'éclat que jetait son âme en approchant de la tombe, sa mère dépérissait de jour en jour. Souvent Eugénie se reprochait d'avoir été la cause innocente de la cruelle, de la lente maladie qui la dévorait. Ces remords, quoique calmés par sa mère, l'attachaient encore plus étroitement à son amour. Tous les matins, aussitôt que son père était sorti, elle venait au chevet du lit de sa mère, et là, Nanon lui apportait son déjeuner. Mais la pauvre Eugénie, triste et souffrante des souffrances de sa mère, en montrait le visage à Nanon par un geste muet, pleurait et n'osait parler de son cousin. Madame Grandet, la première, était forcée de lui dire: «Où est-*il?* Pourquoi n'écrit-*il* pas?»

La mère et la fille ignoraient complétement les distances.

—Pensons à lui, ma mère, répondait Eugénie, et n'en parlons pas. Vous souffrez; vous avant tout.

Tout c'était *lui*.

—Mes enfants, disait madame Grandet, je ne regrette point la vie. Dieu m'a protégée en me faisant envisager avec joie le terme de mes misères.

Les paroles de cette femme étaient constamment saintes et chrétiennes. Quand, au moment de déjeuner près d'elle, son mari venait se promener dans sa chambre, elle lui dit, pendant les premiers mois de l'année, les mêmes discours, répétés avec une douceur angélique, mais avec la fermeté d'une femme à qui une mort prochaine donnait le courage qui lui avait manqué pendant sa vie.

—Monsieur, je vous remercie de l'intérêt que vous prenez à ma santé, lui répondait-elle quand il lui avait fait la plus banale des demandes; mais si vous voulez rendre mes derniers moments moins amers et alléger mes douleurs, rendez vos bonnes grâces à notre fille; montrez-vous chrétien, époux et père.

En entendant ces mots, Grandet s'asseyait près du

lit et agissait comme un homme qui, voyant venir une averse, se met tranquillement à l'abri sous une porte cochère: il écoutait silencieusement sa femme, et ne répondait rien. Quand les plus touchantes, les plus tendres, 5 les plus religieuses supplications lui avaient été adressées, il disait: «Tu es un peu pâlotte aujourd'hui, ma pauvre femme.» L'oubli le plus complet de sa fille semblait être gravé sur son front de grès, sur ses lèvres serrées. Il n'était même pas ému par les larmes que ses vagues réponses, 10 dont les termes étaient à peine variés, faisaient couler le long du blanc visage de sa femme.

—Que Dieu vous pardonne, monsieur, disait-elle, comme je vous pardonne moi-même. Vous aurez un jour besoin d'indulgence.

15 Depuis la maladie de sa femme, il n'avait plus osé se servir de son terrible: ta, ta, ta, ta, ta! Mais aussi son despotisme n'était-il pas désarmé par cet ange de douceur, dont la laideur disparaissait de jour en jour, chassée par l'expression des qualités morales qui venaient fleurir sur 20 sa face. Elle était tout âme. Le génie de la prière semblait purifier, amoindrir les traits les plus grossiers de sa figure, et la faisait resplendir. Qui n'a pas observé le phénomène de cette transfiguration sur de saints visages où les habitudes de l'âme finissent par triompher des 25 traits les plus rudement contournés, en leur imprimant l'animation particulière due à la noblesse et à la pureté des pensées élevées! Le spectacle de cette transformation accomplie par les souffrances qui consumaient les lambeaux de l'être humain dans cette femme agissait, quoique 30 faiblement, sur le vieux tonnelier dont le caractère resta de bronze. Si sa parole ne fut plus dédaigneuse, un imperturbable silence, qui sauvait sa supériorité de père de

famille, domina sa conduite. Sa fidèle Nanon paraissait-elle au marché, soudain quelques lazzis, quelques plaintes sur son maître lui sifflaient aux oreilles; mais, quoique l'opinion publique condamnât hautement le père Grandet, la servante le défendait par orgueil pour la maison.

—Eh! bien, disait-elle aux détracteurs du bonhomme, est-ce que nous ne devenons pas tous plus durs en vieillissant? Pourquoi ne voulez-vous pas qu'il se racornisse un peu, cet homme? Taisez donc vos menteries. Mademoiselle vit comme une reine. Elle est seule, eh! bien, c'est son goût. D'ailleurs, mes maîtres ont des raisons majeures.

Enfin, un soir, vers la fin du printemps, madame Grandet, dévorée par le chagrin, encore plus que par la maladie, n'ayant pas réussi, malgré ses prières, à réconcilier Eugénie et son père, confia ses peines secrètes aux Cruchot.

—Mettre une fille de vingt-trois ans au pain et à l'eau? . . . s'écria le président de Bonfons, et sans motif; mais cela constitue *des sévices tortionnaires; elle peut protester contre, et tant dans que sur. . . .*

—Allons, mon neveu, dit le notaire, laissez votre baragouin de palais. Soyez tranquille, madame, je ferai finir cette reclusion dès demain.

En entendant parler d'elle, Eugénie sortit de sa chambre.

—Messieurs, dit-elle en s'avançant par un mouvement plein de fierté, je vous prie de ne pas vous occuper de cette affaire. Mon père est maître chez lui. Tant que j'habiterai sa maison, je dois lui obéir. Sa conduite ne saurait être soumise à l'approbation ni à la désapprobation du monde, il n'en est comptable qu'à Dieu. Je réclame de votre amitié le plus profond silence à cet égard.

Blâmer mon père serait attaquer notre propre considération. Je vous sais gré, messieurs, de l'intérêt que vous me témoignez; mais vous m'obligeriez davantage si vous vouliez faire cesser les bruits offensants qui courent par
5 la ville, et desquels j'ai été instruite par hasard.

—Elle a raison, dit madame Grandet.

—Mademoiselle, la meilleure manière d'empêcher le monde de jaser est de vous faire rendre la liberté, lui répondit respectueusement le vieux notaire frappé de la
10 beauté que la retraite, la mélancolie et l'amour avaient imprimée à Eugénie.

—Eh! bien, ma fille, laisse à monsieur Cruchot le soin d'arranger cette affaire, puisqu'il répond du succès. Il connaît ton père et sait comment il faut le prendre. Si
15 tu veux me voir heureuse pendant le peu de temps qui me reste à vivre, il faut, à tout prix, que ton père et toi vous soyez réconciliés.

Le lendemain, suivant une habitude prise par Grandet depuis la reclusion d'Eugénie, il vint faire un certain
20 nombre de tours dans son petit jardin. Il avait pris pour cette promenade le moment où Eugénie se peignait. Quand le bonhomme arrivait au gros noyer, il se cachait derrière le tronc de l'arbre, restait pendant quelques instants à contempler les longs cheveux de sa fille, et
25 flottait sans doute entre les pensées que lui suggérait la ténacité de son caractère et le désir d'embrasser son enfant. Maître Cruchot vint de bonne heure et trouva le vieux vigneron assis par un beau jour de juin sur le petit banc, le dos appuyé au mur mitoyen, occupé à voir sa fille.

30 —Qu'y a-t-il pour votre service, maître Cruchot? dit-il en apercevant le notaire.

—Je viens vous parler d'affaires.

—Ah! ah! avez-vous un peu d'or à me donner contre des écus?

—Non, non, il ne s'agit pas d'argent, mais de votre fille Eugénie. Tout le monde parle d'elle et de vous.

—De quoi se mêle-t-on? Charbonnier est maître chez 5 lui.

—D'accord, le charbonnier est maître de se tuer aussi, ou, ce qui est pis, de jeter son argent par les fenêtres.

—Comment cela?

—Eh! mais votre femme est très-malade, mon ami. 10 Vous devriez même consulter monsieur Bergerin, elle est en danger de mort. Si elle venait à mourir sans avoir été soignée comme il faut, vous ne seriez pas tranquille, je le crois.

—Ta! ta! ta! ta! vous savez ce qu'a ma femme! Ces 15 médecins, une fois qu'ils ont mis le pied chez vous, ils viennent des cinq à six fois par jour.

—Enfin, Grandet, vous ferez comme vous l'entendrez. Nous sommes de vieux amis; il n'y a pas, dans tout Saumur, un homme qui prenne plus que moi d'intérêt à 20 ce qui vous concerne; j'ai donc dû vous dire cela. Maintenant, arrive qui plante, vous êtes majeur, vous savez vous conduire, allez. Ceci n'est d'ailleurs pas l'affaire qui m'amène. Il s'agit de quelque chose de plus grave pour vous, peut-être. Après tout, vous n'avez pas envie de 25 tuer votre femme, elle vous est trop utile. Songez donc à la situation où vous seriez, vis-à-vis votre fille, si madame Grandet mourait. Vous devriez des comptes à Eugénie, puisque vous êtes commun en biens avec votre femme. Votre fille sera en droit de réclamer le partage de 30 votre fortune, de faire vendre Froidfond. Enfin, elle succède à sa mère, de qui vous ne pouvez pas hériter.

Ces paroles furent un coup de foudre pour le bonhomme, qui n'était pas aussi fort en législation qu'il pouvait l'être en commerce. Il n'avait jamais pensé à une licitation.

5 —Ainsi je vous engage à la traiter avec douceur, dit Cruchot en terminant.

—Mais savez-vous ce qu'elle a fait, Cruchot!

—Quoi? dit le notaire curieux de recevoir une confidence du père Grandet et de connaître la cause de la querelle.

10 —Elle a donné son or.

—Eh! bien, était-il à elle? demanda le notaire.

—Ils me disent tous cela! dit le bonhomme en laissant tomber ses bras par un mouvement tragique.

—Allez-vous, pour une misère, reprit Cruchot, mettre
15 des entraves aux concessions que vous lui demanderez de vous faire à la mort de sa mère?

—Ah! vous appelez six mille francs d'or une misère?

—Eh! mon vieil ami, savez-vous ce que coûteront l'inventaire et le partage de la succession de votre femme
20 si Eugénie l'exige?

—Quoi?

—Deux, ou trois, quatre cent mille francs peut-être! Ne faudra-t-il pas liciter, et vendre pour connaître la véritable valeur? au lieu qu'en vous entendant. . . .

25 —Par la serpette de mon père! s'écria le vigneron qui s'assit en pâlissant, nous verrons ça, Cruchot.

Après un moment de silence ou d'agonie, le bonhomme regarda le notaire en lui disant: «La vie est bien dure! Il s'y trouve bien des douleurs.» Cruchot, reprit-il solen-
30 nellement, vous ne voulez pas me tromper, jurez-moi sur l'honneur que ce que vous me chantez là est fondé en Droit. Montrez-moi le Code, je veux voir le Code!

—Mon pauvre ami, répondit le notaire, ne sais-je pas mon métier?

—Cela est donc bien vrai. Je serai dépouillé, trahi, tué, dévoré par ma fille.

—Elle hérite de sa mère. 5

—A quoi servent donc les enfants! Ah! ma femme, je l'aime. Elle est solide heureusement. C'est une La Bertellière.

—Elle n'a pas un mois à vivre.

Le tonnelier se frappa le front, marcha, revint, et, je- 10 tant un regard effrayant à Cruchot: «Comment faire?» lui dit-il.

—Eugénie pourra renoncer purement et simplement à la succession de sa mère. Vous ne voulez pas la déshériter, n'est-ce pas? Mais, pour obtenir un partage de ce 15 genre, ne la rudoyez pas. Ce que je vous dis là, mon vieux, est contre mon intérêt. Qu'ai-je à faire, moi? . . . des liquidations, des inventaires, des ventes, des partages. . . .

—Nous verrons, nous verrons. Ne parlons plus de 20 cela, Cruchot. Vous me tribouillez les entrailles. Avez-vous reçu de l'or?

—Non; mais j'ai quelques vieux louis, une dizaine, je vous les donnerai. Mon bon ami, faites la paix avec Eugénie. Voyez-vous, tout Saumur vous jette la 25 pierre.

—Les drôles!

—Allons, les rentes sont à 99. Soyez donc content une fois dans la vie.

—A 99, Cruchot? 30

—Oui.

—Eh! eh! 99! dit le bonhomme en reconduisant le

vieux notaire jusqu'à la porte de la rue. Puis, trop agité par ce qu'il venait d'entendre pour rester au logis, il monta chez sa femme et lui dit: «Allons, la mère, tu peux passer la journée avec ta fille, je vas à Froidfond. Soyez
5 gentilles toutes deux. C'est le jour de notre mariage, ma bonne femme: tiens, voilà dix écus pour ton reposoir de la Fête-Dieu. Il y a assez long-temps que tu veux en faire un, régale-toi! Amusez-vous, soyez joyeuses, portez-vous bien. Vive la joie!» Il jeta dix écus de six francs sur
10 le lit de sa femme et lui prit la tête pour la baiser au front. —Bonne femme, tu vas mieux, n'est-ce pas?

—Comment pouvez-vous penser à recevoir dans votre maison le Dieu qui pardonne en tenant votre fille exilée de votre cœur? dit-elle avec émotion.

15 —Ta, ta, ta, ta, ta, dit le père d'une voix caressante, nous verrons cela.

—Bonté du ciel! Eugénie, cria la mère en rougissant de joie, viens embrasser ton père! il te pardonne!

Mais le bonhomme avait disparu. Il se sauvait à toutes
20 jambes vers ses closeries en tâchant de mettre en ordre ses idées renversées. Grandet commençait alors sa soixante-seizième année. Depuis deux ans principalement, son avarice s'était accrue comme s'accroissent toutes les passions persistantes de l'homme. Son esprit de despotisme
25 avait grandi en proportion de son avarice, et abandonner la direction de la moindre partie de ses biens à la mort de sa femme lui paraissait une chose *contre nature*. Déclarer sa fortune à sa fille, inventorier l'universalité de ses biens meubles et immeubles pour les liciter? . . . —Ce serait
30 à se couper la gorge, dit-il tout haut au milieu d'un clos en en examinant les ceps. Enfin il prit son parti, revint à Saumur à l'heure du dîner, résolu de plier devant Eugénie,

de la cajoler, de l'amadouer afin de pouvoir mourir royalement en tenant jusqu'au dernier soupir les rênes de ses millions. Au moment où le bonhomme, qui par hasard avait pris son passe-partout, montait l'escalier à pas de loup pour venir chez sa femme, Eugénie avait apporté sur 5 le lit de sa mère le beau nécessaire. Toutes deux, en l'absence de Grandet, se donnaient le plaisir de voir le portrait de Charles, en examinant celui de sa mère.

—C'est tout à fait son front et sa bouche! disait Eugénie au moment où le vigneron ouvrit la porte. Au re- 10 gard que jeta son mari sur l'or, madame Grandet cria: «Mon Dieu, ayez pitié de nous!»

Le bonhomme sauta sur le nécessaire comme un tigre fond sur un enfant endormi.—Qu'est-ce que c'est que cela? dit-il en emportant le trésor et allant se placer à la 15 fenêtre.—Du bon or! de l'or! s'écria-t-il. Beaucoup d'or! ça pèse deux livres. Ah! ah! Charles t'a donné cela contre tes belles pièces. Hein! pourquoi ne me l'avoir pas dit? C'est une bonne affaire, fifille! Tu es ma fille, je te reconnais. Eugénie tremblait de tous ses membres.—N'est-ce 20 pas, ceci est à Charles? reprit le bonhomme.

—Oui, mon père, ce n'est pas à moi. Ce meuble est un dépôt sacré.

—Ta! ta! ta! il a pris ta fortune, faut te rétablir ton petit trésor. 25

—Mon père? . . .

Le bonhomme voulut prendre son couteau pour faire sauter une plaque d'or, et fut obligé de poser le nécessaire sur une chaise. Eugénie s'élança pour le ressaisir; mais le tonnelier, qui avait tout à la fois l'œil à sa fille et au coffret, 30 la repoussa si violemment en étendant le bras qu'elle alla tomber sur le lit de sa mère.

—Monsieur, monsieur, cria la mère en se dressant sur son lit.

Grandet avait tiré son couteau et s'apprêtait à soulever l'or.

5 —Mon père, cria Eugénie en se jetant à genoux et marchant ainsi pour arriver plus près du bonhomme et lever les mains vers lui, mon père, au nom de tous les Saints et de la Vierge, au nom du Christ, qui est mort sur la croix; au nom de votre salut éternel, mon père, au nom 10 de ma vie, ne touchez pas à ceci! Cette toilette n'est ni à vous ni à moi; elle est à un malheureux parent qui me l'a confiée, et je dois la lui rendre intacte.

—Pourquoi la regardais-tu, si c'est un dépôt? Voir, c'est pis que toucher.

15 —Mon père, ne la détruisez pas, ou vous me déshonorez. Mon père, entendez-vous?

—Monsieur, grâce! dit la mère.

—Mon père, cria Eugénie d'une voix si éclatante que Nanon effrayée monta. Eugénie sauta sur un couteau qui 20 était à sa portée et s'en arma.

—Eh! bien? lui dit froidement Grandet en souriant à froid.

—Monsieur, monsieur, vous m'assassinez! dit la mère.

—Mon père, si votre couteau entame seulement une 25 parcelle de cet or, je me perce de celui-ci. Vous avez déjà rendu ma mère mortellement malade, vous tuerez encore votre fille. Allez maintenant, blessure pour blessure.

Grandet tint son couteau sur le nécessaire, et regarda sa 30 fille en hésitant.

—En serais-tu donc capable, Eugénie? dit-il.

—Oui, monsieur, dit la mère.

—Elle le ferait comme elle le dit, cria Nanon. Soyez donc raisonnable, monsieur, une fois dans votre vie. Le tonnelier regarda l'or et sa fille alternativement pendant un instant. Madame Grandet s'évanouit.—Là, voyez-vous, mon cher monsieur? madame se meurt, cria Nanon.

—Tiens, ma fille, ne nous brouillons pas pour un coffre. Prends donc! s'écria vivement le tonnelier en jetant la toilette sur le lit.—Toi, Nanon, va chercher monsieur Bergerin.—Allons, la mère, dit-il en baisant la main de sa femme, ce n'est rien, va: nous avons fait la paix. Pas vrai, fifille? Plus de pain sec, tu mangeras tout ce que tu voudras. Ah! elle ouvre les yeux. Eh! bien, la mère, mémère, timère, allons donc! Tiens, vois, j'embrasse Eugénie. Elle aime son cousin, elle l'épousera si elle veut, elle lui gardera le petit coffre. Mais vis long-temps, ma pauvre femme. Allons, remue donc! Ecoute, tu auras le plus beau reposoir qui se soit jamais fait à Saumur.

—Mon Dieu, pouvez-vous traiter ainsi votre femme et votre enfant! dit d'une voix faible madame Grandet.

—Je ne le ferai plus, plus, cria le tonnelier. Tu vas voir, ma pauvre femme. Il alla à son cabinet, et revint avec une poignée de louis qu'il éparpilla sur le lit.—Tiens, Eugénie, tiens, ma femme, voilà pour vous, dit-il en maniant les louis. Allons, égaie-toi, ma femme; porte-toi bien, tu ne manqueras de rien, ni Eugénie non plus. Voilà cent louis d'or pour elle. Tu ne les donneras pas, Eugénie, ceux-là, hein?

Madame Grandet et sa fille se regardèrent étonnées.

—Reprenez-les, mon père; nous n'avons besoin que de votre tendresse.

—Eh! bien, c'est ça, dit-il en empochant les louis, vivons

comme de bons amis. Descendons tous dans la salle pour dîner, pour jouer au loto tous les soirs à deux sous. Faites vos farces! Hein, ma femme?

—Hélas! je le voudrais bien, puisque cela peut vous 5 être agréable, dit la mourante; mais je ne saurais me lever.

—Pauvre mère, dit le tonnelier, tu ne sais pas combien je t'aime. Et toi, ma fille! Il la serra, l'embrassa. Oh! comme c'est bon d'embrasser sa fille après une brouille! 10 ma fifille! Tiens, vois-tu, mémère, nous ne faisons qu'un maintenant. Va donc serrer cela, dit-il à Eugénie en lui montrant le coffret. Va, ne crains rien. Je ne t'en parlerai plus, jamais.

Monsieur Bergerin, le plus célèbre médecin de Sau- 15 mur, arriva bientôt. La consultation finie, il déclara positivement à Grandet que sa femme était bien mal, mais qu'un grand calme d'esprit, un régime doux et des soins minutieux pourraient reculer l'époque de sa mort vers la fin de l'automne.

20 —Ça coûtera-t-il cher? dit le bonhomme, faut-il des drogues?

—Peu de drogues, mais beaucoup de soins, répondit le médecin qui ne put retenir un sourire.

—Enfin, monsieur Bergerin, répondit Grandet, vous 25 êtes un homme d'honneur, pas vrai? Je me fie à vous, venez voir ma femme toutes et quantes fois vous le jugerez convenable. Conservez-moi ma bonne femme; je l'aime beaucoup, voyez-vous, sans que ça paraisse, parce que, chez moi, tout se passe en dedans et me trifouille 30 l'âme. J'ai du chagrin. Le chagrin est entré chez moi avec la mort de mon frère, pour lequel je dépense, à Paris, des sommes . . . les yeux de la tête, enfin! et ça ne finit point. Adieu, monsieur, si l'on peut sauver ma femme, sauvez-la, quand même il faudrait dépenser pour ça cent ou deux cents francs.

Malgré les souhaits fervents que Grandet faisait pour la santé de sa femme, dont la succession ouverte était une 5 première mort pour lui; malgré la complaisance qu'il manifestait en toute occasion pour les moindres volontés de la mère et de la fille étonnées; malgré les soins les plus tendres prodigués par Eugénie, madame Grandet marcha rapidement vers la mort. Chaque jour elle s'affaiblissait 10 et dépérissait comme dépérissent la plupart des femmes atteintes, à cet âge, par la maladie. Elle était frêle autant que les feuilles des arbres en automne. Au mois d'octobre 1822 éclatèrent particulièrement ses vertus, sa patience d'ange et son amour pour sa fille; elle s'éteignit 15 sans avoir laissé échapper la moindre plainte. Agneau sans tache, elle allait au ciel, et ne regrettait ici-bas que la douce compagne de sa froide vie, à laquelle ses derniers regards semblaient prédire mille maux.

—Mon enfant, lui dit-elle avant d'expirer, il n'y a de 20 bonheur que dans le ciel, tu le sauras un jour.

Le lendemain de cette mort, Eugénie trouva de nouveaux motifs de s'attacher à cette maison où elle était née, où elle avait tant souffert, où sa mère venait de mourir. Elle ne pouvait contempler la croisée et la chaise à patins 25 dans la salle sans verser des pleurs. Elle crut avoir méconnu l'âme de son vieux père en se voyant l'objet de ses soins les plus tendres: il venait lui donner le bras pour descendre au déjeuner; il la regardait d'un œil presque bon pendant des heures entières; enfin il la couvait comme 30 si elle eût été d'or. Le vieux tonnelier se ressemblait si peu à lui-même, il tremblait tellement devant sa fille, que

Nanon et les Cruchotins, témoins de sa faiblesse, l'attribuèrent à son grand âge, et craignirent ainsi quelque affaiblissement dans ses facultés; mais le jour où la famille prit le deuil, après le dîner auquel fut convié maître Cru-
5 chot, qui seul connaissait le secret de son client, la conduite du bonhomme s'expliqua.

—Ma chère enfant, dit-il à Eugénie lorsque la table fut ôtée et les portes soigneusement closes, te voilà héritière de ta mère, et nous avons de petites affaires à régler
10 entre nous deux. Pas vrai, Cruchot?

—Oui.

—Est-il donc si nécessaire de s'en occuper aujourd'hui, mon père?

—Oui, oui, fifille. Je ne pourrais pas durer dans l'in-
15 certitude où je suis. Je ne crois pas que tu veuilles me faire de la peine.

—Oh! mon père.

—Hé! bien, il faut arranger tout cela ce soir.

—Que voulez-vous donc que je fasse?

20 —Mais, fifille, ça ne me regarde pas. Dites-lui donc, Cruchot.

—Mademoiselle, monsieur votre père ne voudrait ni partager, ni vendre ses biens, ni payer des droits énormes pour l'argent comptant qu'il peut posséder. Donc, pour
25 cela, il faudrait se dispenser de faire l'inventaire de toute la fortune qui aujourd'hui se trouve indivise entre vous et monsieur votre père. . . .

—Cruchot, êtes-vous bien sûr de cela, pour en parler ainsi devant un enfant?

30 —Laissez-moi dire, Grandet.

—Oui, oui, mon ami. Ni vous ni ma fille ne voulez me dépouiller. N'est-ce pas, fifille?

—Mais, monsieur Cruchot, que faut-il que je fasse? demanda Eugénie impatientée.

—Eh! bien, dit le notaire, il faudrait signer cet acte par lequel vous renonceriez à la succession de madame votre mère, et laisseriez à votre père l'usufruit de tous les biens indivis entre vous, et dont il vous assure la nu-propriété. . . .

—Je ne comprends rien à tout ce que vous me dites, répondit Eugénie, donnez-moi l'acte, et montrez-moi la place où je dois signer.

Le père Grandet regardait alternativement l'acte et sa fille, sa fille et l'acte, en éprouvant de si violentes émotions qu'il s'essuya quelques gouttes de sueur venues sur son front.

—Fifille, dit-il, au lieu de signer cet acte qui coûtera gros à faire enregistrer, si tu voulais renoncer purement et simplement à la succession de ta pauvre chère mère défunte, et t'en rapporter à moi pour l'avenir, j'aimerais mieux ça. Je te ferais alors tous les mois une bonne grosse rente de cent francs. Vois, tu pourrais payer autant de messes que tu voudrais à ceux pour lesquels tu en fais dire. . . . Hein! cent francs par mois, en livres?

—Je ferai tout ce qu'il vous plaira, mon père.

—Mademoiselle, dit le notaire, il est de mon devoir de vous faire observer que vous vous dépouillez. . . .

—Eh! mon Dieu, dit-elle, qu'est-ce que cela me fait?

—Tais-toi, Cruchot. C'est dit, c'est dit, s'écria Grandet en prenant la main de sa fille et y frappant avec la sienne. Eugénie, tu ne te dédiras point, tu es une honnête fille, hein?

—Oh! mon père! . . .

Il l'embrassa avec effusion, la serra dans ses bras à l'étouffer.

—Va, mon enfant, tu donnes la vie à ton père; mais tu lui rends ce qu'il t'a donné: nous sommes quittes. 5 Voilà comment doivent se faire les affaires. La vie est une affaire. Je te bénis! Tu es une vertueuse fille, qui aime bien son papa. Fais ce que tu voudras maintenant. A demain donc, Cruchot, dit-il en regardant le notaire épouvanté. Vous verrez à bien préparer l'acte de renon- 10 ciation au greffe du tribunal.

Le lendemain, vers midi, fut signée la déclaration par laquelle Eugénie accomplissait elle-même sa spoliation. Cependant, malgré sa parole, à la fin de la première année, le vieux tonnelier n'avait pas encore donné un sou 15 des cent francs par mois si solennellement promis à sa fille. Aussi, quand Eugénie lui en parla plaisamment, ne put-il s'empêcher de rougir; il monta vivement à son cabinet, revint, et lui présenta environ le tiers des bijoux qu'il avait pris à son neveu.

20 —Tiens, petite, dit-il d'un accent plein d'ironie, veux-tu ça pour tes douze cents francs?

—O mon père! vrai, me les donnez-vous?

—Je t'en rendrai autant l'année prochaine, dit-il en les lui jetant dans son tablier. Ainsi en peu de temps tu 25 auras toutes *ses* breloques, ajouta-t-il en se frottant les mains, heureux de pouvoir spéculer sur le sentiment de sa fille.

Néanmoins le vieillard, quoique robuste encore, sentit la nécessité d'initier sa fille aux secrets du ménage. Pen- 30 dant deux années consécutives il lui fit ordonner en sa présence le menu de la maison, et recevoir les redevances. Il lui apprit lentement et successivement les noms, la contenance de ses clos, de ses fermes. Vers la troisième année il l'avait si bien accoutumée à toutes ses façons d'avarice, il les avait si véritablement tournées chez elle en habitudes, qu'il lui laissa sans crainte les clefs de la dépense, et l'institua la maîtresse au logis.

Cinq ans se passèrent sans qu'aucun événement marquât dans l'existence monotone d'Eugénie et de son père. Ce fut les mêmes actes constamment accomplis avec la régularité chronométrique des mouvements de la vieille pendule. La profonde mélancolie de mademoiselle Gran- 10
det n'était un secret pour personne; mais, si chacun put en pressentir la cause, jamais un mot prononcé par elle ne justifia les soupçons que toutes les sociétés de Saumur formaient sur l'état du cœur de la riche héritière. Sa seule compagnie se composait des trois Cruchot et de quelques- 15
uns de leurs amis qu'ils avaient insensiblement introduits au logis. Ils lui avaient appris à jouer au whist, et venaient tous les soirs faire la partie. Dans l'année 1827, son père, sentant le poids des infirmités, fut forcé de l'initier aux secrets de sa fortune territoriale, et lui disait, en cas de 20
difficultés, de s'en rapporter à Cruchot le notaire, dont la probité lui était connue. Puis, vers la fin de cette année, le bonhomme fut enfin, à l'âge de quatre-vingt-deux ans, pris par une paralysie qui fit de rapides progrès. Grandet fut condamné par monsieur Bergerin. En pensant qu'elle 25
allait bientôt se trouver seule dans le monde, Eugénie se tint, pour ainsi dire, plus près de son père, et serra plus fortement ce dernier anneau d'affection. Dans sa pensée, comme dans celle de toutes les femmes aimantes, l'amour était le monde entier, et Charles n'était pas là. Elle fut 30
sublime de soins et d'attentions pour son vieux père, dont les facultés commençaient à baisser, mais dont l'avarice

se soutenait instinctivement. Aussi la mort de cet homme ne contrasta-t-elle point avec sa vie. Dès le matin il se faisait rouler entre la cheminée de sa chambre et la porte de son cabinet, sans doute plein d'or. Il restait là
5 sans mouvement, mais il regardait tour à tour avec anxiété ceux qui venaient le voir et la porte doublée de fer. Il se faisait rendre compte des moindres bruits qu'il entendait; et, au grand étonnement du notaire, il entendait le bâillement de son chien dans la cour. Il se réveillait de sa
10 stupeur apparente au jour et à l'heure où il fallait recevoir des fermages, faire des comptes avec les closiers, ou donner des quittances. Il agitait alors son fauteuil à roulettes jusqu'à ce qu'il se trouvât en face de la porte de son cabinet. Il le faisait ouvrir par sa fille, et veillait à ce qu'elle
15 plaçât en secret elle-même les sacs d'argent les uns sur les autres, à ce qu'elle fermât la porte. Puis il revenait à sa place silencieusement aussitôt qu'elle lui avait rendu la précieuse clef, toujours placée dans la poche de son gilet, et qu'il tâtait de temps en temps. D'ailleurs son vieil ami
20 le notaire, sentant que la riche héritière épouserait nécessairement son neveu, le président, si Charles Grandet ne revenait pas, redoubla de soins et d'attentions: il venait tous les jours se mettre aux ordres de Grandet, allait à son commandement à Froidfond, aux terres, aux prés,
25 aux vignes, vendait les récoltes, et transmutait tout en or et en argent qui venait se réunir secrètement aux sacs empilés dans le cabinet. Enfin arrivèrent les jours d'agonie, pendant lesquels la forte charpente du bonhomme fut aux prises avec la destruction. Il voulut rester assis au coin
30 de son feu, devant la porte de son cabinet. Il attirait à lui et roulait toutes les couvertures que l'on mettait sur lui, et disait à Nanon: «Serre, serre ça, pour qu'on ne me

vole pas.» Quand il pouvait ouvrir les yeux, où toute sa vie s'était réfugiée, il les tournait aussitôt vers la porte du cabinet où gisaient ses trésors en disant à sa fille: «Y sont-ils? y sont-ils?» d'un son de voix qui dénotait une sorte de peur panique. 5

—Oui, mon père.

—Veille à l'or, mets de l'or devant moi.

Eugénie lui étendait des louis sur une table, et il demeurait des heures entières les yeux attachés sur les louis, comme un enfant qui, au moment où il commence à voir, 10 contemple stupidement le même objet; et, comme à un enfant, il lui échappait un sourire pénible.

—Ça me réchauffe! disait-il quelquefois en laissant paraître sur sa figure une expression de béatitude.

Lorsque le curé de la paroisse vint l'administrer, ses 15 yeux, morts en apparence depuis quelques heures, se ranimèrent à la vue de la croix, des chandeliers, du bénitier d'argent qu'il regarda fixement, et sa loupe remua pour la dernière fois. Lorsque le prêtre lui approcha des lèvres le crucifix en vermeil pour lui faire baiser le Christ, il fit un 20 épouvantable geste pour le saisir et ce dernier effort lui coûta la vie, il appela Eugénie, qu'il ne voyait pas quoiqu'elle fût agenouillée devant lui et qu'elle baignât de ses larmes une main déjà froide.

—Mon père, bénissez-moi? . . . demanda-t-elle. 25

—Aie bien soin de tout. Tu me rendras compte de ça là-bas, dit-il en prouvant par cette dernière parole que le christianisme doit être la religion des avares.

Eugénie Grandet se trouva donc seule au monde dans cette maison, n'ayant que Nanon à qui elle pût jeter un 30 regard avec la certitude d'être entendue et comprise, Nanon, le seul être qui l'aimât pour elle et avec qui elle pût causer de ses chagrins. La Grande Nanon était une providence pour Eugénie. Aussi ne fut-elle plus une servante, mais une humble amie. Après la mort de son père, Eugénie apprit par maître Cruchot qu'elle possédait trois 5 cent mille livres de rente en biens-fonds dans l'arrondissement de Saumur, six millions placés en trois pour cent à soixante francs, et il valait alors soixante-dix-sept francs; plus deux millions en or et cent mille francs en écus, sans compter les arrérages à recevoir. L'estimation totale de 10 ses biens allait à dix-sept millions.

—Où donc est mon cousin? se dit-elle.

Le jour où maître Cruchot remit à sa cliente l'état de la succession, devenue claire et liquide, Eugénie resta seule avec Nanon, assises l'une et l'autre de chaque côté de la 15 cheminée de cette salle si vide, où tout était souvenir, depuis la chaise à patins sur laquelle s'asseyait sa mère jusqu'au verre dans lequel avait bu son cousin.

—Nanon, nous sommes seules. . . .

—Oui, mademoiselle; et, si je savais où il est, ce mi- 20 gnon, j'irais de mon pied le chercher.

—Il y a la mer entre nous, dit-elle.

Pendant que la pauvre héritière pleurait ainsi en compagnie de sa vieille servante, dans cette froide et obscure maison, qui pour elle composait tout l'univers, il n'était 25 question de Nantes à Orléans que des dix-sept millions de mademoiselle Grandet. Un de ses premiers actes fut de donner douze cents francs de rente viagère à Nanon, qui possédant déjà six cents autres francs, devint un riche parti. En moins d'un mois, elle passa de l'état de fille à 30 celui de femme, sous la protection d'Antoine Cornoiller, qui fut nommé garde-général des terres et propriétés de mademoiselle Grandet. Madame Cornoiller eut sur ses contemporaines un immense avantage. Quoiqu'elle eût cinquante-neuf ans, elle ne paraissait pas en avoir plus de quarante. Ses gros traits avaient résisté aux attaques du temps. Grâce au régime de sa vie monastique, elle narguait la vieillesse par un teint coloré, par une santé de 5 fer. Peut-être n'avait-elle jamais été aussi bien qu'elle le fut au jour de son mariage. Elle eut les bénéfices de sa laideur, et apparut grosse, grasse, forte, ayant sur sa figure indestructible un air de bonheur qui fit envier par quelques personnes le sort de Cornoiller.—Elle est bon 10 teint, disait le drapier.—Elle s'est conservée comme dans de la saumure, sous votre respect, dit le marchant de sel. —Elle est riche, et le gars Cornoiller fait un bon coup, disait un autre voisin. En sortant du vieux logis, Nanon, qui était aimée de tout le voisinage, ne reçut que des com- 15 pliments en descendant la rue tortueuse pour se rendre à la paroisse. Pour présent de noce, Eugénie lui donna trois douzaines de couverts. Cornoiller, surpris d'une telle magnificence, parlait de sa maîtresse les larmes aux yeux: il se serait fait hacher pour elle. Devenue la femme de 20 confiance d'Eugénie, madame Cornoiller eut désormais un bonheur égal pour elle à celui de posséder un mari. Elle avait enfin une dépense à ouvrir, à fermer, des provisions à donner le matin, comme faisait son défunt maître. Puis elle eut à régir deux domestiques, une cuisinière et une 25 femme de chambre chargée de raccommoder le linge de la maison, de faire les robes de mademoiselle. Cornoiller cumula les fonctions de garde et de régisseur. Mademoiselle Grandet eut ainsi quatre serviteurs dont le dévouement était sans bornes. Les fermiers ne s'aperçurent donc 30 pas de la mort du bonhomme, tant il avait sévèrement établi les usages et coutumes de son administration.

VI. AINSI VA LE MONDE

A trente ans, Eugénie ne connaissait encore aucune des félicités de la vie. Sa pâle et triste enfance s'était écoulée auprès d'une mère dont le cœur méconnu, froissé, avait toujours souffert. En quittant avec joie l'existence, cette 5 mère plaignit sa fille d'avoir à vivre, et lui laissa dans l'âme de légers remords et d'éternels regrets. Le premier, le seul amour d'Eugénie était, pour elle, un principe de mélancolie. Après avoir entrevu son amant pendant quelques jours, elle lui avait donné son cœur entre deux baisers fur- 10 tivement acceptés et reçus; puis il était parti, mettant tout un monde entre elle et lui. Cet amour, maudit par son père, lui avait presque coûté sa mère, et ne lui causait que des douleurs mêlées de frêles espérances. Depuis sept ans, sa passion avait tout envahi. Ses trésors n'étaient pas les 15 millions dont les revenus s'entassaient, mais le coffret de Charles, mais les deux portraits suspendus à son lit, mais les bijoux rachetés à son père, étalés orgueilleusement sur une couche de ouate dans un tiroir du bahut; mais le dé de sa tante, duquel s'était servie sa mère, et que tous les 20 jours elle prenait religieusement pour travailler à une broderie, ouvrage de Pénélope, entrepris seulement pour mettre à son doigt cet or plein de souvenirs.

Il ne paraissait pas vraisemblable que mademoiselle Grandet voulût se marier durant son deuil. Sa piété vraie 25 était connue. Aussi la famille Cruchot, dont la politique était sagement dirigée par le vieil abbé, se contenta-t-elle de cerner l'héritière en l'entourant des soins les plus affectueux. Chez elle, tous les soirs, la salle se remplissait d'une société composée des plus chauds et des plus dévoués Cruchotins du pays, qui s'efforçaient de chanter les louanges de la maîtresse du logis sur tous les tons. Elle avait le médecin ordinaire de sa chambre, son grand aumônier, son chambellan, sa première dame d'atours, son premier ministre, son chancelier surtout, un chancelier 5 qui voulait lui tout dire. L'héritière eût-elle désiré un porte-queue, on lui en aurait trouvé un. C'était une reine, et la plus habilement adulée de toutes les reines. La flatterie n'émane jamais des grandes âmes, elle est l'apanage des petits esprits, qui réussissent à se rapetisser 10 encore pour mieux entrer dans la sphère vitale de la personne autour de laquelle ils gravitent. Ce concert d'éloges, nouveaux pour Eugénie, la fit d'abord rougir; mais insensiblement, et quelque grossiers que fussent les compliments, son oreille s'accoutuma si bien à entendre vanter 15 sa beauté, que si quelque nouveau venu l'eût trouvée laide, ce reproche lui aurait été beaucoup plus sensible alors que huit ans auparavant. Puis elle finit par aimer des douceurs qu'elle mettait secrètement aux pieds de son idole. Elle s'habitua donc par degrés à se laisser 20 traiter en souveraine et à voir sa cour pleine tous les soirs. Monsieur le président de Bonfons était le héros de ce petit cercle, où son esprit, sa personne, son instruction, son amabilité sans cesse étaient vantés. L'un faisait observer que, depuis sept ans, il avait beaucoup augmenté sa for- 25 tune; que Bonfons valait au moins dix mille francs de rente et se trouvait enclavé, comme tous les biens des Cruchot, dans les vastes domaines de l'héritière.—Savez-vous, mademoiselle, disait un habitué, que les Cruchot ont à eux quarante mille livres de rente.—Oui, c'est un 30 homme bien distingué, disait un autre. Ne trouvez-vous pas, mademoiselle? Monsieur le président avait tâché de se mettre en harmonie avec le rôle qu'il voulait jouer. Malgré ses quarante ans, malgré sa figure brune et rébarbative, flétrie comme le sont presque toutes les physionomies judiciaires, il se mettait en jeune homme, badinait avec un jonc, ne prenait point de tabac chez mademoiselle de Froidfond, y arrivait toujours en cravate blanche, et en chemise dont le jabot à gros plis lui donnait un air de famille avec les individus du genre dindon. Il parlait familièrement à la belle héritière, et lui disait: Notre chère Eugénie! Enfin, hormis le nombre des personnages, en remplaçant le loto par le whist, et en supprimant les figures de monsieur et de madame Grandet, la scène par laquelle commence cette histoire était à peu près la même que par le passé. La meute poursuivait toujours Eugénie et ses millions; mais la meute plus nombreuse aboyait mieux, et cernait sa proie avec ensemble. Si Charles fût arrivé du fond des Indes, il eût donc retrouvé les mêmes personnages et les mêmes intérêts. Madame des Grassins, pour laquelle Eugénie était parfaite de grâce et de bonté, persistait à tourmenter les Cruchot. Mais alors, comme autrefois, la figure d'Eugénie eût dominé le tableau; comme autrefois, Charles eût encore été là le souverain. Néanmoins il y avait un progrès. Le bouquet présenté jadis à Eugénie aux jours de sa fête par le président était devenu périodique. Tous les soirs il apportait à la riche héritière un gros et magnifique bouquet que madame Cornoiller mettait ostensiblement dans un bocal, et jetait secrètement dans un coin de la cour, aussitôt les visiteurs partis.

—Comment, Nanon, dit un soir Eugénie en se couchant, il ne m'écrira pas une fois en sept ans? . . .

Pendant que ces choses se passaient à Saumur, Charles

faisait fortune aux Indes. Sa pacotille s'était d'abord très-bien vendue. Il avait réalisé promptement une somme de six mille dollars. Le baptême de la Ligne lui fit perdre beaucoup de préjugés; il s'aperçut que le meilleur moyen d'arriver à la fortune était, dans les régions intertropicales, 5 aussi bien qu'en Europe, d'acheter et de vendre des hommes. Il vint donc sur les côtes d'Afrique et fit la traite des nègres, en joignant à son commerce d'hommes celui des marchandises les plus avantageuses à échanger sur les divers marchés où l'amenaient ses intérêts. Il 10 porta dans les affaires une activité qui ne lui laissait aucun moment de libre. Il était dominé par l'idée de reparaître à Paris dans tout l'éclat d'une haute fortune, et de ressaisir une position plus brillante encore que celle d'où il était tombé. A force de rouler à travers les hommes et 15 les pays, d'en observer les coutumes contraires, ses idées se modifièrent et il devint sceptique. Il n'eut plus de notions fixes sur le juste et l'injuste, en voyant taxer de crime dans un pays ce qui était vertu dans un autre. Au contact perpétuel des intérêts, son cœur se refroidit, se 20 contracta, se dessécha. Le sang des Grandet ne faillit point à sa destinée. Charles devint dur, âpre à la curée. Il vendit des Chinois, des Nègres, des nids d'hirondelles, des enfants, des artistes; il fit l'usure en grand. L'habitude de frauder les droits de douane le rendit moins scru- 25 puleux sur les droits de l'homme. Il allait alors à Saint-Thomas acheter à vil prix les marchandises volées par les pirates, et les portait sur les places où elles manquaient. Si la noble et pure figure d'Eugénie l'accompagna dans son premier voyage comme cette image de Vierge que 30 mettent sur leur vaisseau les marins espagnols, et s'il attribua ses premiers succès à la magique influence des vœux et des prières de cette douce fille; plus tard les aventures qu'il eut en divers pays effacèrent complétement le souvenir de sa cousine, de Saumur, de la maison, du banc, du baiser pris dans le couloir. Il se souvenait seulement du petit jardin encadré de vieux murs, parce que là sa destinée hasardeuse avait commencé; mais il reniait sa famille: son oncle était un vieux chien qui lui avait filouté ses bijoux; Eugénie n'occupait ni son cœur ni ses pensées, elle occupait une place dans ses affaires comme créancière d'une somme de six mille francs. Cette conduite et ces idées expliquent le silence de Charles Grandet. Dans les Indes, à Saint-Thomas, à la côte d'Afrique, à Lisbonne et aux États-Unis, le spéculateur avait pris, pour ne pas compromettre son nom, le pseudonyme de Sepherd. Carl Sepherd pouvait sans danger se montrer partout infatigable, audacieux, avide, en homme qui, résolu de faire fortune *quibuscumque viis*, se dépêche d'en finir avec l'infamie pour rester honnête homme pendant le restant de ses jours. Avec ce système, sa fortune fut rapide et brillante. En 1827 donc, il revenait à Bordeaux, sur le *Marie-Caroline*, joli brick appartenant à une maison de commerce royaliste. Il possédait dix-neuf cent mille francs en trois tonneaux de poudre d'or bien cerclés, desquels il comptait tirer sept ou huit pour cent en les monnayant à Paris. Sur ce brick se trouvait également un gentilhomme ordinaire de la chambre de S. M. le roi Charles X, monsieur d'Aubrion, bon vieillard qui avait fait la folie d'épouser une femme à la mode, et dont la fortune était aux îles. Pour réparer les prodigalités de Madame d'Aubrion, il était allé réaliser ses propriétés. Monsieur et madame d'Aubrion, de la maison d'Aubrion de Buch, dont le dernier Captal mourut avant 1789, réduits à une vingtaine de mille livres de rente, avaient une fille assez laide que la mère voulait marier sans dot, sa fortune lui suffisant à peine pour vivre à Paris. C'était une entreprise dont le succès eût semblé problématique à tous les gens du monde malgré l'habileté qu'ils prêtent aux femmes à la mode. Aussi madame d'Aubrion elle-même désespérait-elle presque, en voyant sa fille, d'en embarrasser qui que ce fût, fût-ce même un homme ivre de noblesse. Mademoiselle d'Aubrion était une demoiselle longue comme l'insecte, son homonyme; maigre, fluette, à bouche dédaigneuse, sur laquelle descendait un nez trop long, gros du bout, flavescent à l'état normal, mais complétement rouge après les repas. Mais, pour contre-balancer de tels désavantages, la marquise d'Aubrion avait donné à sa fille un air très-distingué, l'avait soumise à une hygiène qui maintenait provisoirement le nez à un ton de chair raisonnable, lui avait appris l'art de se mettre avec goût, l'avait dotée de jolies manières, lui avait enseigné ces regards mélancoliques qui intéressent un homme et lui font croire qu'il va rencontrer l'ange si vainement cherché; elle lui avait montré la manœuvre du pied, pour l'avancer à propos et en faire admirer la petitesse, au moment où le nez avait l'impertinence de rougir; enfin, elle avait tiré de sa fille un parti très-satisfaisant.

Charles se lia beaucoup avec madame d'Aubrion, qui voulait précisément se lier avec lui. Plusieurs personnes prétendent même que, pendant la traversée, la belle madame d'Aubrion ne négligea aucun moyen de capturer un gendre si riche. En débarquant à Bordeaux, au mois de juin 1827, monsieur, madame, mademoiselle d'Aubrion et Charles logèrent ensemble dans le même hôtel et par-

tirent ensemble pour Paris. L'hôtel d'Aubrion était criblé d'hypothèques, Charles devait le libérer. La mère avait déjà parlé du bonheur qu'elle aurait de céder son rez-de-chaussée à son gendre et à sa fille. Ne partageant
5 pas les préjugés de monsieur d'Aubrion sur la noblesse, elle avait promis à Charles Grandet d'obtenir du bon Charles X une ordonnance royale qui l'autoriserait, lui Grandet, à porter le nom d'Aubrion, à en prendre les armes, et à succéder, moyennant la constitution d'un
10 majorat de trente-six mille livres de rente, à Aubrion, dans le titre de Captal de Buch et marquis d'Aubrion. En réunissant leurs fortunes, vivant en bonne intelligence, et moyennant des sinécures, on pourrait réunir cent et quelques mille livres de rente à l'hôtel d'Aubrion.—Et
15 quand on a cent mille livres de rente, un nom, une famille, que l'on va à la cour, car je vous ferai nommer gentilhomme de la chambre, on devient tout ce qu'on veut être, disait-elle à Charles. Ainsi vous serez, à votre choix, maître des requêtes au Conseil-d'Etat, préfet, secrétaire
20 d'ambassade, ambassadeur. Charles X aime beaucoup d'Aubrion, ils se connaissent depuis l'enfance.

Enivré d'ambition par cette femme, Charles avait caressé, pendant la traversée, toutes ces espérances qui lui furent présentées par une main habile, et sous forme de
25 confidences versées de cœur à cœur. Croyant les affaires de son père arrangées par son oncle, il se voyait ancré tout à coup dans le faubourg Saint-Germain, où tout le monde voulait alors entrer, et où, à l'ombre du nez bleu de mademoiselle Mathilde, il reparaissait en comte d'Au-
30 brion. Ebloui par la prospérité de la Restauration qu'il avait laissée chancelante, saisi par l'éclat des idées aristocratiques, son enivrement commencé sur le vaisseau se

maintint à Paris où il résolut de tout faire pour arriver à la haute position que son égoïste belle-mère lui faisait entrevoir. Sa cousine n'était donc plus pour lui qu'un point dans l'espace de cette brillante perspective. Il revit Annette. En femme du monde, Annette conseilla vive- 5 ment à son ancien ami de contracter cette alliance, et lui promit son appui dans toutes ses entreprises ambitieuses. Annette était enchantée de faire épouser une demoiselle laide et ennuyeuse à Charles, que le séjour des Indes avait rendu très-séduisant: son teint avait bruni, ses manières 10 étaient devenues décidées, hardies, comme le sont celles des hommes habitués à trancher, à dominer, à réussir. Charles respira plus à l'aise dans Paris, en voyant qu'il pouvait y jouer un rôle. Des Grassins, apprenant son retour, son mariage prochain, sa fortune, le vint voir pour 15 lui parler des trois cent mille francs moyennant lesquels il pouvait acquitter les dettes de son père. Il trouva Charles en conférence avec le joaillier auquel il avait commandé des bijoux pour la corbeille de mademoiselle d'Aubrion, et qui lui en montrait les dessins. Malgré les ma- 20 gnifiques diamants que Charles avait rapportés des Indes, les façons, l'argenterie, la joaillerie solide et futile du jeune ménage allaient encore à plus de deux cent mille francs. Charles reçut des Grassins, qu'il ne reconnut pas, avec l'impertinence d'un jeune homme à la mode qui, 25 dans les Indes, avait tué quatre hommes en différents duels. Monsieur des Grassins était déjà venu trois fois, Charles l'écouta froidement: puis il lui répondit, sans l'avoir bien compris: «Les affaires de mon père ne sont pas les miennes. Je vous suis obligé, monsieur, des soins que 30 vous avez bien voulu prendre, et dont je ne saurais profiter. Je n'ai pas ramassé presque deux millions à la sueur de mon front pour aller les flanquer à la tête des créanciers de mon père.»

—Et si monsieur votre père était, d'ici à quelques jours, déclaré en faillite?

5 —Monsieur, d'ici à quelques jours, je me nommerai le comte d'Aubrion. Vous entendez bien que ce me sera parfaitement indifférent. D'ailleurs, vous savez mieux que moi que quand un homme a cent mille livres de rente, son père n'a jamais fait faillite, ajouta-t-il en poussant 10 poliment le sieur des Grassins vers la porte.

Au commencement du mois d'août de cette année, Eugénie était assise sur le petit banc de bois où son cousin lui avait juré un éternel amour, et où elle venait déjeuner quand il faisait beau. La pauvre fille se complaisait en 15 ce moment, par la plus fraîche, la plus joyeuse matinée, à repasser dans sa mémoire les grands, les petits événements de son amour, et les catastrophes dont il avait été suivi. Le soleil éclairait le joli pan de mur tout fendillé, presque en ruines, auquel il était défendu de toucher, 20 de par la fantasque héritière, quoique Cornoiller répétât souvent à sa femme qu'on serait écrasé dessous quelque jour. En ce moment, le facteur de poste frappa, remit une lettre à madame Cornoiller, qui vint au jardin en criant: «Mademoiselle, une lettre!» Elle la donna à sa 25 maîtresse en lui disant: «C'est-y[1] celle que vous attendez?»

Ces mots retentirent aussi fortement au cœur d'Eugénie qu'ils retentirent réellement entre les murailles de la cour et du jardin.

—Paris! C'est de lui. Il est revenu.

30 Eugénie pâlit, et garda la lettre pendant un moment. Elle palpitait trop vivement pour pouvoir la décacheter et

[1] *C'est-y* for *Est-ce*.

la lire. La Grande Nanon resta debout, les deux mains sur les hanches, et la joie semblait s'échapper comme une fumée par les crevasses de son brun visage.

—Lisez donc, mademoiselle. . . .

—Ah! Nanon, pourquoi revient-il par Paris, quand il s'en est allé par Saumur? 5

—Lisez, vous le saurez.

Eugénie décacheta la lettre en tremblant. Il en tomba un mandat sur la maison *madame des Grassins et Corret* de Saumur. Nanon le ramassa. 10

«Ma chère cousine. . . .»

—Je ne suis plus Eugénie, pensa-t-elle. Et son cœur se serra.

«Vous. . . .»

—Il me disait *tu!* 15

Elle se croisa les bras, n'osa plus lire la lettre, et de grosses larmes lui vinrent aux yeux.

—Est-il mort? demanda Nanon.

—Il n'écrirait pas, dit Eugénie.

Elle lut toute la lettre que voici. 20

«Ma chère cousine, vous apprendrez, je le crois, avec plaisir, le succès de mes entreprises. Vous m'avez porté bonheur, je suis revenu riche, et j'ai suivi les conseils de mon oncle, dont la mort et celle de ma tante viennent de m'être apprises par monsieur des Grassins. La mort de 25 nos parents est dans la nature, et nous devons leur succéder. J'espère que vous êtes aujourd'hui consolée. Rien ne résiste au temps, je l'éprouve. Oui, ma chère cousine, malheureusement pour moi, le moment des illusions est passé. Que voulez-vous! En voyageant à travers de nombreux pays, j'ai réfléchi sur la vie. D'enfant que j'étais au départ, je suis devenu homme au retour. Aujourd'hui je pense à bien des choses auxquelles je ne songeais pas autrefois. Vous êtes libre, ma cousine, et je suis libre encore; rien n'empêche, en apparence, la réalisation de nos petits projets; mais j'ai trop de loyauté dans le caractère pour vous cacher la situation de mes affaires. Je n'ai point oublié que je ne m'appartiens pas; je me suis toujours souvenu dans mes longues traversées du petit banc de bois. . . .»

Eugénie se leva comme si elle eût été sur des charbons ardents, et alla s'asseoir sur une des marches de la cour.

« . . . du petit banc de bois où nous nous sommes juré de nous aimer toujours, du couloir, de la salle grise, de ma chambre en mansarde, et de la nuit où vous m'avez rendu, par votre délicate obligeance, mon avenir plus facile. Oui, ces souvenirs ont soutenu mon courage, et je me suis dit que vous pensiez toujours à moi comme je pensais souvent à vous, à l'heure convenue entre nous. Avez-vous bien regardé les nuages à neuf heures? Oui, n'est-ce pas? Aussi, ne veux-je pas trahir une amitié sacrée pour moi; non, je ne dois point vous tromper. Il s'agit, en ce moment, pour moi, d'une alliance qui satisfait à toutes les idées que je me suis formées sur le mariage. L'amour, dans le mariage, est une chimère. Aujourd'hui mon expérience me dit qu'il faut obéir à toutes les lois sociales et réunir toutes les convenances voulues par le monde en se mariant. Or, déjà se trouve entre nous une différence d'âge qui, peut-être, influerait plus sur votre avenir, ma chère cousine, que sur le mien. Je ne vous parlerai ni de vos mœurs, ni de votre éducation, ni de vos habitudes, qui ne sont nullement en rapport avec la 5 vie de Paris, et ne cadreraient sans doute point avec mes projets ultérieurs. Il entre dans mes plans de tenir un grand état de maison, de recevoir beaucoup de monde, et je crois me souvenir que vous aimez une vie douce et tranquille. Non, je serai plus franc, et veux vous faire arbitre 10 de ma situation; il vous appartient de la connaître, et vous avez le droit de la juger. Aujourd'hui je possède quatre-vingt mille livres de rente. Cette fortune me permet de m'unir à la famille d'Aubrion, dont l'héritière, jeune personne de dix-neuf ans, m'apporte en mariage son nom, un 15 titre, la place de gentilhomme honoraire de la chambre de Sa Majesté, et une position des plus brillantes. Je vous avouerai, ma chère cousine, que je n'aime pas le moins du monde mademoiselle d'Aubrion; mais, par son alliance, j'assure à mes enfants une situation sociale dont un jour 20 les avantages seront incalculables: de jour en jour, les idées monarchiques reprennent faveur. Donc, quelques années plus tard, mon fils, devenu marquis d'Aubrion, ayant un majorat de quarante mille livres de rente, pourra prendre dans l'État telle place qu'il lui conviendra de 25 choisir. Nous nous devons à nos enfants. Vous voyez, ma cousine, avec quelle bonne foi je vous expose l'état de mon cœur, de mes espérances et de ma fortune. Il est possible que de votre côté vous ayez oublié nos enfantillages après sept années d'absence; mais moi, je n'ai oublié ni 30 votre indulgence, ni mes paroles; je me souviens de toutes, même des plus légèrement données, et auxquelles un jeune homme moins consciencieux que je ne le suis, ayant un cœur moins jeune et moins probe, ne songerait même pas. En vous disant que je ne pense qu'à faire un mariage de convenance, et que je me souviens encore de nos amours 5 d'enfant, n'est-ce pas me mettre entièrement à votre discrétion, vous rendre maîtresse de mon sort, et vous dire que, s'il faut renoncer à mes ambitions sociales, je me contenterai volontiers de ce simple et pur bonheur duquel vous m'avez offert de si touchantes images. . . .»

10 —Tan, ta, ta.—Tan, ta, ti.—Tinn, ta, ta.—Toûn!—Toûn, ta, ti.—Tinn, ta, ta . . . , etc., avait chanté Charles Grandet sur l'air de *Non più andrai*, en signant:

«Votre dévoué cousin,

«CHARLES.»

15 —Tonnerre de Dieu! c'est y mettre des procédés, se dit-il. Et il avait cherché le mandat, et il avait ajouté ceci:

«*P. S.* Je joins à ma lettre un mandat sur la maison des Grassins de huit mille francs à votre ordre, et payable 20 en or, comprenant intérêts et capital de la somme que vous avez eu la bonté de me prêter. J'attends de Bordeaux une caisse où se trouvent quelques objets que vous me permettrez de vous offrir en témoignage de mon éternelle reconnaissance. Vous pouvez renvoyer par la diligence ma 25 toilette à l'hôtel d'Aubrion, rue Hillerin-Bertin.»

—Par la diligence! dit Eugénie. Une chose pour laquelle j'aurais donné mille fois ma vie!

Epouvantable et complet désastre. Le vaisseau sombrait sans laisser ni un cordage, ni une planche sur le vaste océan des espérances. En se voyant abandonnées, certaines femmes vont arracher leur amant aux bras d'une rivale, la tuent et s'enfuient au bout du monde, sur l'échafaud ou dans la tombe. Cela, sans doute, est beau; le 5 mobile de ce crime est une sublime passion qui impose à la Justice humaine. D'autres femmes baissent la tête et souffrent en silence; elles vont mourantes et résignées, pleurant et pardonnant, priant et se souvenant jusqu'au dernier soupir. Ceci est de l'amour, l'amour vrai, l'amour 10 des anges, l'amour fier qui vit de sa douleur et qui en meurt. Ce fut le sentiment d'Eugénie après avoir lu cette horrible lettre. Elle jeta ses regards au ciel, en pensant aux dernières paroles de sa mère, qui, semblable à quelques mourants, avait projeté sur l'avenir un coup d'œil péné- 15 trant, lucide; puis, Eugénie se souvenant de cette mort et de cette vie prophétique, mesura d'un regard toute sa destinée.

—Ma mère avait raison, dit-elle en pleurant. Souffrir et mourir. 20

Elle vint à pas lents de son jardin dans la salle. Contre son habitude, elle ne passa point par le couloir; mais elle retrouva le souvenir de son cousin dans ce vieux salon gris, sur la cheminée duquel était toujours une certaine soucoupe dont elle se servait tous les matins à son déjeu- 25 ner, ainsi que du sucrier de vieux Sèvres. Cette matinée devait être solennelle et pleine d'événements pour elle. Nanon lui annonça le curé de la paroisse. Ce curé, parent des Cruchot, était dans les intérêts du président de Bonfons. Depuis quelques jours, le vieil abbé l'avait déter- 30 miné à parler à mademoiselle Grandet, dans un sens purement religieux, de l'obligation où elle était de contracter mariage. En voyant son pasteur, Eugénie crut qu'il venait chercher les mille francs qu'elle donnait mensuellement aux pauvres, et dit à Nanon de les aller chercher; mais le curé se prit à sourire.

5 —Aujourd'hui, mademoiselle, je viens vous parler d'une pauvre fille à laquelle toute la ville de Saumur s'intéresse, et qui, faute de charité pour elle-même, ne vit pas chrétiennement.

—Mon Dieu! monsieur le curé, vous me trouvez dans 10 un moment où il m'est impossible de songer à mon prochain, je suis tout occupée de moi. Je suis bien malheureuse, je n'ai d'autre refuge que l'Église; elle a un sein assez large pour contenir toutes nos douleurs, et des sentiments assez féconds pour que nous puissions y puiser 15 sans craindre de les tarir.

—Eh! bien, mademoiselle, en nous occupant de cette fille nous nous occuperons de vous. Écoutez. Si vous voulez faire votre salut, vous n'avez que deux voies à suivre, ou quitter le monde ou en suivre les lois. Obéir 20 à votre destinée terrestre ou à votre destinée céleste.

—Ah! votre voix me parle au moment où je voulais entendre une voix. Oui, Dieu vous adresse ici, monsieur. Je vais dire adieu au monde et vivre pour Dieu seul dans le silence et la retraite.

25 —Il est nécessaire, ma fille, de long-temps réfléchir à ce violent parti. Le mariage est une vie, le voile est une mort.

—Eh! bien, la mort, la mort promptement, monsieur le curé, dit-elle avec une effrayante vivacité.

—La mort! mais vous avez de grandes obligations à 30 remplir envers la Société, mademoiselle. N'êtes-vous donc pas la mère des pauvres auxquels vous donnez des vêtements, du bois en hiver et du travail en été? Votre grande fortune est un prêt qu'il faut rendre, et vous l'avez saintement acceptée ainsi. Vous ensevelir dans un couvent, ce serait de l'égoïsme; quant à rester vieille fille, vous ne le devez pas. D'abord, pourriez-vous gérer seule votre immense fortune? vous la perdriez peut-être. Vous 5 auriez bientôt mille procès, et vous seriez engarriée en d'inextricables difficultés. Croyez votre pasteur: un époux vous est utile, vous devez conserver ce que Dieu vous a donné. Je vous parle comme à une ouaille chérie. Vous aimez trop sincèrement Dieu pour ne pas faire votre salut 10 au milieu du monde, dont vous êtes un des plus beaux ornements, et auquel vous donnez de saints exemples.

En ce moment, madame des Grassins se fit annoncer. Elle venait amenée par la vengeance et par un grand désespoir. 15

—Mademoiselle, dit-elle. Ah! voici monsieur le curé. Je me tais, je venais vous parler d'affaires, et je vois que vous êtes en grande conférence.

—Madame, dit le curé, je vous laisse le champ libre.

—Oh! monsieur le curé, dit Eugénie, revenez dans 20 quelques instants, votre appui m'est en ce moment bien nécessaire.

—Oui, ma pauvre enfant, dit madame des Grassins.

—Que voulez-vous dire? demandèrent mademoiselle Grandet et le curé. 25

—Ne sais-je pas le retour de votre cousin, son mariage avec mademoiselle d'Aubrion? . . . Une femme n'a jamais son esprit dans sa poche.

Eugénie rougit et resta muette; mais elle prit le parti d'affecter à l'avenir l'impassible contenance qu'avait su 30 prendre son père.

—Eh! bien, madame, répondit-elle avec ironie, j'ai sans

doute l'esprit dans ma poche, je ne comprends pas. Parlez, parlez devant monsieur le curé, vous savez qu'il est mon directeur.

—Eh! bien, mademoiselle, voici ce que des Grassins
5 m'écrit. Lisez.

Eugénie lut la lettre suivante:

«Ma chère femme, Charles Grandet arrive des Indes, il est à Paris depuis un mois. . . .

—Un mois! se dit Eugénie en laissant tomber sa main.
10 Après une pause, elle reprit la lettre.

«. . . Il m'a fallu faire antichambre deux fois avant de pouvoir parler à ce futur vicomte d'Aubrion. Quoique tout Paris parle de son mariage, et que tous les bans soient publiés. . . .

15 —Il m'écrivait donc au moment où . . . se dit Eugénie. Elle n'acheva pas, elle ne s'écria pas comme une Parisienne: «Le polisson!» Mais pour ne pas être exprimé, le mépris n'en fut pas moins complet.

«. . . Ce mariage est loin de se faire; le marquis d'Au-
20 brion ne donnera pas sa fille au fils d'un banqueroutier. Je suis venu lui faire part des soins que son oncle et moi nous avons donnés aux affaires de son père, et des habiles manœuvres par lesquelles nous avons su faire tenir les créanciers tranquilles jusqu'aujourd'hui. Ce petit im-
25 pertinent n'a-t-il pas eu le front de me répondre, à moi qui, pendant cinq ans, me suis dévoué nuit et jour à ses intérêts et à son honneur, que *les affaires de son père n'étaient pas les siennes*. Un agréé serait en droit de lui

demander trente à quarante mille francs d'honoraires, à un pour cent sur la somme des créances. Mais, patience, il est bien légitimement dû douze cent mille francs aux créanciers, et je vais faire déclarer son père en faillite. Je me suis embarqué dans cette affaire sur la parole de ce vieux caïman de Grandet, et j'ai fait des promesses au nom de la famille. Si monsieur le vicomte d'Aubrion se soucie peu de son honneur, le mien m'intéresse fort. Aussi vais-je expliquer ma position aux créanciers. Néanmoins, j'ai trop de respect pour mademoiselle Eugénie, à l'alliance de laquelle, en des temps plus heureux, nous avions pensé, pour agir sans que tu lui aies parlé de cette affaire. . . .»

Là, Eugénie rendit froidement la lettre sans l'achever.

—Je vous remercie, dit-elle à madame des Grassins, *nous verrons cela*. . . .

—En ce moment, vous avez toute la voix de défunt votre père, dit madame des Grassins.

—Madame, vous avez huit mille cent francs d'or à nous compter, lui dit Nanon.

—Cela est vrai; faites-moi l'avantage de venir avec moi, madame Cornoiller.

Mademoiselle Grandet monta dans le cabinet de son père et y passa la journée seule, sans vouloir descendre à l'heure du dîner, malgré les instances de Nanon. Elle parut le soir, à l'heure où les habitués de son cercle arrivèrent. Jamais le salon des Grandet n'avait été aussi plein qu'il le fut pendant cette soirée. La nouvelle du retour et de la sotte trahison de Charles avait été répandue dans toute la ville. Mais quelque attentive que fût la curiosité des visiteurs, elle ne fut point satisfaite. Eugénie, qui s'y était attendue, ne laissa percer sur son visage calme aucune des cruelles émotions qui l'agitaient. Elle sut prendre une figure riante pour répondre à ceux qui voulurent lui témoigner de l'intérêt par des regards ou des paroles mélancoliques. Elle sut enfin couvrir son malheur sous les voiles de la politesse. Vers neuf heures, les parties finissaient, et les joueurs quittaient leurs tables, se payaient et discutaient les derniers coups de whist en venant se joindre au cercle des causeurs. Au moment où l'assemblée se leva en masse pour quitter le salon, il y eut un coup de théâtre qui retentit dans Saumur, de là dans l'arrondissement et dans les quatre préfectures environnantes.

—Restez, monsieur le président, dit Eugénie à monsieur de Bonfons en lui voyant prendre sa canne.

A cette parole, il n'y eut personne dans cette nombreuse assemblée qui ne se sentît ému. Le président pâlit et fut obligé de s'asseoir.

—Au président les millions, dit mademoiselle de Gribeaucourt.

—C'est clair, le président de Bonfons épouse mademoiselle Grandet, s'écria madame d'Orsonval.

—Voilà le meilleur coup de la partie, dit l'abbé.

—C'est un beau *schleem*, dit le notaire.

Chacun dit son mot, chacun fit son calembour, tous voyaient l'héritière montée sur ses millions, comme sur un piédestal. Le drame commencé depuis neuf ans se dénouait. Dire, en face de tout Saumur, au président de rester, n'était-ce pas annoncer qu'elle voulait faire de lui son mari. Dans les petites villes, les convenances sont si sévèrement observées, qu'une infraction de ce genre y constitue la plus solennelle des promesses.

—Monsieur le président, lui dit Eugénie d'une voix émue quand ils furent seuls, je sais ce qui vous plaît en moi. Jurez de me laisser libre pendant toute ma vie, et ma main est à vous. Oh! reprit-elle en le voyant se mettre à ses genoux, je n'ai pas tout dit. Je ne dois pas vous 5 tromper, monsieur. J'ai dans le cœur un sentiment inextinguible. L'amitié sera le seul sentiment que je puisse accorder à mon mari: je ne veux ni l'offenser, ni contrevenir aux lois de mon cœur. Mais vous ne posséderez ma main et ma fortune qu'au prix d'un immense service. 10

—Vous me voyez prêt à tout, dit le président.

—Voici quinze cent mille francs, monsieur le président, dit-elle en tirant de son sein une reconnaissance de cent actions de la Banque de France, partez pour Paris, non pas demain, non pas cette nuit, mais à l'instant même. 15 Rendez-vous chez monsieur des Grassins, sachez-y le nom de tous les créanciers de mon oncle, rassemblez-les, payez tout ce que sa succession peut devoir, capital et intérêts à cinq pour cent depuis le jour de la dette jusqu'à celui du remboursement, enfin veillez à faire faire une quittance 20 générale et notariée, bien en forme. Vous êtes magistrat, je ne me fie qu'à vous en cette affaire. Vous êtes un homme loyal, un galant homme; je m'embarquerai sur la foi de votre parole pour traverser les dangers de la vie à l'abri de votre nom. Nous aurons l'un pour l'autre une mutuelle 25 indulgence. Nous nous connaissons depuis si long-temps, nous sommes presque parents, vous ne voudriez pas me rendre malheureuse.

Le président tomba aux pieds de la riche héritière en palpitant de joie et d'angoisse. 30

—Je serai votre esclave! lui dit-il.

—Quand vous aurez la quittance, monsieur, reprit-elle en lui jetant un regard froid, vous la porterez avec tous les titres à mon cousin Grandet et vous lui remettrez cette lettre. A votre retour, je tiendrai ma parole.

Le président comprit, lui, qu'il devait mademoiselle
5 Grandet à un dépit amoureux; aussi s'empressa-t-il d'exécuter ses ordres avec la plus grande promptitude, afin qu'il n'arrivât aucune réconciliation entre les deux amants.

Quand monsieur de Bonfons fut parti, Eugénie tomba sur son fauteuil et fondit en larmes. Tout était con-
10 sommé. Le président prit la poste, et se trouvait à Paris le lendemain soir. Dans la matinée du jour qui suivit son arrivée, il alla chez des Grassins. Le magistrat convoqua les créanciers en l'Étude du notaire où étaient déposés les titres, et chez lequel pas un ne faillit à l'appel. Quoique
15 ce fussent des créanciers, il faut leur rendre justice: ils furent exacts. Là, le président de Bonfons, au nom de mademoiselle Grandet, leur paya le capital et les intérêts dus. Le paiement des intérêts fut pour le commerce parisien un des événements les plus étonnants de l'époque.
20 Quand la quittance fut enregistrée et des Grassins payé de ses soins par le don d'une somme de cinquante mille francs que lui avait allouée Eugénie, le président se rendit à l'hôtel d'Aubrion, et y trouva Charles au moment où il rentrait dans son appartement, accablé par son beau-
25 père. Le vieux marquis venait de lui déclarer que sa fille ne lui appartiendrait qu'autant que tous les créanciers de Guillaume Grandet seraient soldés.

Le président lui remit d'abord la lettre suivante:

«Mon cousin, monsieur le président de Bonfons s'est
30 chargé de vous remettre la quittance de toutes les sommes dues par mon oncle et celle par laquelle je reconnais les

avoir reçues de vous. On m'a parlé de faillite! . . . . J'ai pensé que le fils d'un failli ne pouvait peut-être pas épouser mademoiselle d'Aubrion. Oui, mon cousin, vous avez bien jugé de mon esprit et de mes manières: je n'ai sans doute rien du monde, je n'en connais ni les calculs 5 ni les mœurs, et ne saurais vous y donner les plaisirs que vous voulez y trouver. Soyez heureux, selon les conventions sociales auxquelles vous sacrifiez nos premières amours. Pour rendre votre bonheur complet, je ne puis donc plus vous offrir que l'honneur de votre père. Adieu, 10 vous aurez toujours une fidèle amie dans votre cousine,

«EUGÉNIE.»

Le président sourit de l'exclamation que ne put réprimer cet ambitieux au moment où il reçut l'acte authentique. 15

—Nous nous annoncerons réciproquement nos mariages, lui dit-il.

—Ah! vous épousez Eugénie. Eh! bien, j'en suis content, c'est une bonne fille. Mais, reprit-il frappé tout à coup par une réflexion lumineuse, elle est donc riche? 20

—Elle avait, répondit le président d'un air goguenard, près de dix-neuf millions, il y a quatre jours; mais elle n'en a plus que dix-sept aujourd'hui.

Charles regarda le président d'un air hébété.

—Dix-sept . . . mil. . . . 25

—Dix-sept millions, oui, monsieur. Nous réunissons, mademoiselle Grandet et moi, sept cent cinquante mille livres de rente, en nous mariant.

—Mon cher cousin, dit Charles en retrouvant un peu d'assurance, nous pourrons nous pousser l'un l'autre. 30

—D'accord, dit le président. Voici, de plus, une petite caisse que je dois aussi ne remettre qu'à vous, ajouta-t-il en déposant sur une table le coffret dans lequel était la toilette.

—Hé! bien, mon cher ami, dit madame la marquise
5 d'Aubrion en entrant sans faire attention à Cruchot, ne prenez nul souci de ce que vient de vous dire ce pauvre monsieur d'Aubrion, à qui la duchesse de Chaulieu vient de tourner la tête. Je vous le répète, rien n'empêchera votre mariage. . . .

10 —Rien, madame, répondit Charles. Les trois millions autrefois dus par mon père ont été soldés hier.

—En argent? dit-elle.

—Intégralement, intérêts et capital, et je vais faire réhabiliter sa mémoire.

15 —Quelle bêtise! s'écria la belle-mère.—Quel est ce monsieur? dit-elle à l'oreille de son gendre, en apercevant le Cruchot.

—Mon homme d'affaires, lui répondit-il à voix basse.

La marquise salua dédaigneusement monsieur de Bon-
20 fons et sortit.

—Nous nous poussons déjà, dit le président en prenant son chapeau. Adieu, mon cousin.

—Il se moque de moi, ce catacouas de Saumur. J'ai envie de lui donner six pouces de fer dans le ventre.

25 Le président était parti. Trois jours après, monsieur de Bonfons, de retour à Saumur, publia son mariage avec Eugénie. Six mois après, il était nommé conseiller à la Cour royale d'Angers. Avant de quitter Saumur, Eugénie fit fondre l'or des joyaux si long-temps précieux à son
30 cœur, et les consacra, ainsi que les huit mille francs de son cousin, à un ostensoir d'or et en fit présent à la paroisse où elle avait tant prié Dieu pour *lui!* Elle partagea

d'ailleurs son temps entre Angers et Saumur. Son mari, qui montra du dévouement dans une circonstance politique, devint président de chambre, et enfin premier président au bout de quelques années. Il attendit impatiemment la réélection générale afin d'avoir un siége à la Chambre. Il convoitait déjà la Pairie, et alors. . . .

—Alors le roi sera donc son cousin, disait Nanon, la Grande Nanon, madame Cornoiller, bourgeoise de Saumur, à qui sa maîtresse annonçait les grandeurs auxquelles elle était appelée. Néanmoins monsieur le président de Bonfons (il avait enfin aboli le nom patronymique de Cruchot) ne parvint à réaliser aucune de ses idées ambitieuses. Il mourut huit jours après avoir été nommé député de Saumur.

Madame de Bonfons fut veuve à trente-trois ans, riche de huit cent mille livres de rente, encore belle, mais comme une femme est belle près de quarante ans. Son visage est blanc, reposé, calme. Sa voix est douce et recueillie, ses manières sont simples. Elle a toutes les noblesses de la douleur, la sainteté d'une personne qui n'a pas souillé son âme au contact du monde, mais aussi la roideur de la vieille fille et les habitudes mesquines que donne l'existence étroite de la province. Malgré ses huit cent mille livres de rente, elle vit comme avait vécu la pauvre Eugénie Grandet, n'allume le feu de sa chambre qu'aux jours où jadis son père lui permettait d'allumer le foyer de la salle, et l'éteint conformément au programme en vigueur dans ses jeunes années. Elle est toujours vêtue comme l'était sa mère. La maison de Saumur, maison sans soleil, sans chaleur, sans cesse ombragée, mélancolique, est l'image de sa vie. Elle accumule soigneusement ses revenus, ct peut-être semblerait-elle parcimonieuse si elle ne démentait la médisance par un noble emploi de sa fortune. De pieuses et charitables fondations, un hospice pour la vieillesse et des écoles chrétiennes pour les enfants, une bibliothèque publique richement dotée, témoignent chaque année contre l'avarice que lui reprochent certaines personnes. Les églises de Saumur lui doivent quelques embellissements. Madame de Bonfons que, par raillerie, on appelle *mademoiselle*, inspire généralement un religieux respect. Ce noble cœur, qui ne battait que pour les sentiments les plus tendres, devait donc être soumis aux calculs de l'intérêt humain. L'argent devait communiquer ses teintes froides à cette vie céleste, et donner de la défiance pour les sentiments à une femme qui était tout sentiment.

—Il n'y a que toi qui m'aimes, disait-elle à Nanon.

La main de cette femme panse les plaies secrètes de toutes les familles. Eugénie marche au ciel accompagnée d'un cortége de bienfaits. La grandeur de son âme amoindrit les petitesses de son éducation et les coutumes de sa vie première. Telle est l'histoire de cette femme qui n'est pas du monde au milieu du monde, qui, faite pour être magnifiquement épouse et mère, n'a ni mari, ni enfants, ni famille. Depuis quelques jours, il est question d'un nouveau mariage pour elle. Les gens de Saumur s'occupent d'elle et de monsieur le marquis de Froidfond dont la famille commence à cerner la riche veuve comme jadis avaient fait les Cruchot. Nanon et Cornoiller sont, dit-on, dans les intérêts du marquis, mais rien n'est plus faux. Ni la Grande Nanon, ni Cornoiller n'ont assez d'esprit pour comprendre les corruptions du monde.

Paris, septembre 1833

NOTES

The manuscript of *Eugénie Grandet* was presented to Mme Hanska (afterward Mme de Balzac) December 24, 1833. At her death in 1882 it was sold at public auction. The text of 1834 and that of 1843 may be conveniently compared in the edition of the *Bibliotheca Romanica*, Nos. 81–83. No entirely satisfactory translation into English has been published.

GUIDE TO THE STUDY OF EUGÉNIE GRANDET

Like many other Frenchmen, Balzac possessed the dramatic sense in a high degree. If he had cast *Eugénie Grandet* in dramatic form there would have been four Acts with a Prolog:

Prolog

Description of the Rue du Château, at Saumur in Anjou, where stands the house of Félix Grandet, former Mayor of the town. Description of Grandet's family, and of six of his friends. Time: from 1791 to 1819. Pages 3 to 22.

Act I

Intrigue for the hand of Eugénie who, unknown to herself, is an heiress to millions. Scenes and incidents up to the night after the arrival of her cousin Charles Grandet, from Paris. Time: the evening of November 15, 1819. Pages 22 to 55.

Act II

Charles and Eugénie as lovers. Scenes and incidents up to Charles' departure from Saumur to seek his fortune in the Indies. Time: between one and two weeks. Pages 55 to 131.

Act III

Struggle between Eugénie's love for Charles and the despotism and avarice of her father. Scenes and incidents up to the death of Grandet. Time: seven or eight years. Pages 131 to 169.

Act IV

Reappearance of Charles Grandet and *dênoûment* of the love-story. The intrigue for Eugénie's hand revived; her marriage. Time: 1827 to 1833. Pages 169 to the end.

(Le Prologue)

Saumur.—La rue du Château.—"La Maison à Grandet."—Biographie de Grandet.—Les Cruchotins et les Grassinistes.—Encore "la maison à Grandet."—Portraits d'Eugénie et de sa mère.—Portrait de "la grande Nanon."

3. 1–8. **mélancolie . . . tristes . . . pâle et froid.** What note does the author sound in his overture?

The atmosphere of a provincial town affects him, Balzac tells us, like the Mediterranean sirocco (a hot, oppressive wind) "which unmans the stoutest heart and relaxes the fibres of one's being." The excitements and allurements of the capital—Paris—were dear to Balzac's heart.

Or, perhaps, these expressions—the book ends with the words *les corruptions du monde*—reflect the spirit of hopelessness and melancholy which followed the wars of Napoleon, a period of untold suffering and calamity from which recovery was slow. *Eugênie Grandet* was written only twelve years after Napoleon's death.

12. **Saumur.** Read what is said of Saumur in the Vocabulary, where all proper names are entered. Also see the map of France.

14. **Cette rue . . .** Balzac's introductory descriptions are famous for length, detail and completeness. Are they merely tedious, or do they serve important purposes? The author replies (Preface of 1834) that to deal with dim-colored figures a "multitude of preparations, infinite pains" are needed. Why? To produce the sense of reality, the impression that the people are real and the tale is true. Before presenting the miser and his family, Balzac is careful to describe the house they live in, the street, their neighbors. Taine well said: "Balzac assembles his fuel and heats his furnace up slowly: the reader works painfully with him and suffers in the effort; but by and by the pile of fuel thus patiently collected will catch fire and blaze."

4. 3. **couvertes en ardoises.** There is a great deal of slate quarried in Anjou, especially near Angers. It is used for roofing and facing (as here) and also as building-stone: whence the term "Black Angers." The *pierre* mentioned below is, however, *tuffeau*, a kind of white limestone quarried near Saumur.

15. **Ligueur . . . Henri IV.** See the Vocabulary.

23. **Dans cette rue . . .** This picture has a bearing on the story: it shows in what sort of a business world Grandet began his remarkable career. Secrecy and distrust are hinted at: the miser keeps his fellow-man at a distance.

5. 27. **observations . . . espionnages . . .** Another contrast with life in a large city. In provincial towns, says Balzac, *on vit en public.* There is a Provençal proverb, *Joie de rue, douleur de maison.*

6. 2. **La vie . . . en plein air.** The climate of Anjou is mild. The native poet Du Bellay long ago praised *la douceur angevine,* and later Balzac mentions *le beau soleil des automnes naturels aux rives de la Loire.* But in general we have too little out-of-doors freshness in Balzac's books. "This absence of fresh air," said Henry James, "is the great general defect of his manner": this may be taken literally and figuratively.

22. **la biographie de M. Grandet . . .** Notice that this falls into five parts: his fortune, his actions, his manners, his person, his friends.

31. **la République française . . . biens du clergé.** Early in the Revolution the *Assemblée nationale constituante,* being in desperate financial straits, decreed that the lands of the Church and those of the *émigrés* (royalists who had "emigrated") should be "at the disposal of the nation." These lands, *les biens nationaux,* or *domaines nationaux,* were then sold to the highest bidder, often at shamefully low prices. Here was Grandet's opportunity to found a fortune! As it turned out, the redistribution of lands gave a great impetus to agriculture, and the purchasers were confirmed in their legal titles later on, by Napoleon.

7. 12. **Napoléon n'aimait pas les républicains.** During most of his career Napoleon kept up the pretence of devotion to the ideas of the Revolution, but it was noticed that the sincere and able Republicans were sent on distant missions, and that the Republican army of Moreau was despatched to Santo Domingo (Hayti) where it was decimated by pestilence.

In 1796, Napoleon reorganized the administrative machinery of France. The form he gave it, in most of its features, still exists. He took care to have himself represented everywhere by officials of his own nomination—prefects, sub-prefects and mayors. (Read Sloane's "Napoleon," *Century Magazine,* vol. L (1895) pp. 652, 662, 846.)

8. 10. **ce qui les conserva.** Ironical, of course. In the eloquent preface to *Notre Dame de Paris,* 1832, Victor Hugo wrote: *C'est une chose affligeante de voir en quelles mains l'architecture du moyen âge est tombée.*

9. 24. **onze pour cent.** Five and six per cent. are the legal rates in France, but in the Colonies ten per cent. is allowed.

10. 4. **Rothschild . . . M. Lafitte.** See the Vocabulary.

11. 30. **Grandet** says **Balzac,** never used the words "yes" and "no"; but this appears to be erroneous, see pp **29,** 13, **62,** 24, **86,** 1 and 5.

12. 5. **en croyant le tenir. le** refers to **secret.**

17. **un homme de cinq pieds.** As the French lineal foot is a little longer than the English, Grandet is a man of medium height.

13. 1. **le seul être . . . Eugénie.** Is the daughter dear to the father only because she is his heiress? Opinions may differ on this point; watch the narrative for indications.

6. **un caractère de bronze** is one from which all humane and kindly feelings are absent.

21. **Cruchot.** The name is purposely suggestive: **cruche** means 'jug,' and also 'blockhead' (see p. **31.** l. 15.)

14. 14. **champ de bataille . . .** We learn here the particular theme of the book. Like a good romancer, Balzac makes the opponents quite evenly matched; soon he will skilfully introduce us in turn to each of Eugénie's three suitors.

19. **Ce combat secret . . . le prix.** Allusion, familiar to every Frenchman, to the climax of Corneille's famous play **Le Cid** (Acte V, sc. i). The heroine CHIMÈNE, after long resistance, in order to inspirit her despondent lover, Don Rodrigue, for his coming duel with Don Sanche, whose suit is distasteful to her, exclaims:

> . . . *si tu sens pour moi ton cœur encor épris* (in love)
> *Sors vainqueur d'un combat dont Chimène est le prix!*

And DON RODRIGUE cries:

> *Est-il quelque ennemi qu'à présent je ne dompte?*

15. 12. **femme contre moine.** "When Greek meets Greek." Endless are the French sayings at the expense of women and monks, as to their deceit and cunning. As to monks: *A la fin renard sera moine*, "the fox will end up a monk;" *Il faut se garder du derrière d'une mule et d'un moine de tous côtés.*

25. **famille ducale par la grâce de Napoléon.** Soon after Austerlitz, Napoleon created twenty honorary duchies in the lands around the Adriatic: Dalmatia, Istria, Parma, etc. The old hereditary aristocracy were at first very contemptuous of these *parvenus* who had risen by force of talent for war or politics. An interesting study of the two nobilities is Sandeau's successful play **Mlle de la Seiglière,** *1851.*

27. **voitures publiques.** These, in 1819, would of course be stage-coaches. Four years after *Eugénie Grandet* was written, in 1837, the first railroad in France was opened.

16. 31. **un marteau.** This plays an important part in the story: six times at least its fateful knock brings consternation to the hearts of Eugénie and her mother.

18. 26. **aux premiers froids du printemps:** "the early colds of Spring," instead of "the colds of early Spring." Goldsmith speaks of "the silent manliness of grief;" Shakspere and Tennyson have examples of this poetical transposition of the adjective.

19. 12. **sa taille haute.** In France a man of from 5 ft. 4 or 5 in., up to 5 ft. 8 or 9 in., is said to be "*de grande taille.*" As the French *pied* is a little longer than the English *foot*, Nanon is over six feet tall. (Note of J. L. B.)

20. **en tout il faut, dit-on, l'à-propos.** Balzac seems to have had in mind a well-known passage in the *Art of Poetry* of the poet Horace:

> Suppose some painter, for the whim, should trace
> A horse's neck with human head and face,
> Methinks you'd laugh, my friends, and well you might . . .
> Let all you write be *one* and *of a piece*.
>
> —Howes' translation.

20. 2. **l'âge où le cœur tressaille,** that is, youth. Grandet was then young enough to feel a lively repulsion for Nanon's warts and rags, but he was cunning enough to look beneath the unpleasing exterior.

21. 17–18. **Cette atroce pitié . . .** Why is Grandet's pity shocking? Because he pities Nanon only for her poverty (which is not in itself pitiful) and has no desire to improve her hard lot. He takes an unfeeling pleasure in the contrast between her misery and his own wealth. So, later on, Grandet's only compassion for his nephew's troubles is because Charles "hasn't a cent." See page **66.** 23.

I

La fête d'Eugénie.—Portrait de Mme Grandet.—Grandet raccommode lui-même son escalier.—Arrivée des invités.—Portraits.—Charles Grandet arrive chez son oncle.—Portrait du beau cousin de Paris.—Lettre de Guillaume Grandet à son frère.—Fin de la soirée.

22. 4. **un jour de fête . . .** Eugénie was born on November 15, which is Saint Eugénie's day in the Church calendar. As she was named Eugénie, her fête-day and her birthday coincide, which of course is not always the case. Below, the expression **les jours mémorables** means the 15th of November in successive years.

23. 2–3. **Il demandait parfois compte de son trésor.** Notice this, for Eugénie's "treasure" makes a great disturbance later on.

28–29. **un coup d'œil d'intelligence.** Do the mother and daughter believe that Grandet is really in earnest? Have they heard him make this same remark before? Have they already talked the matter over?

24. 9. **une résignation d'insecte . . .** One of Balzac's penetrating observations.

25. 22. **ironie . . .** An ironical situation is one which has an inner meaning for a privileged audience (the reader) and an outer meaning for the persons concerned. Thus (1) Grandet thinks he is generous towards his wife, but we know that he treats her in a niggardly way; (2) Mme Grandet thinks she is pleasing her husband by her self-denial, the reader sees that he takes it as a matter of course; (3) Eugénie thinks her father is poor, while in reality Grandet is rich; (4) Nanon believes she is fortunate to be the servant of the miser, whereas we see that she toils like a slave for miserable wages.

27. 7. **vous êtes des fêteux.** It is plain from Nanon's remarks that she makes herself very much "one of the family." *Fêteux* is for **fêteurs;** cp. *violoneux*.

12. **Charbonnier est Maire chez lui.** The saying really is, **Charbonnier est Maître chez lui;** in English, "Everyman's house is his castle." The others fail to see the rather poor pun, which at the same time is intended as a subtle compliment to Grandet, ex-Mayor of Saumur. For the origin of the French saying, see the Vocabulary.

28. 3. **Comme ça nous pousse, ça! Tous les ans douze mois.** "How fast this thing is growing up, isn't she? (She grows) twelve months in every year." The old notary is genuinely fond of Eugénie; his nephew, whose greeting is in such bad taste, has only her wealth in mind.

9–14. **Il ôta soigneusement . . . les deux chandelles.** Notice this vivid picture, and how it is built up: first, the grouping of a series of definite details, then in the midst is placed a person in motion.

29. 29. **blessé à Austerlitz,** in 1805. It was after this famous battle that Napoleon said to his soldiers, "My people will see you again with delight, and if one of you shall say 'I was at Austerlitz,' everyone will answer 'Here stands a hero.'"

30. 24. **l'accent eût illustré un acteur.** Grandet is acting a part, for he intends that Adolphe's aspirations shall be blighted.

31. 15. **Mon neveu est une cruche.** See Note above, page **13**. 21.

28. **Mademoiselle Nanon.** '*Miss* Nanon;' said in jest.

29. **la joie qu'elle avait causée.** Evidently the idea of the workbox as a birthday present to Eugénie was not Adolphe's.

33. 1. **tristement comique.** The scene is *sad* because the motives of Grandet and his guests are pitifully mean. It is *amusing* because Grandet does not let his guests see that he understands their motives, and because Eugénie imagines that their friendship is sincere. The French, as a nation, enjoy ironical situations. *L'ironie, en souriant, nous rend la vie aimable.* (Anatole France.) *Quel antiseptique, l'ironie!* (A. Daudet).

11. **il n'y a pas un de ses bonheurs . . .** The same over-pessimistic thought was expressed by the aging Fontenelle: "I am beginning to see things as they are: it is surely time for me to die." But the world's common sense agrees with the poet Gray:—

Where ignorance is bliss
'T is folly to be wise.

30. **Si nous y allions . . . malveillant.** Des Grassins is a veteran soldier: is not this precisely what a soldier would say under the circumstances? Is it not perfectly in character? See if the remarks of the others are equally characteristic.

34. 13. **il est neuffe-s-heures.** Incorrect language, for **neuf heures.** This is a so-called *fausse liaison*, like *entre quatre-s-yeux*, *il reviendra-z-à Pâques*. The elder M. Cruchot knows better than to make a blunder of this sort, he is playfully quoting the idlers who hang around the Diligence office.

29. **monsieur de Nucingen** is prominent in several of Balzac's novels (see Vocabulary). Did Balzac invent this "interlocking" of characters? Kipling often mentions a name and then says, "But that's another story." Does this help to give the sense of reality?

31. **Veux-tu te taire!** As a wooer Adolphe cuts a poor figure: it is bad tactics for him to help arouse Eugénie's interest in Charles. In Molière's *Don Juan* (II. 1) Pierrot, fiancé of Charlotte, makes the same blunder.

36. 5–6. **impertinemment.** Charles wishes to rebuke Mme des Grassins for her slightly impertinent question.

37. 4. **sa collection de gilets.** The dandy of 1820–1830 was especially partial to waistcoats. The young painters and artists of the day loved to dazzle the plain citizen (**épater le bourgeois**) by their gorgeous and eccentric attire. Théophile Gautier's scarlet vest and pale-green trousers have passed into history.

26. **la vie de château.** The "country life" of the rich. The Loire valley is the château country *par excellence.*

39. 10. **prendre garde . . . paire de gants.** Rather a snobbish remark; but Balzac was not at all well-bred.

21. **sans se soucier de ses hôtes.** Grandet, in fact, has no manners at all. When Charles entered he did not even take the trouble to introduce him to the company present. Of him the French would say, *Il ne sait pas vivre.—Il a des façons de rustre.—Il est mal élevé.*

41. 17–18. **il lui avait plus surgi d'idées.** Emerson notes the fact that "men have written good verses under the inspiration of passion, who cannot write well under any other circumstances."

42. 1–2. **un verre d'eau sucrée . . .** If in place of wine water is offered to a guest it must be slightly sweetened, "to take off the cruelty of the water," just as we are careful that a guest's water be cool and fresh. The French lecturer's glass of water also is sweetened; some French women take **eau sucrée** instead of wine.

8. **la première plaisanterie.** Eugénie actually ventures to repeat in public her father's "*puisque c'est la fête d'Eugénie*"! In that household up to this moment jesting had been Grandet's special privilege and monopoly.

32. **Votre oncle est un grigou . . .** The frankness of Mme des Grassins is almost incredible. To say that Eugénie is **sans dot** is, of course, a lie.

45. 15. **Charles n'a plus de famille.** His mother was dead, as appears later. She being an illegitimate child, not recognized by either parent, Charles' maternal relatives were not known; at least to the eyes of the law.

47. 9. **Vous causez donc?** After this tragic and appealing letter, Grandet's cold indifference is staggering. Truly his heart is of iron or of bronze.

16. **couchait.** See Grammatical Notes, p. 226, § 6, *i*.

48. 23. **elle était jaune comme un coing.** "An abominable libel," remarks G. Saintsbury.

30. **il m'a promis de venir dîner.** This engagement was never kept, for next morning Charles learned of his father's suicide.

50. 2. **des intentions . . . matrimoniales.** The President has missed the real reason for Charles' exquisite toilet.

13. **ce génie d'analyse que possèdent les provinciaux.** A true touch. Cp. the same talent for shrewd guessing about other people's affairs pictured in Barrie's *Auld Licht Idylls*, and in the New England stories of Sarah Orne Jewett and others.

51. 32. **alla rinforzando.** See Grammatical Notes, § 6, *g*.

53. 23. **une table de nuit . . . voltigeurs.** Sentry-boxes, sometimes large enough to contain a soldier on horseback, are a common sight in Europe.

55. 1. **"à demain les affaires sérieuses."** The story is as follows: *Archias fut un des tyrans imposés par les Spartiates à la ville de Thèbes, en 482 avant J.-C. Ayant reçu, au milieu d'un festin, une lettre qui l'informait du complot de Pélopidas, il la jeta, sans la lire, sous son coussin, en disant: "A demain les affaires sérieuses." Peu d'instants après il fut égorgé* (murdered) *par les conjurés.*

II

1. *Toilette matinale d'Eugénie.—Nanon, bonne à tout faire.—Grandet se promène avec Maître Cruchot.—Le déjeuner de Charles, qui apprend plus tard la mort tragique de son père.—Soirée mélancolique du premier jour.*

56. 11. **désormais allait avoir un sens.** "No man ever forgot the visitations of that power to his heart and brain, which created all things new; when a single tone of one voice could make the heart bound; when the youth becomes a watcher of windows, and studious of a glove. . . . The passion rebuilds the world. It makes all things alive and significant." (Emerson's *Essays*).

57. 28. **Elle avait une tête énorme.** Do not translate *énorme* by 'enormous;' it means 'unusually large.' 'An enormous head' would be in French *une tête immense.*

29. **le Jupiter de Phidias.** The famous colossal statue of Zeus at Olympia. Our knowledge of this masterpiece in gold and ivory is unfortunately limited to literary descriptions and to copies on coins. (See Gayley's *Classic Myths*, § 33).

58. 13. **Eugénie était encore sur la rive . . .** So the young girl in Longfellow's *Maidenhood:*

> Standing with reluctant feet
> Where the brook and river meet,
> Womanhood and childhood fleet.

59. 5. **faut-il pas le voler.** Idiomatic: see Vocabulary, *falloir.*

60. 18. **quasiment comme des filles à marier.** 'a good deal like girls of marriageable age,' who, to avoid bad complexions and stout figures, are fastidious and abstemious in their diet.

61. 9–10. **le sucre . . . valait toujours six francs la livre pour lui,** as in the time of the Continental Blockade, when France was deprived of all colonial products.

19. **Non, non, répondit Eugénie.** Rather than have a "scene" with her father, Eugénie pretends she doesn't want the cake.

30. **Quien! s'écria Nanon.** The servant is pleased with her success, but also relieved to have the unpleasant contest over.

63. 14–15. **Sans être la dupe . . . de son ami.** The notary has come out early to get the news. Grandet is not deceived: he knows the meeting is not, as it seems, accidental.

28. **un contrat (de mariage) à dresser.** The Code says: *Toutes conventions matrimoniales seront rédigées, avant le mariage, par acte devant notaire.*—Art. 1394.

64. 24. **si joyeuse pour elle,** that is, half an hour before.

11. **Ah bien oui! personne.** 'Call as much as you please: nobody answered.'

23. **Oui, pauvre, il ne possède pas un sou.** Words like these, Taine says, "are like a blow from a knife, severing with one stroke the root of humanity and pity." Cp. Note p. **21.** 17.

67. 16. **Tu ne le verras plus.** As Grandet does not yet suspect that Eugénie has taken more than a cousinly interest in Charles, his words are unnecessarily brutal. The next scene—Charles' breakfast—is one of the best in the book.

68. 19. **il plaît à Nanon.** Eugénie here and elsewhere displays a charming *naïveté.*

70. 29. **ses châteaux en Anjou.** Said in joke for **châteaux en Espagne.** (Saumur is in the old province of Anjou).

72. 13. **la grisette de Paris.** Working-girl, not averse to attentions from young men. Read Oliver Wendell Holmes' youthful poem *La Grisette.* Mark Twain too was interested in the type: see *Innocents Abroad.* Nowadays in Paris, the *midinettes* have taken the place of the *grisettes.*

73. 17. **Ce que vous dites . . . annonce un bon cœur.** Charles' speech is rather self-conceited. Mme Grandet's comment is intended to be amiable, but it is doubtful whether she has understood a single word of what her nephew said about Parisian high life.

74. 12. **Enfant!** that is, *Enfant que tu es!* in a tone of indulgent reproach for her childlike enthusiasm.

32. **se dressa comme une biche effrayée.** Notice that Balzac never directly describes Grandet's terrifying presence, but he conveys a most vivid impression of it by showing the instant and electrifying effect it has upon Eugénie, her mother, and Nanon.

79. 15–17. **Eugénie . . . commença à juger son père.** How keen is this analysis of Eugênie's mind! It now dawns upon her that her father's actions, which her mother and Nanon (for different reasons) never question, may be all wrong. Soon she must find courage in her heart to actually resist his overbearing will.

81. 3. **la distinction entre une faillite involontaire . . .** "Le Code a distingué la faillite des banqueroutes. La faillite n'est que le résultat de malheurs que le commerçant n'a pu éviter, et ne donne lieu contre lui à aucune poursuite correctionnelle ni criminelle. La banqueroute est la suite de ses fautes ou de son dol (fraud)." There is *banqueroute simple,* which is punishable by from one month to two years of prison, and *banqueroute frauduleuse,* which may involve imprisonment at hard labor. As Balzac says, Grandet's words to his daughter are needlessly cruel.

7. **il doit quatre millions (de francs).** Grandet takes a wicked

pleasure in making matters as bad as possible. He knew that his brother's estate would pay *at least* 25% of the debts, and, as it turned out, the amount paid the creditors soon after the failure was 47%, or nearly one-half. So, a moment later, he betrays himself by saying, in reply to Eugénie's question, "Two millions, why, two millions is . . ."

27. **mon père, vous êtes bon, vous!** Nantes is at no great distance from Saumur (see Vocabulary), but Eugénie is not strong on geography and her father's grudging offer seems to her generosity itself.

82. 3. **nous dirons des neuvaines pour lui,** *i. e.*, for her uncle, the suicide. The souls of unrepentant suicides, according to Catholic teaching, are lost. So in Dante's *Inferno*, canto xiii. Cp. **83.** 30 and **84.** 13.

83. 5. **c'est une vraie bénédiction.** Peculiar idiom: see Vocabulary, *bénédiction.*

11. **Eugénie était sublime, elle était femme.** Balzac means that to be a real, a very woman is a wonderful thing. Frenchmen have always maintained that women have a separate and different "sphere" from that of men. See p. **94.** 32. So, later on, Balzac says: *Eugénie devait être toute la femme*—'Eugénie was intended to be a complete woman' (p. **132.** 9). At the same time it must be admitted that Balzac's good women are a bit too angelic in their virtues.

85. 9. **Le vigneron entra joyeux.** Grandet's heartlessness is artistically complete; he has totally forgotten that his house is a house of mourning. His is surely *un caractère de bronze!*

19–20. **je ne les en ai pas empêchés.** No, but he has broken a solemn agreement to hold out for a certain price and not to undersell his fellow wine-merchants. See above, p. **29.** 13, where he tries (not quite successfully) to make Cruchot believe that the Grandet wine will also be held back for two years more.

86. 22. **je t'envoie . . . à Noyers . . . voir si j'y suis.** 'To see if I'm there;' 'just to get rid of you.' It is told of Flaubert that when a boy of nine he was easily taken in by the simplest trick. 'Go and see if I'm in the kitchen,' an old servant would say who found his company inconvenient.

89. 7. **les garces démoliraient le plancher.** 'These good-for-nothing women would tear up the floor.' So Grandet applies insulting words to his own wife and daughter!

17. **Que le diable emporte ton bon Dieu!** "His wife implores him in God's name; his answer is, 'The Devil take Him!' Here we are awed at human nature: one feels that it contains unknown chasms wherein everything can be engulfed." (Taine.)

23. **le paradis terrestre du luxe.** It is to be feared that an atten-

tive student would find that Balzac himself had a serious weakness for this terrestrial paradise; such a preachment comes ill from him.

91. 18. **instruite, la Vertu calcule.** It is true that good people (who, after all, must live in the world) have found that it is best to avoid even all appearance of evil.

26. **l'amour excite l'amour.** Cp. Francesca's famous words to Dante: *L'amour qui ne fait grâce d'aimer à nul être aimé.* (Fiorentino's translation).

92. 17. **Je vais muser sur la place.** Has Grandet no fears, no embarrassment at meeting any of the injured proprietors towards whom he has acted so treacherously? No; all the finer instincts in him have dried up, and his skin is very thick.

2. *Deuxième journée.—Grandet dîne les Cruchot.—La question des dettes de Guillaume Grandet.—Expédition nocturne à Angers.—En l'absence de son père, Eugênie fait visite à son cousin: "Entre nous l'argent ne sera jamais rien!"*

93. 23. **la seule (supériorité) qu'elle pardonne . . .** Balzac's pronouns sometimes leave his sentences obscure. The thought is: Pity is the only feminine superiority which woman is willing to pardon man for allowing her to assume over him. She is willing to see man inferior in this field, but not in any other, because sympathy is her peculiar province.

95. 27. **l'avenir était à eux.** 'The future was theirs'; 'henceforth they could not conceive of a future apart.' A penetrating phrase, more searching even than Meredith's, "These two laughed and the souls of each cried out to other, 'It is I,' 'It is I.'" (*The Ordeal of Richard Feverel*, I, 15).

101. 5. **Nous verrions donc . . . relatives . . .** Grandet is not talking sense, and he knows it.

102. 24. **Monsieur de Bonfons.** It is stated above, during the long conversation on banking matters, that "pour la seconde fois depuis trois ans Grandet nommait Cruchot neveu 'monsieur de Bonfons.' Le Président put se croire choisi pour gendre par l'artificieux bonhomme."

103. 16. **Il est dans le caractère français de s'enthousiasmer . . . pour le météore du moment.** The sensation of the hour, the nine-days-wonder certainly attracts plenty of public attention in France. *Le courage bouillant et inconsidéré, le manque de patience et de ténacité, la soudaineté et la mobilité des résolutions, l'amour de la nouveauté, le goût de la parole et de l'éloquence, tout cela est français.* (G. Lanson). But the steady progress France has made testifies to the

fundamental seriousness of her people: only superficial observers conclude that the French are *merely* frivolous and fickle.

17. **les bâtons flottants de l'actualité.** See Vocabulary: *bâton.*

104. 13. **Mon père enlèverait-il mon cousin?** Eugênie understands her father's iron will; he is quite capable of putting Charles out of his way if the young man should hinder him too much.

105. 14. **Tu diras à ma femme . . .** Grandet esteems his wife so little that he will send a false message to her by a servant who knows it is a lie!

109. 26. **la froideur empreinte dans cette lettre.** Charles' coldness of heart is shown in that (1) he is unwilling to give up his frivolous life; (2) if he really cared for Annette, he would beg her to remain faithful to him; (3) he is unwilling to accept sacrifices from her, which is pride. But Eugénie idealizes Charles too much for her to be able to see these faults in him.

111. 2. **ce que Mme Campan nous disait.** Annette had been a pupil at this lady's famous girls' school, founded during the First Empire. It would be interesting to know whether or not this overcynical remark is authentic. See also the Vocabulary.

6. **Marat.** See the Vocabulary.

113. 4. **insulaire.** Unusual meaning: see Vocabulary. It seems that Charles Grandet, in order to pay his gambling debts, has been borrowing money from his father's house-agent. For the word see the article *Insularius* in Du Cange.

114. 20. **cinq mille huit cent francs . . . deux mille écus.** The face value of the coins was 5,800 francs, but as fine specimens of coinage they were worth 200 francs more. Thus, Eugénie's treasure, which she prizes so little in the light of her new interest in Charles, came to about $1200, but its purchasing power was perhaps twice that amount.

117. 26–27. **entre nous . . . l'argent ne sera jamais rien.** Eugénie proves loyally true to this ideal; Charles falls sadly short of it.

3. *La semaine suivante.—Grandet revient d'Angers.—Le printemps de l'amour.—Serments d'adieu.—Le départ de Charles.*

121. 1. **Allons, adieu . . . tout à vous.** 'Well, good-bye . . . call on me if you need me.'

13. **La joie du vigneron les épouvantait toujours . . .** Why should Grandet's joy frighten them? Because they could not in the least understand what caused it, and felt instinctively that they were defenseless against its complete selfishness.

17. **quand Auguste buvait, la Pologne était ivre.** A 12-syllable

(or "Alexandrine") verse from an *Epistle* by Frederick II, King of Prussia, who was something of a poet in French:

> Lorsque Auguste buvait, la Pologne était ivre;
> Lorsque le grand Louis brûlait d'un tendre amour
> Paris devint Cythère et tout suivit la cour. . . .

Voltaire made the first verse well-known in France by quoting it in an *Epître à l'Impératrice de Russie, Catherine* II, 1771. For Auguste, see Vocabulary.

22–23. **le tonnelier . . . dit beaucoup de ses apophthegmes.** The old man has here reached the perfect contentment which Faust longed for: he is saying to the passing moment, "Stay, thou art so fair!" His ruling passion is now enjoying complete gratification.

24. **un seul donnera la mesure de son esprit.** It would be a serious error to understand this as ironical, for Grandet, as Taine points out, is really intelligent and not to be laughed at. His triple apothegm (pithy remark) accords well with the world's oldest wisdom. The first and second parts, which seem to mean, 'The delicious moment once enjoyed cannot be prolonged or brought back,' might be compared with Goethe's, *Jede Freude endigt sich mit dem Genuss*, and with Lamartine's *Le Lac:*

> O temps, suspends ton vol! et vous, heures propices,
> Suspendez votre cours!
> Laissez-nous savourer les rapides délices
> Des plus beaux de nos jours!

The third part, which has the homely parallel, 'You cannot eat your cake and keep it too,' is at bottom the same thought as that developed by Emerson in his great essay on *Compensation*. These ideas seem to have haunted Balzac's mind, for "the nemesis of accomplished desire" is the main subject of his earlier novel *la Peau de chagrin* (The Magic Skin), a weird tale.

124. 5. **les romans d'Auguste Lafontaine.** This German novelist, author of some eighty novels, had been translated into French and was much read in Balzac's time. In his books the characters are monotonously virtuous and the psychology weak. He died in 1831. (Not to be confused with Jean de La Fontaine, the French author of fables in verse, who died in 1695).

6. **la Marguerite de Gœthe,** the Margarete (or Gretchen) of Goethe's *Faust.*—**moins la faute,** 'before her fall.'

19. **Répudiation terrible!** In his father's letter Charles was asked not only to renounce inheriting from his mother, the effect of which would be to benefit the other creditors, but also to renounce inheriting

from his father. The effect of the latter renunciation would be that Charles would not assume the load of his father's debts. This was considered more or less dishonorable—a stain upon the family name. But Charles does not feel this: he says to Des Grassins who threatens, later on, to declare his father a bankrupt, "*les affaires de mon père ne sont pas les miennes.*"

125. 31. **Eugénie vous conserverait ce bijou.** *vous* means 'for you' not in the sense of 'to return it to you,' but 'you would know it was safe.'

126. 9. **Il faut laver . . . en famille.** This oft-quoted expression is ascribed to Voltaire, but it was made more widely known by Napoleon, who used it in a public address, in 1814.

11. **Grandet se gratta l'oreille.** For once the thick-skinned miser is embarrassed: Charles credits him with more honorable motives than he can lay claim to. Later it appears that Charles felt some resentment at the small sum given him for the jewelry. See p. **176**.

127. 30. **J'avais bien présumé d'Alphonse.** Charles' father gloomily predicted (see p. **45.** 30) that *tous ses amis le fuiront*, and Charles himself had written (see p. **112.** 10) *je n'aurai plus d'amis*. But he excepted this Alphonse who is loyal to him in his troubles, and it now appears that two other friends have sent him sums of money. So in this case Balzac has not painted the world as black as he might.

129. 24. **chaque jour** in the sense of 'often,' 'frequently.'

131. 8–9. **Le notaire seul . . . avait bien compris . . .** Grandet meant, 'for, in that case (if you return a rich man) it will depend entirely upon you to settle your father's debts, and not upon me.'

13. **"Bon voyage!"** Grandet's words may have a double meaning: "good-bye!" but also "good riddance."

III

1. *Les deux premiers mois après le départ de Charles.—Le jour de l'an: Grandet apprend la disparition du trésor d'Eugénie.—Mme Grandet s'alite.—Reclusion d'Eugénie.*

132. 3–4. **la femme demeure.** A thought often expressed in books. It applies with more force to women of the Old World than to those of the New.

11–12. **la sublime expression de Bossuet.** "Le temps ou j'ai eu quelque contentement, où j'ai acquis quelque honneur? mais combien ce temps est-il clairsemé [*scattered wide apart*] dans ma vie? C'est comme des clous attachés à une longue muraille, dans (*for* à) quelque distance, vous diriez que cela occupe bien de la place; amassez-les, il n'y en a pas pour emplir la main." Bossuet's *Méditation sur la Brièveté de la Vie*, 1648. The simile seems more curious than sublime.

16–17. **Eugénie . . . la trouva bien vide.** Finely expressed by Lamartine in his poem *Isolement:*

Un seul être vous manque et tout est dépeuplé.

133. 9. **en voyant cette étoile . . .** An ancient superstitious belief was that Venus can bring about the reunion of separated lovers: they look upon the star at a certain hour and this serves as an intermediary between them. The idea is found in the charming medieval tale *Aucassin and Nicolette,* where the young man sings:

Étoilette, je te vois
Que la lune trait à soi. . . .

18–31. **Nanon . . . disait à Eugénie.** One of Nanon's inimitable speeches. Faithful and good-hearted, it would be a mistake, as Mr. Saintsbury says, to think Nanon stupid. Her portrait is one of the most "convincing" in all Balzac's work.

134. 20. **une tragédie bourgeoise.** 'A middle-class tragedy.' See discussion of this term in the Introduction.

135. 18–19. **sa lettre.** Eugénie means Charles' letter to Annette: she could not forget those phrases, *Hélas! ma bien-aimée, je n'ai point assez d'argent d'aller là où tu es. . . .*

Here begins the most dramatic "scene" in the whole book, one which for vividness of feeling and mastery of exposition is unsurpassed in Balzac's *Comédie humaine.* If pity and terror are the two emotions to be aroused in the spectator of a play, this is a successful act of the domestic tragedy. Balzac in all his power is here.

136. 5. **pain trempé dans du vin.** Possibly a souvenir of an amusing scene in Molière's **le Médecin malgré lui** (ii, 6): the sham doctor Sganarelle prescribes bread soaked in wine to cure the pretended dumbness of Lucinde. *Pourquoi cela?* asks the father. *Parce qu'il y a dans le vin et le pain, mêlés ensemble, une vertu sympathique qui fait parler*, replies the sham doctor.

31–32. **Bah! nous nous en tirerons.** Mme Grandet, who has not a spark of imagination, is here foolishly optimistic. Her helplessness is the result of her long subjugation to Grandet's will. The miser, of course, does not hear this remark of hers.

138. 13. **les linottes.** To this terrible tyrant, his wife and daughter are only, as Taine says, "gentle little birds to whom he gives an occasional grain of millet, but whose necks he could wring with one touch of his thumb."

21. **Ici ton père . . .** Mme Grandet still hopes, but she will be cruelly deceived. **Ici** means 'This time.'

139. 15. **ça** is here the *pâté de foies gras,* with truffles.

140. 11. **pourquoi nous écoutes-tu?** It seems, from her lingering, that Nanon also has been taken into the terrible secret; but we have not been informed of this.

141. 1. **Tu devrais me baiser sur les yeux . . .** An all-devouring love of money-power here borrows the language which belongs by right to the unselfish affections.

14. **Par la serpette de mon père!** We dare not be amused at this strange oath of the old cooper's: Grandet's passion is too terrible.

"Balzac finds for every circumstance words and expressions typical of his characters. One feels that they could not have failed to speak as they do, and this is the supreme gift of the story-writer." (A. Daudet.)

143. 25. **Grandet pâlit . . . jura.** Up to this point the miser has kept his temper; here his chagrin and vexation bursts all bounds and foolish words follow. Finally, habit suggests to him a punishment suitable only for a child. Eugénie wins a moral victory.

144. 29–30. **éducation religieuse surtout.** Grandet never loses a chance to show his contempt for all that has to do with religion.

145. 18. **Je ne savais rien de tout ceci.** Poor Mme Grandet is frightened into a lie, as she afterwards confesses to Eugénie. It is true that she did not know of the transaction *at the time*, but her words give a different impression, and she knows it.

146. 8. **tirez-lui les vers du nez.** 'Worm her secrets out of her.' This coarse expression originated from the fact that if the pores of the skin at the sides of the nose become filled with dirt, pressing the skin firmly will force the dirt out in little spirals.

18. **elle changea d'idée.** Mme Grandet began to say, "Well, sir, if, as you say, Charles has gotten away with the money and is beyond recall, why not just let the matter drop?" But a glance at her husband convinces her that it is hopeless to expect this, and she changes to: "Well, sir, why do you ask *me* to worm the secret out of her? She takes after you more than me."

147. 9. **manger le bon Dieu.** 'to take communion.' Not necessarily irreverent, but merely colloquial.

149. 28. **sous la conduite de Nanon.** The French girl may not go out unaccompanied; but conventions are relaxing somewhat in this respect in France.

152. 13. **Vous aurez un jour besoin d'indulgence.** In this Mme Grandet is quite mistaken: the miser, when he dies, "has suffered neither in his heart nor in his property, he has suffered neither privations nor remorse." (Taine).

30. **dont le caractère resta de bronze . . .** Notice how Balzac

keeps repeating the word *bronze*, as giving us the clue to Grandet's inmost nature. Cp. note to p. **13.** 6–7.

2. *Maître Cruchot trouve moyen de terminer la reclusion d'Eugénie.—Scène du nécessaire.—Mort de Mme Grandet.—Eugénie renonce à la succession de sa mère.—Mort de l'avare.—Mariage de Nanon.*

154. 6. **Elle a raison, dit Mme Grandet.** But notice that, a few moments later, Eugénie's mother turns right about and advises the contrary action. She is a weathercock, and hence gives no support to Eugénie.

155. 5. **Charbonnier est maître chez lui.** See note to p. **27.** 12.

27. **la situation où vous seriez.** The situation is clearly described by Balzac. If Mme G. died, Eugénie could claim her share of the common property of her parents, for French law would not permit the wife to leave all her property to her surviving husband. Eugénie and her father would share the estate equally, but in order to ascertain her share, a detailed inventory would be necessary and even a public sale (*licitation*) to fix the just value. But Eugénie may, if she wishes, renounce her inheritance. This may be done in two ways: she may either take merely the legal title to her share, leaving the income from it to her father—this is what lawyer Cruchot proposes; or she may renounce the inheritance entirely, leaving everything in Grandet's hands. Being indifferent to money and willing to oblige her father, this is the course she takes, altho the lawyer calls it a "spoliation."

156. 31. **ce que vous me chantez là.** 'all that stuff you are giving me.' Grandet tries to pretend that he disbelieves Cruchot.—**le Code,** the famous Code Napoleon, the last important revision of French law.

158. 6. **reposoir de la Fête-Dieu.** The *reposoir* is a temporary construction containing an altar and decorated with flowers and ornaments, erected in a street or public square on the route of the religious procession on Corpus Christi day. In France this falls upon the first Sunday after Trinity. The Fête-Dieu, the feast of the body of Christ, or Eucharist, was formerly one of great magnificence and ceremony. At Paris, much of the popular interest in the procession has been lost since the time when these resting-places of the Host were permitted only in churches.

12. **recevoir dans votre maison.** Mme Grandet had planned to erect a *reposoir* in the street outside, from whence the Host would be carried into the house, she being confined to her bed.

159. 3–4. **le bonhomme . . . avait pris son passe-partout.**

Hence the friendly knocker failed to give its usual timely warning of the approach of the miser. Here begins another great scene.

27. **voulut prendre.** See Vocabulary: ***vouloir***, and cp. *voulut sortir*, p. **104**.

160. 13. **Voir, c'est pis que toucher.** 'To look at it is worse than to handle it.' Grandet seems to mean, If you didn't want me to handle it, you ought never to have taken it out: you took the first step, I am only taking the second; you are as bad as—yes, worse than—I am.

21. **en souriant à froid.** A *sourire à froid* is one which is purely mechanical, a pretended smile in which there is no feeling of enjoyment. How could Balzac describe this scene in such poignant detail unless he had witnessed one like it?

161. 32. **Eh! bien, c'est ça.** 'Oh well, all right' (if you insist). Grandet already seems to repent of his unusual impulse of generosity.

162. 30. **Le chagrin est entré chez moi . . . mon frère.** Grandet can lie whenever it suits his purposes: he has not spent a cent in Paris for his brother's account, but M. Bergerin has no means of knowing the truth of the matter.

164. 29. **devant un enfant.** Grandet keeps forgetting that Eugénie has grown up and is legally of age. Or, has he a purpose in "forgetting?"

165. 20–21. **payer . . . messes . . . à ceux.** Note *payer* is here 'pay for;' *à ceux* 'for those' (not '*to* those')—for Guillaume Grandet and her mother. The miser had no money to waste on these things!

29. **y frappant avec la sienne.** To strike hands signifies the completion of a bargain; cp. *tope!* or *topez là!* 'shake!' But in this case Grandet does all the hand-shake himself.

166. 4. **ce qu'il t'a donné.** Grandet has given his daughter life, she now returns his gift. Life is a business matter!

6. **Je te bénis! Tu es une vertueuse fille.** "These jerky, strangling outbreaks of the miser stifling the father are horrible." (Taine.)

169. 14. **une expression de béatitude.** "Do you still consider Grandet grotesque?" asks Taine. "What joys has this man tasted! He has relished the pleasures of success, of repeated victory, of superiority established. He dies at an extreme old age, in wealth and security, in the entire gratification of his dominant passion, in the silence of other desires . . . Corneille wrote the generous epic of heroism: Balzac writes the triumphant epic of passion."

21. **un épouvantable geste.** 'A dreadful movement of the arm.' The motion was dreadful because it showed how the consuming flame of the miser's passion had burned his soul to dust and ashes: the sacred communion service and the crucifix, emblems of man's higher

nature and aspirations, failed to awaken the slightest response in Grandet. Balzac has found the right word for this terrible condition—*épouvantable!*

28. **la christianisme . . . la religion des avares.** 'Christianity must needs be (*doit être*) the religion for misers.' It is the right religion for them because it teaches of a future life where persons may recognize each other, and the miser may demand an account of the property he has left behind.

But this does not mean that Grandet himself believes in the future life. Balzac himself has told us, p. 89. 19: *Les avares ne croient point à une vie à venir, le présent est tout pour eux.* Grandet is only taking advantage of Eugénie's belief to threaten her, and to warn her against dispersing his precious fortune when he shall be gone.

170. 21. **il y a la mer entre nous, dit-elle.** When Charles departed, Eugénie had bought a *mappemonde* to follow him to the Indies, but poor Nanon is very, very weak in geography.

171. 7. **Elle eut les bénéfices de sa laideur.** Nanon's ugliness had saved her from all sorts of dissipations and dangers.

14–15. **Nanon . . . était aimée de tout le voisinage.** Here was Nanon's reward. While Grandet never succeeded in getting outside of himself, his poor kitchen drudge forgot self in serving her masters.

IV

Sept années d'attente!—La nouvelle Pénélope.—Charles Grandet fait fortune aux Indes.—Madame d'Aubrion et sa fille.—Trahison de Charles.—Mariage d'Eugénie.—Mort de son mari.

172. 21. **ouvrage de Pénélope.** In Ulysses' absence, his wife Penelope was importuned by many suitors. Finally she pledged herself to make a choice among them when a certain robe she was weaving should be finished: but she unravelled at night what she had done by day. Balzac makes the allusion both because Eugénie's piece of embroidery seemed never to be completed and because it was not for the embroidery's sake she was doing it.

173. 5–6. **un chancelier qui voulait lui tout dire.** 'A Keeper of the Seals who had no secrets from her.' The Magistrate was a very important personage in the town, but so keen was he to win Eugénie by flattery and attentions that he often told her more or less private matters which he withheld from others.

175. 3. **Le baptême de la Ligne.** A ducking administered by the sailors to all those on the ship who are passing under the Equator for the first time. . . . **préjugés.** Life in the tropical countries lowered Charles' standards of conduct, his former scruples of conscience he

now dismissed as prejudices. Like Kipling's sea-rover, Charles was traveling the road to Mandalay—"where there ain't no Ten Commandments."

8. **la traite des nègres.** 'The negro slave trade.' Just before the Revolution, there were some 600,000 slaves in the French colonies alone; it was during this period that efforts were first made to do away with the evil. Not until 1848, however, did France emancipate all her negroes.

22. **Charles devint dur.** Perhaps if he had received kinder and more normal treatment from his rich uncle, Charles would not have thus relapsed into materialism. See the statement p. 68, 6.

25. **droits de douane . . . droits de l'homme. Droits** is used here in two different meanings; Balzac almost makes a pun on the word. *Les droits de l'homme* is a famous phrase: at one time, not long ago, it appeared upon the French postage stamps. In 1789, the Assembly published to the world its *Déclaration des droits de l'homme et du citoyen,* a French *Magna Charta:* Law is the expression of the general will, all men are born free and equal as to rights, all men are equal before the law, no man shall be disturbed for his political or religious opinions so long as their manifestation does not trouble public order. *Ainsi*, writes a French historian, *se fondait réellement la patrie française.*

176. 24. **tirer 7 ou 8% en les monnayant.** Gold-dust to the value of 92 or 93 francs would make a 100-franc piece. Providing, of course, that coinage were free, Charles would pocket the difference.

177. 3. **sans dot.** The dowry plays an important role in most French marriages. Under the *régime dotal*, the bride may retain control of her property. Élise, in Molière's *L'Avare* (Act I, scene vii) is to be married to Sir Anselm, against her will, largely because her father finds that Anselm will take her "*sans dot.*"

10. **l'insecte, son homonyme.** The dragon-fly (*la libellule*) is known among the people as the "*demoiselle.*" One meaning of the word *homonym* is, "he or she who has the same name as another person."

23. **le nez avait l'impertinence de rougir.** As whimsical as Rostand's lines in the play *Cyrano de Bergerac* (Act I, scene iv):

> Le voilà donc ce nez qui des traits de son maître
> A détruit l'harmonie! Il en rougit, le traître!

32. **le même hôtel . . . L'hôtel d'Aubrion.** Notice the different meanings of *hôtel*.

178. 5. **les préjugés de M. d'Aubrion sur la noblesse.** The good old gentleman believed that a title of nobility stood for some real superiority or distinction, and should not therefore be sold for money. But to Mme d'Aubrion this idea is a mere prejudice.

10. **un majorat de 36,000 livres de rente.** Under the Old Régime (before the Revolution) the kings, in granting titles of nobility, might stipulate that the candidate should possess estates valuable enough to insure that the title would be kept up with becoming dignity. Moreover, the estate must pass to the eldest son, or nearest heir, along with the title. All such arrangements had been swept away by the Revolution, but had been restored by Louis XVIII and Charles X. The *majorat* was abolished by law soon after Balzac wrote (1835).

27–28. **où tout le monde voulait alors entrer.** Balzac implies that the fashionable quarter in Paris had shifted between 1827 and 1833, the date of *Eugénie Grandet*. The most fashionable quarter has now migrated elsewhere, the western Boulevard des Italiens, the Arc de l'Etoile, Passy, etc.

28. **le nez bleu de Mlle Mathilde.** The nose of Mlle d'Aubrion, it appears, had three phases—flavescent, red, purple.

179. 16. **les trois cent mille francs.** The creditors had received a dividend of 47% of the sums due them, then, weary of waiting, had agreed to accept 10% more and relinquish their claims.

180. 10. **le sieur des Grassins.** This ancient legal title (instead of *monsieur des Grassins*) is used by Balzac to suggest Charles' spirit of over-elaborate politeness towards one whose errand and presence are an annoyance. There is just a shade of contempt in the word at other times.

17. **les catastrophes.** The painful quarrel with her father, the death of her mother, the death of the miser, the strange silence of Charles: was he too dead? Here begins the last of the great "scenes" in *Eugénie Grandet*.

27. **ils retentirent réellement.** The good Nanon's tones, we may be sure, differed from those of Shakespeare's Cordelia, whose voice "was ever soft, gentle, and low."

181. 16. **Vous . . . Il me disait tu!** To Eugénie, under these circumstances, there was all the difference in the world between the rather formal *vous*, and the intimate, affectionate *tu*. And later, *illusions—chimère—enfantillages*—what cruel words to a loyal heart!

183. 2. **une différence d'âge.** Eugénie is one year older than Charles: he is thirty and she thirty-one (or thereabout, for Balzac's statements as to the time Charles has been away do not always agree). French law assumes that for the bridegroom to be at least three years older than the bride is normal.—**qui influerait plus.** Charles seems to mean that Eugénie, being older than he, would have more difficulty than he in adjusting herself to his proposed *grand état de maison.* He still believes Eugénie poor.

22. **les idées monarchiques reprennent faveur.** During Charles' absence, Louis XVIII had been succeeded by Charles X (1824), who, altho supposed to be a constitutional king, tried to govern alone without the *Chambre des Députés.* A few years after this (1830), he was forced to abdicate. His government had been one long series of measures against Liberalism and the social legislation of the Revolution. Balzac does not tell us what became of Charles after the Revolution of 1830; no doubt along with other titled persons eager for positions and salaries he rallied around Louis-Philippe.

184. 3–4. **un mariage de convenance** is one in which the man and woman are suited to each other as to fortune and social position: *les deux futurs se conviennent.* The common translation 'marriage of convenience,' defined as 'a marriage for material advantage,' does not exactly render the original meaning of the expression, but *mariage de convenance* is often used in contrast to *mariage d'inclination.*

10. **Tan ta ta . . . Tan ta ti . . . l'air de Non più andrai.** Charles has lately heard Mozart's comic opera *The Marriage of Figaro,* the libretto of which is in Italian. One of Figaro's pleasing solos is running in his head:

Allegro.

Non più andrai, farfallone amoroso,
Notte e giorno d'intorno girando,
Delle belle turbando il riposo . . .

(No longer shalt thou, O amorous butterfly, go about night and day disturbing the repose of the beautiful ladies. . . .)

185. 12. **cette horrible lettre.** Charles, as Mr. Saintsbury says, is not merely a thankless brute, he is a heedless fool: "Before burning his boats by such a letter as he writes, he might surely have found out how the land lay." But Charles had never suspected Grandet's wealth.

14. **les dernières paroles de sa mère.** These were: *Mon enfant, il n'y a de bonheur que dans le ciel, tu le sauras un jour.* See p. 163. 20.

19–20. **souffrir et mourir.** Eugénie has a moment of supreme discouragement, wounded to the heart as she now is by another selfish human passion—worldly ambition. Her gentle nature lacks the courage to combat this new enemy, almost as cold and heartless as her father's avarice.

24. **une certaine soucoupe . . . le sucrier de vieux Sèvres.** In what scenes did these figure? See pp. 40, 42.

186. 28. **une effrayante vivacité.** 'An alarming quickness and ardor,' alarming because it betrayed a dangerous state of mental agitation.

187. 8. **vous devez conserver ce que Dieu vous a donné.** The curé's course of reasoning is artfully steered between the two dangers: Eugénie must be, he argues, neither a nun nor an old maid. The abbé and Balzac knew that if once Eugénie entered a convent her fortune would go with her never to return, and what a parishioner the good curé and the town of Saumur would lose! (J. L. Borgerhoff).

14. **amenée par la vengeance et par un grand désespoir.** M. des Grassins has abandoned his wife, there had been a legal separation, and Mme des Grassins now conducts the Bank in her own name. Adolphe joined his father and gave up, of course, all pretensions to Eugénie's hand. In this ruin of her hopes for her family, Mme des Grassins, on the principle that misery loves company, is willing to hasten to Eugénie with the bad news that Charles is to marry someone else.

188. 12. **ce futur vicomte d'Aubrion.** Des Grassins (perhaps purposely) gets the title wrong: Charles is to be Marquis d'Aubrion, which is two steps higher than viscount. The titles in order of rank are: *duc*, *marquis*, *comte*, *vicomte*, *baron*.

189. 20. **Madame, vous avez . . . lui dit Nanon.** This money is the cash for Charles' draft, drawn on the Des Grassins Bank.

191. 23. **un galant homme** is one who, because of his gentlemanly instincts, may be trusted not to betray or take the least advantage of his knowledge of a lady's affairs. An **homme galant** (adjective *after* noun) is quite a different sort of person. See Grammatical Notes, § 3.

192. 5. **à un dépit amoureux,** 'to a lover's pique.' Eugénie, after discovering that Charles's half-hearted offer to keep his engagement was not sincere, has now come back to earth, and seems more human. She is not thinking of death now: she is merely 'mad' at Charles for preferring another girl to her; she will show him that there are others who will marry her, in spite of her provincial manners and education.

Saintsbury says: "It is perhaps necessary to be French to comprehend entirely why she could not heap that magnificent pile of coals of fire on her unworthy cousin's head without flinging herself and her seventeen millions into the arms of somebody else, but the thing can be accepted if not quite understood." But Eugénie must be allowed to have some spirit, else she could never have defied her terrible father in the matter of her *petit trésor*.

9–10. **Tout était consommé,** 'all was over,' 'her destiny was fulfilled.' The words are solemn, the phrase *tout est consommé* being a reminiscence of the Scriptural *consummatum est*, 'It is finished!' (John xix: 30.)

194. 13. **faire réhabiliter sa mémoire.** The *réhabilitation* is a legal proceeding restoring the person, if living, to all his rights previously forfeited. Article 614 of the Code provides: *Le failli* (bankrupt) *pourra être réhabilité après sa mort.*

15. **Quelle bêtise!** 'How silly!' The Marchioness of Aubrion means that to use good money to pay old debts is a great waste. Charles' honor she does not care about.

195. 7. **le roi sera son cousin.** 'The King will address him as "Cousin"'. The Kings of France applied this form of address to members of the royal family, to dukes, peers, cardinals, marshals of France, and to a few other high dignitaries.

196. 3. **des écoles chrétiennes.** The Restoration (Louis XVIII and Charles X) took little interest in the education of the common people: this was left mostly to the religious organizations. The law of 1833, the work of Guizot, established common school education in France; in 1882 it was made free and compulsory.

8. **on appelle mademoiselle (par raillerie).** Not long before Eugénie's time, *Mademoiselle* had been the official title of a royal princess, while unmarried. So Eugênie was called in jest "Princess of Saumur."

12. **cette vie céleste.** It has been said that Balzac's virtuous characters are more theatrical than real, that there is a certain mirage and exaggeration about them which makes them less life-like. Yet here, as Saintsbury says, "the exaggeration is vague and not unpleasantly obtrusive, and in all other ways Eugênie is a triumph."

APPENDIX

GRAMMATICAL NOTES

Some noteworthy grammatical constructions, noteworthy because more or less unusual, are collected here.

§ 1. ARTICLES. *a.* The *indefinite article* is missing: *Ces trois Cruchot, soutenus par bon nombre de cousins*, p. 14, 4; but, *faire un certain nombre de tours*, p. 154, 19. Missing also in, *sans mot dire*, p. 87, 27. Predicate nouns designating trades and occupations often lack the article: *Grandet devint maire*, p. 7, 10: *je m'embarquerai simple matelot*, p. 108, 12. Similar is, *Elle sourit comme elle souriait enfant*, p. 56, 6.

b. The *definite article* missing: *Charbonnier est maître chez lui*, p. 27, 12, a proverbial saying. Lacking in respect is, *Et toi, la mère, veux-tu quelque chose*? instead of, *Et toi, ma femme*, etc. p. 25, 15. Colloquial also is, *de pauvres vignerons qui n'ont jamais le sou* (p. 47, 24) where one would expect *un sou.*

c. Of the *partitive article* an unusual use is, *ils viennent des cinq à six fois par jour*, p. 155, 17 (Molière, *Scapin*, ii, 8 has the same construction). Partitive *de* with nouns preceded by an adjective (*nous sommes de vieux amis*) is the regular use, but Grandet's language is often careless: *du bon vin*, p. 96, 18, *du bon or*, p. 159, 16, *des gros sous*, p. 104, 26; in the last example, adjective and noun might be said to form a single expression, like *des jeunes gens.*

§ 2. NOUNS. *a.* Proper names may be made plural in French by means of the article: *les Cruchot*, p. 14, 7, *des Nanon, des Eugénie*, p. 25, 21; *les Médicis* is an Italian plural (*Medici*) which has been Frenchified, while *Pazzi*, because less well known, has not (*leurs Pazzi*, p. 14, 6–7).

b. Abstract nouns sometimes have unexpected plurals in French: *il n'y a pas un de ses bonheurs qui ne vienne d'une ignorance quelconque*, p. 33, 11; *le voyageur qui excitait tant de curiosités*, p. 35, 4.

§ 3. ADJECTIVES. Fore- and after-position of adjectives should be carefully studied. Thus in *Notre chère Eugénie* (p. 174, 10) the adjective *chère* means about as little as in *My dear Sir*, but in *L'or est une chose chère* (p. 143, 14) *cher* reappears in its literal meaning of 'valuable.' *Vous êtes un homme loyal, un galant homme* (p. 191, 23): here fore-position of *galant* is also really significant, as *un homme galant* would mean 'a flirtatious man.' Again, in *l'apparente franchise des militaires* (p. 29, 30), *apparent* means 'conspicuous,' or 'aggressive,' and not 'apparent.' Teachers will find this last case of fore-position explained in *Modern Language Notes*, XXIII, 151–2.

§ 4. PREPOSITIONS. *a. La maison à monsieur Grandet* (p. 6, 20), with *à* instead of *de*, is an old construction which survives among the uneducated. So Nanon (p. 58, 32) speaks of *le surplis à monsieur le curé.* So *à* for *pour* in, *cuire des œufs à ce garçon-là*, p. 89, 9.

b. Another very old construction is *la vendange Grandet*, p. 25, 3; cp. *l'Hôtel Dieu, la rue St.-Jacques*, etc.; *de* never has been introduced into these expressions.

§ 5. PRONOUNS. *a.* The 'dative of interest' is common: *parez-moi cette botte-là*, p. 30, 32; *conservez-moi ma bonne femme*, p. 162, 27, *emboisez-moi bien ces gens-là*, p. 121, 2; *comme ça nous pousse, ça*, p. 28, 3; *Eugénie vous conserverait ce bijou*, p. 125, 31.

b. Balzac continues to use *en* in speaking of persons, where the best usage now avoids it: *pour écouter son cousin, croyant en avoir entendu les soupirs*, p. 90, 25.

c. A disjunctive pronoun with *à* is used not only with *être à* (*Etait-il à elle*, p. 156, 11), *venir à* (*Chose est venu à moi*, p. 85, 18), *penser à* (*Pensons à lui*, p. 151, 13) and when the verb already has one pronominal direct object (*Je me fie à vous*, p. 162, 25) but also with the following less common verbs: *Il attirait à lui*, p. 168, 30; *sans faire à elle la moindre allusion*, p. 149, 15; *il ne fera pas attention à moi*, p. 58, 17; *Déjà renoncer à lui!* p. 106, 25. If the verb *venir* does not represent strictly an actual movement from place to place, the conjunctive pronoun appears: *Elles* (the five gold pieces) *lui venaient du vieux monsieur de la Bertellière*, p. 113, 23. *Il lui en vient de Paris, de Froidfond*, p. 137, 30. In both examples the speaker is thinking more of the sources of the money than of its actual transportation from place to place.

d. An ancient freedom in word-order reappears in: *Si vous la voulez garder*, p. 145, 3; *Des Grassins le vint voir*, p. 179, 15; *tiens, je vais l'aller voir*, p. 126, 32. Mme Grandet speaks more in accordance with present good usage: *Si vous voulez me tuer*, p. 146, 25.

§ 6. VERBS. *a. Ce sont* is now the rule before plural nouns: *ce sont des larmes de reconnaissance*, p. 95, 19; but Balzac has Nanon say: *C'est des graisses que je fonds*, p. 148, 9, and Grandet, *Quel malheur que ce ne soit que des gros sous*, p. 104, 26. The author himself occasionally uses *c'est: Plus loin, c'est des portes garnies de clous énormes*, p. 4, 11.

b. If-clauses. The commonest type is: *Si je mourais, Eugénie vous conserverait ce bijou*, p. 125, 31. This form may be replaced by an inverted subject: *Nanon paraissait-elle au marché, soudain quelques lazzis lui sifflaient aux oreilles*, p. 153, 1. So the following is irregular: *s'il vous manquait quelque chose, vous pourrez* (for *pourriez*) *appeler Nanon*, p. 51, 12. Note also: *dût-il* (=*s'il devait*) *m'en coûter la vie, je vous le répéterais encore*, p. 146, 27.

Instead of a pluperfect indicative in the if-clause, a pluperfect subjunctive, with inversion, may be used: *Eugénie eût-elle été* (= *si E. avait été*) *prudente, aurait-elle pu se défier de son cousin?* p. 111, 24-6. *L'héritière eût-elle désiré un porte-queue, on lui en aurait trouvé un*, p. 173, 6.

c. Another important use of the Conditional is that of "dubious assertion:" *Mon père enlèverait-il mon cousin?* (could my father be kidnapping my cousin?) p. 104, 13; *vous refuseriez? demanda Eugénie*, p. 115, 28; *Quoi! ce mirliflor m'aurait dévalisé?* p. 144, 3.

d. Future. Note the use in a supposition referring to present time: *ce sera sans doute votre cousin Grandet*, p. 34, 27; *tu auras jeté notre fortune aux pieds de ce va-nu-pieds*, p. 143, 29.

e. Venir. With a following dependent infinitive, four constructions are to be noted:

1. *viens embrasser ton père, il te pardonne!* p. 158, 18.
2. *le tonnelier venait d'épouser la fille d'un riche marchand*, p. 7, 1.
3. *Si elle venait à mourir sans avoir été soignée*, p. 155, 12.
4. *le bonhomme était venu pour mesurer les vivres*, p. 59, 30.

f. Faire. When *faire* (or *voir*, or *laisser*) is followed by a dependent infinitive and has a pronoun as object, two constructions are used:

1. The infinitive is intransitive: *ce concert d'éloges* LA *fit rougir*, p. 173, 13.

2. The infinitive is transitive, and also has an object; the object of *faire* must now be made indirect: *il* LUI *fit ordonner en sa présence le menu de la maison*, p. 166, 30; *le bon sens leur fit sentir aux uns et aux autres la nécessité d'une alliance*, p. 50, 18; *Annette était enchantée de faire épouser une demoiselle laide et ennuyeuse à Charles* (A. was delighted to help in causing Charles to marry an ugly and tiresome girl), p. 179, 8-9.

If the infinitive is one which itself governs an indirect object, this construction may become ambiguous: *La meilleure manière d'empêcher le monde de jaser est de vous faire rendre la liberté* (*vous* here is not object of *faire*, but indirect object of *rendre*), p. 154, 8.

An alternative construction is to replace *à* by *par*: *fais allumer par Nanon un peu de feu chez moi*, p. 135, 27; *Il le* (*le cabinet*) *faisait ouvrir par sa fille*, p. 168, 14.

g. Aller. An ancient usage was *aller* with the gerundive, *Les plaisirs nous vont decevant* (instead of, *nous deçoivent*). Balzac, who is said never to have used this construction, seems to feel the need of it, for twice he has *aller* with an Italian form: *son dégrisement alla rinforzando*, p. 51, 32; *une voix qui alla crescendo*, p. 143, 10. Cp. also: *elles vont mourantes et résignées, pleurant et pardonnant*, p. 185, 8.

h. Historical Infinitive. One case: *Et le bonhomme de faire le tour de l'allée de milieu* (Away went the old man, up and down the middle path), p. 77, 24.

i. Sequence of tenses. *Où sont donc nos femmes? dit l'oncle, oubliant déjà que son neveu couchait chez lui*, p. 47, 16. To explain *couchait* (instead of *coucherait*) examine these forms of the sentence:

il oublie que son neveu couchera (or, *couche*) *chez lui.*

il oubliait que son neveu coucherait (or, *couchait*) *chez lui.*

Thieme notes a parallel in Balzac's *Le cousin Pons: J'ai cru que vous me permettiez de vous l'offrir, dit-il.* Cp. also: *Les officiers jugeaient qu'on ne gagnait rien en prenant ce poste.*

j. Subjunctives. As the Subjunctive always needs to be carefully translated, a nearly complete list of the types occurring in *Eugénie Grandet* is here given: [1]

In Principal Clauses, to denote a wish or an order.

1. Introduced by *que:*

Que Dieu le conduise! P. 130, 20.
Que sa sainte volonté se fasse. P. 135, 18.
Qu'il parte, qu'il aille aux Indes. P. 46, 17.

2. Without *que:*

Sois fidèle à ton pauvre ami. P. 109, 13.
soit à Saumur, soit à Froidfond. P. 37, 30.
aie bien soin de tout. P. 169, 26.
sachez-y le nom des créanciers. P. 191, 16.
coûte que coûte (let it cost what it may). P. 101, 17.
arrive qui plante (let happen what may). P. 155, 22.

In Subordinate Clauses, asserting something not as a fact, but as conceived in the mind of the speaker.

A. Noun Clauses.

1. After Verbs expressing an action of the Will.

Que voulez-vous que je fasse? P. 164, 19.
Elle voulut que la chambre de Charles restât dans l'état où il l'avait laissée. P. 132, 18.
Permettez que je me mouche. P. 49, 27.

[1] The classification is that of Professor Armstrong's *Syntax of the French Verb*, New York, Henry Holt & Co., 1909.

Grandet ne souffrira pas que son nom reçoive la plus légère atteinte. P. 100, 22.
Il veillait à ce qu'elle plaçât en secret elle-même les sacs d'argent. P. 168, 14.

2. After Verbs expressing an Emotion.
Il est à regretter (=*On regrette*) *que cet homme honorable ait cédé à un premier moment de désespoir.* P. 65, 21.

3. After Verbs of Thinking, Knowing, etc., if the knowledge is denied or questioned.
Croyez-vous qu'il y ait des mille et des cent ici? P. 82, 6.
Je ne crois pas que tu veuilles me faire de la peine. P. 164, 15.

5. In most Subject Clauses (introduced by *Il*).
Il est possible que vous ayez oublié nos enfantillages. P. 183, 29.
Serait-il convenable que son neveu ne pût boire un verre d'eau sucrée? P. 42, 1.
Il faut que vous soyez réconciliés. P. 154, 16–17.

B. Adjective Clauses.

1. Clauses of Characteristic.
Ne pouvait-il inventer une petite bêtise qui eût du prix? P. 31, 18.

2. After a Superlative.
N'est-ce pas le plus beau présent que vous puissiez me faire? P. 131, 2.
Il ne passe personne dans la rue qui ne soit étudié. P. 6, 4.
Nanon, le seul être qui l'aimât pour elle . . . P. 169, 32.
les dernières effusions de sensibilité vraie qui fût en ce jeune cœur. P. 111, 29–30.

But the Indicative also is frequent after *seul:*
Maître Cruchot fut le seul qui entendit cette exclamation. P. 131, 14.
seul présent qu'elle reçut jamais de lui. P. 20, 17.

3. With the Indefinite Relative Pronouns:
Mme d'Aubrion désespérait d'en embarasser qui que ce fût. P. 177, 8.
pour y placer quoi que ce fût. P. 40, 30.
quelque grossiers que fussent les compliments. P. 173, 14.
Y a-t-il quelque autre personne en France qui puisse avoir tant de millions? P. 81, 17.

C. Adverb Clauses.

1. Clauses of Purpose.
afin qu'il n'arrivât aucune réconciliation. P. 192, 7.

Je vais appeler mademoiselle pour qu'elle vous regarde. P. 54, 17.

3. Clauses of Condition.

A moins que ce cousin ne soit amouraché d'une Parisienne. P. 48, 17.

4. Clauses of Concession.

quoiqu'elle n'y comprît rien. P. 73, 2.

5. Clauses of Time:

quelques moments avant que Grandet ne vînt donner les provisions. P. 123, 20.

Je ne me relèverai pas que vous n'ayez pris cet or. P. 116, 1.

avant qu'il achevât sa phrase. P. 102, 18.

attendez qu'il soit sans pouvoir. P. 110, 32.

Les Saumurois restèrent devant la voiture jusqu'à ce qu'elle partît. P. 131, 11–12.

7. Clauses of Manner:

sans que ça paraisse. P. 102, 14.

Je veux jouer ce jeu-là sans qu'on n'en sache rien. P. 101, 32.

k. Inversions. Aside from inversions in questions, three kinds occur here:

1. To replace an if-clause, also see § 6, *b.*

tombe-t-il (=s'il tombe), aidez à le traîner à la voirie. P. 111, 4.

2. In parenthetical phrases like *dit-il, pensa-t-elle, m'a-t-on dit.*

3. After *aussi, à peine, peut-être, ainsi* and *encore:*

Aussi Grandet stipulait-il des épingles pour elle. P. 30, 30–32.

A peine fut-il permis à M. des Grassins d'apercevoir . . . P. 33, 32.

peut-être s'était-il tué. P. 104, 7.

Ainsi établissait-on sa fortune visible. P. 8, 13.

Encore ne se serait-il pas tué . . . P. 100, 6.

(4. *Ça pèse-t-il!* P. 104, 24, is an exclamatory question.)

l. An idiomatic use of *avoir* which might pass unnoticed is: *Eugénie eut une de ces joies inespérées qui font rougir* (p. 30, 20). As Tobler points out (III, 21, c), *avoir* here expresses an involuntary gesture or motion. Other examples are: *il eut un geste, un sourire, une moue, un cri de joie, un haussement d'épaules.*

§ 7. A piece of queer syntax is the sentence (p. 103, 32): *Il ne voulait évidemment réveiller ni sa femme ni sa fille, et surtout ne point exciter l'attention de son neveu.* But the meaning is clear enough.

VOCABULARY

Abbreviations. *m.* masculine; *f.* feminine; *qqn* quelqu'un (someone); *qqch* quelque chose (something).

A few words which are alike in French and English (*e. g.*, *fraction*, *danger*), the numerals, and some pronouns and prepositions have been omitted from the vocabulary as not calling for definition. Attention is also called to the Grammatical Notes, p. 223.

A

abaisser, to lower, to drop.
abandonner, to leave, give up, abandon; **s'— à,** to give oneself up to.
abasourdi, dumbfounded.
abattre, to knock down.
une **abbaye,** abbey.
un **abbé,** priest, abbot, or one entitled to wear ecclesiastical dress. (Use the French word.)
un **abîme,** gulf, abyss.
abîmé, sunk deep, buried deep, ruined.
abolir, to do away with.
d'**abord,** at first, in the first place, on the spot, at once, right away.
aborder, to approach.
aboyer, to bark, to bay.
abrégé, shortened.
à l'**abri de,** in shelter of.
abriter, to shelter.
abuser de, to take unfair advantage of.
accablé, worn out, overwhelmed, crushed.
un **accent,** tone, inflection.
accepter, to submit to, receive.
les **accessoires,** appointments, furnishings.
un **accident,** striking feature, irregularity, accident.
l'**accompagnement,** *m.*, accompaniment.
accompagner, to accompany.
accomplir, to do, perform, enact, carry out, bring about; **s'—**, to take place.
un **accord,** agreement, harmony; **d'—**, agreed!
accorder, to grant, yield, give up to, harmonize; **— à,** to attribute to; allow for; **s'—**, to be in keeping with.
accoupler, to couple, to yoke.
accourir, to hasten to, to come up in haste.
accoutumer à, to accustom to; **s'—**, to get used, or accustomed, accustom oneself.
s'**accroître,** to increase by degrees.
accueillir, to receive, make welcome.
accumuler, to accumulate.
accuser, to accuse; **— à (qqn),** to betoken in.

un **achat,** purchase.
acheter, to buy.
achever, to finish, destroy.
l'**acier,** *m.*, steel.
un **acquéreur,** purchaser.
acquérir, to get, gain.
acquis, attained; **que toutes les bénédictions te soient—s,** may all blessings be thine.
une **acquisition,** purchase.
un **acquittement,** payment.
acquitter, to pay, pay off.
un **acte,** action, act, deed, document.
un **acteur,** actor.
l'**actif,** *m.*, assets.
une **action,** situation in a play, dramatic event, share (*of stock*).
l'**actualité,** *f.*, reality, the present moment.
actuel, present, actual, existing.
un **adjudicataire,** buyer, highest bidder.
admettre, to admit, concede.
administratif, official.
l'**administration,** *f.*, management.
administrer, to govern, to administer the last sacraments to a person.
l'**admiration,** wonder; **point d'—,** exclamation point.
admirer, to admire, wonder at.
adoucir, to soften, mitigate, make palatable; **s'—,** to be sweetened, become mild, be weakened.
l'**adresse,** *f.*, skill, cunning, craft, address.
adresser, to address, speak to, send to, send to one's address; **s'—,** to address to one another.
aduler, to praise extravagantly, flatter.
adversaire, *m.*, *f.*, adversary, opponent.
s'**affaiblir,** to grow weak, faint, grow weaker.
l'**affaiblissement,** *m.*, weakening.
une **affaire,** business, piece of business, matter, case (*at law*), what one wants; **faire une —,** to do a piece of business; **c'est une bonne —,** it has gone off well, it's a good bargain (*for us*); **tant d'—s,** so much trouble; **homme d'—s,** business agent; **mes —s,** my things, belongings.
affamé, famished.
affecté, affected, put on, assumed.
affecter (qqch), to have a liking for.
affectueux, affectionate.
affectueusement, affectionately, lovingly.
une **affirmation,** affirmative answer.
affliger, to afflict.
affreux, frightful.
afin de, in order to.
l'**agacerie,** coquetry; **faire des —s (à qqn),** to pay coquettish attentions, flirt with.
l'**Afrique,** *f.*, Africa.
l'**âge,** *m.*, age, old age.
âgé, old, of age.
s'**agencer,** to get oneself up, to do one's best (at dressing).
s'**agenouiller,** to kneel.
un **agent de change,** stock-broker.
l'**agilité,** *f.*, nimbleness.
agir, to act; **il s'agit de,** it is

a question of, there is involved, is in hand.
agiter, to agitate, disturb, shake, put in motion.
un **agneau,** lamb.
l'**agonie,** *f.*, agony, death.
une **agrafe,** clasp.
agréablement, in a pleasing manner.
un **agréé,** attorney (*in commercial matters*).
agréer, to receive kindly; **veuillez —,** please accept.
l'**agrément,** *m.*, consent.
aider, to help.
un **aïeul,** grandfather.
une **aiguille,** needle.
ailleurs, elsewhere; **d'—,** besides, furthermore.
aimable, lovable, kind.
aimer, to love, like.
un **aîné,** eldest brother.
ainsi, so, thus; **— que,** as well as; **— soit-il!** amen! **par —,** in this way; **pour — dire,** so to speak.
un **air,** appearance, air; **se donner des —s,** to put on airs; **ayant l'— de,** pretending to; **— de famille,** high-bred air; **le grand —,** the open air.
l'**aise,** *f.*, ease, pleasure, delight, **fort à son —,** in very easy circumstances; **à l'—,** at ease.
ajourner, to put off, postpone.
ajouter, to add; **— foi à,** to give faith to, believe in.
ajuster, to fit.
l'**alberge,** *f.*, alberge (*early peach*).
un **alchimiste,** alchemist.
algébrique, algebraic.
l'**alignement,** *m.*, laying out, running the lines.
aligner, to lay out by a line.
un **aliment,** food.
s'**aliter,** to take to one's bed.
une **allée,** garden-walk.
alléger, to lighten.
l'**Allemagne,** *f.*, Germany.
aller, to go; **— pour,** to start to; (*followed by an infinitive*) to be going to (*do a thing*); **se laisser —,** to sink down gently; **comme vous y allez!** what style you do put on! **ça ira,** that will do, will answer; **il va bien,** he is getting on well; **comment va?** how is? **ne va pas pleurer,** don't go to work and cry; **allons!** come! come now! well! **— bien à,** to suit very well; **— mieux,** to be better; **— son train,** to go one's gait, to do one's best (or worst); **s'en —,** to go away; **y —,** to go at it; **allez!** go! so far as *that* goes; **— maintenant,** come now.
l'**alliance,** *f.*, marriage; **son —,** marriage with her (him).
allié, allied, related.
s'**allier,** to ally oneself.
alors, then, in that case; **— que,** when.
allouer, to allow.
allumer, to light.
Alphonse, loyal friend of Charles Grandet, in Paris.
altéré, changed, unnatural.
altérer, to detract from, spoil, dim, weaken.
l'**amabilité,** kindness, good temper.
amadouer, to coax, pet.
une **amande pelée,** peeled (or blanched) almond.
un **amant,** lover.

amasser, to heap up, save up, to gather.
un **amateur d'or,** collector of gold coins.
l'**ambassade,** *f.*, embassy.
l'**ambassadeur,** *m.*, embassador.
ambitieux, ambitious; **un —,** ambitious man (*politically*).
l'**ambition,** *f.*, desire for honors and offices.
une **âme,** soul.
amener, to bring, lead, take.
amer, amère, bitter, satirical.
l'**amertume,** *f.*, bitterness.
un **ami** (*f.* **amie**), friend, lover, dear (*between married people*).
amical, friendly.
une **amitié,** friendship, affection.
amoindrir, to lessen, refine.
amonceler, to heap up.
l'**amour,** *m.*, love; un **Amour,** a Cupid.
amouraché de, head over ears in love with.
s'**amuser,** to have a pleasant time.
un **an,** year; **souhaiter le bon — à,** to wish a happy New Year to.
l'**analyse,** *f.*, analysis.
les **ancêtres,** ancestors.
ancien, (*before noun*) former; (*after noun*) ancient, old-time; **un —,** elder, old resident.
ancré, anchored.
anéanti, annihilated, thunderstruck.
un **ange,** angel.
angélique, angelic.
Angers, ancient city, capital of Anjou, on the Maine river; now a city of over 82,000 people.
angevin, of Anjou.
l'**angoisse,** *f.*, anguish.
une **anguille,** eel; **des —s sous roche,** "snakes in the grass."
un **animal,** animal.
animer, to animate; **s'—,** to light up, gain new life.
Anjou, ancient province S. W. of Paris, now divided into departments. Principal city, Angers.
un **anneau,** ring, link.
une **année,** year; **souhaiter la bonne — à,** to wish a happy New Year to.
Annette, Parisian married lady with whom Charles Grandet was in love.
annoncer, to announce, reveal, indicate.
une **antichambre,** waiting-room; **faire —,** to wait about, dance attendance.
un **antiquaire,** antiquarian, student of history.
antique, ancient, antiquated.
un **antre,** cavern, cave.
une **anxiété,** anxiety.
s'**apaiser,** to be appeased, quiet down.
l'**apanage,** *m.*, appanage, natural accompaniment.
apercevoir, to perceive, notice, see, find, discover, catch sight of; **s'— de,** to perceive, notice, find out, become aware of, feel a difference because of.
l'**apogée,** *m.*, highest point.
un **apophthegme,** apothegm, pithy saying.
l'**apostasie,** *f.*, apostasy.
un **apothicaire,** apothecary.
apparaître, to appear.
une **apparence,** appearance; **en —,** apparently.

apparent (*before noun*), marked, conspicuous, visible.
une **apparition,** appearance.
un **appartement,** apartment, suite of rooms.
appartenir (à), to belong to; **il vous appartient de,** it is your duty (or privilege) to.
un **appel,** call, summons.
appeler, to call; — **de,** to appeal from.
applaudir, applaud; — **à,** to rejoice in.
appliquer, to apply.
apporter, to bring, bring to.
les **appointements,** salary, wages.
apprendre, to learn, to teach; — **à,** to impart to, inform of, tell; **qqch vient de m'être apprise,** I have just been informed of something.
apprêter, to prepare; **s'— à,** to get ready to.
approcher de, to draw near, put near to; **s'—,** to draw near.
approfondir, to deepen.
l'**appui,** *m.*, support, prop, sill; **à hauteur d'—,** breast-high.
appuyer, to support, prop.
âpre, rough, hard, bitter, eager.
après, after; **d'—,** according to.
après-demain, day after tomorrow.
l'**à-propos** *m.*, fitness, fitness of things.
apurer, to audit (*accounts*).
un **arbitre,** judge, arbitrator.
un **arbre à fruit,** fruit-tree.
un **arbuste,** shrub.
ardent, burning, live (*coals*).
l'**ardeur,** ardor; — **piquante,** fascinating excitement.
une **ardoise,** slate.
une **arête,** ridge.
l'**argent,** *m.*, silver, money; — **comptant,** cash.
l'**argenterie,** *f.*, silver-plate.
argile, *f.*, clay, earthenware.
l'**aridité,** *f.*, barrenness.
une **arme,** weapon; **des —s,** coat-of-arms.
armé, armed, equipped.
un **armement,** the fitting out of a vessel.
s'**armer de,** arm oneself with.
une **armoire,** cupboard, wardrobe.
un **arpent,** acre (1¼ *English acre*).
arracher (**à**), to tear away (from).
arranger, to settle, put to rights, to suit, please; **s'—,** to arrange oneself, make arrangements.
d'**arre, d'arre,** double quick.
les **arrérages,** arrears.
un **arrêt,** decree, decision.
arrêter, to stop, to fix, decide.
arriéré, behind the times.
une **arrière-pensée,** ulterior motive, selfish motive.
l'**arrière-saison,** *f.*, autumn.
l'**arrivée,** *f.*, arrival.
arriver, to arrive, come in, come, happen; **arrive qui plante,** whatever happens; — **à,** to happen to, succeed in, take place.
arrogamment, arrogantly.
arrondir, to make round, round out.
un **arrondissement,** district, division of a Department; (*in a city*) ward.
un **artifice,** scheme.
artificieux, artful, cunning.

un **artisan,** skilled workman.
un **artiste,** artist.
un **aspect,** appearance, sight.
aspirer, to breathe in.
assassiner, to kill, murder.
une **assemblée,** company, party.
s'**asseoir,** to seat oneself, be seated.
assez, enough, sufficiently, rather, tolerably.
assidûment, assiduously, zealously.
une **assiette,** plate.
une **assiettée,** plateful.
assis, seated, sitting.
assister à, to be present at.
s'**associer,** to enter into partnership.
assourdi, muffled.
assujettir, to settle into place, fix, fasten.
l'**assurance,** *f.*, self-possession.
assurer, to assure, insure, make firm.
un **astronome,** astronomer.
un **atour,** piece of finery; **dame d'—s,** lady of the chamber, attire-woman.
les **atouts,** trumps (*at cards*).
les **Atrides,** Atreus and his descendants. The most famous were Agamemnon, killed on his return from Troy, and Menelaus, whose wife was Helen.
atroce, revolting, shocking.
attachant, interesting, attractive.
attacher, to fasten; **s'— fortement à,** to take strong hold of.
attaquer, to attack.
atteindre, to attain, reach, strike, attack.
une **atteinte,** blow, attack, hurt.
attendre, to wait, await, expect, wait for; **s'—** (à) to foresee, be prepared for, expect to.
attendrir, to move (*with pity*), soften.
un **attendrissement,** emotion.
attendu (que), considering (that).
l'**attente de,** *f.*, expectation of, waiting for.
attentif, alert.
attention, attention; **faire — à,** to pay attention to, take notice of.
attester, to bear witness to.
attirer, to draw, draw to, attract.
l'**attitude,** *f.*, posture, pose.
attraper, to catch, take in, outwit, "fool."
attrayant, attractive.
attribuer, to attribute.
attrister, to sadden; **s'—, to** grow sad.
une **auberge,** inn.
un **aubergiste,** inn-keeper.
d'**Aubrion,** M. le marquis, Mme la marquise, Mlle Mathilde. Family into which Charles Grandet marries.
aucun, aucune, any; with **ne,** not any.
audacieusement, boldly.
audacieux, daring.
l'**audience,** hearing (*in court*).
augmenter, to increase.
l'**augure,** *m.*, augury, omen.
Auguste, Augustus II, Elector of Saxony and King of Poland (1733). **Quand . . . ivre,** an oft-quoted Alexandrine verse by Frederick the Great

of Prussia, who was something of a poet in French.
aujourd'hui, to-day.
Aumônier, almoner; **Grand —,** Grand Almoner (*agent for charities*).
auparavant, formerly, before.
auprès de, near, in company with; **tout auprès,** close by.
une **auréole,** halo.
aussi, also, too, likewise, so, (*with inverted subject*) and so, consequently.
aussitôt, immediately; **— que,** as soon as.
Austerlitz, Moravian village where Napoleon I defeated the Austrians and Russians, 1805. Perhaps his most famous victory; see Tolstoi's great novel *War and Peace*, vol. 2; or *Century Magazine*, Vol. LI, p. 200.
autant, as much, so much; **en faire —,** to do the same; **— de,** as many, as much; **— que,** as much as, as far as, on condition that; **d'autant . . . que,** so much . . . as, so much the more as.
un **autel,** altar.
authentique, genuine, legal.
l'**automne,** Autumn.
autoriser, to authorize.
l'**autorité,** *f.*, authority.
autre, other; **vous —s, you** people.
autrefois, formerly.
autrement, otherwise.
autrui, someone else, other people.
avaler, to swallow.
par **avance,** in advance.
avancer, to advance, put forward, hasten, **s'—,** to step forward.
avant (de), before (*of time*); **en —,** ahead of.
un **avantage,** advantage, pleasure; **faites-moi l'—,** do me the favor.
avantageux, advantageous.
l'**avant-veille,** *f.*, two days before.
avare, miserly; **un —,** miser.
l'**avarice,** *f.*, avarice.
un **avaricieux,** miser.
aveindre, to fetch out, take out (*local word*).
l'**avenir,** *m.*, future; **à l'—,** for the future, hereafter.
une **aventure,** adventure.
une **averse,** sudden shower.
aveugle, blind.
aveugler, to blind.
avide, greedy.
avisé, shrewd, prudent; **mal —,** ill-advised.
aviser, to perceive, espy.
avoir, to have, get; **— à soi,** to have of one's own; **il y a,** there is, there are; **puisque Nanon y a,** since Nanon it is; **il y en a,** there is some; there are people; **il y a deux ans,** two years ago; **qu'y a-t-il pour votre service?** what can I do to serve you? **qu'avez-vous?** what is the matter with you? **— beau faire,** to act in vain; **— du mal,** to have a hard time (*to do something*); **— qqch, to** have something the matter with one; **— vingt ans,** to be twenty years old; **— une joie,** to feel a sudden (and unexpected) joy, "to jump for joy."

avouer, to confess.
avril, April.

B

une **babiole,** trifle, trinket.
Babylone, Babylon, the Abbé Cruchot's name for Paris, as a great and luxurious capital.
Baden (*les Eaux de*) celebrated watering-place, near Strassburg, on the edge of the Black Forest. Gambling on a large scale was allowed there until 1872.
badiner, to trifle, flourish (*with a cane*).
la **bagatelle,** trifle.
les **bagages,** *m.*, baggage.
la **bague,** finger-ring; **une — d'usage,** ring for common wear.
bah! pshaw!
le **bahut,** chest (*with convex top and sometimes with drawers*).
baigner, to bathe.
le **bail,** lease, the rent specified in a lease.
le **bâillement,** yawning.
bâiller, to yawn.
baiser, to kiss.
le **baiser,** kiss.
la **baisse,** lowering.
baisser, to lower, fall in price, to bow (*the head*), decline.
le **bal,** ball (*dance*).
la **balance,** scales (*for weighing*); **mettre en —,** to put on an uncertain footing.
balayer, to sweep.
Balthazar, Belshazzar in the English Bible (see *Daniel* v, 22).
le **balustre,** baluster, hand-rail.
banal, common, commonplace.
le **banc,** bench.
la **bande,** strip, thong; **sous —,** in its wrapper (*of a newspaper*).
la **banque,** bank; **la Banque de France** (*government bank*).
la **banqueroute,** bankruptcy.
un **banqueroutier,** merchant who has failed.
le **banquier,** banker.
les **bans,** banns.
le **baptême,** baptism; **— de la ligne,** ducking by sailors at crossing the Equator.
le **baquet,** tub.
le **baragouin,** gibberish; **— de palais,** lawyer's jargon.
baragouiner, to jabber, to talk gibberish.
le **bardeau,** wooden tile, shingle.
le **baril,** small cask.
le **barillet,** keg.
bariolé, checkered.
la **barque,** boat.
la **barre,** bar.
le **barreau,** bar; **— de la rampe,** banister, baluster.
les **bas,** stockings.
bas, basse, low, low-ceiled; **à voix basse,** in an undertone; **faire main basse sur,** to take wholesale possession of; **au bas de,** at the foot of; **à-bas,** down there, at the foot of the ladder; **parler tout bas,** in a whisper.
le **basilic,** basilisk.
la **basse-cour,** poultry-yard.
bassiner, to warm with the warming-pan.
la **bassinoire,** warming-pan.
la **bataille,** battle.
bâtard, hybrid; **porte —e,** house-door.

le **bateau,** boat.
le **bâtiment,** building.
bâtir, to build.
le **bâton,** stick; **—s flottants de l'actualité,** chance occurrences of the day. Expression made familiar by a *Fable* of La Fontaine (iv, 10) which describes people watching on the banks of a river: at first what they see is a man-of-war, later they decide it is a fire-ship, then a sail-boat, then a package, and finally only sticks of wood: *De loin, c'est quelque chose; et de près, ce n'est rien.*
battant, porte —e, folding-door.
battre, to beat, clap.
le **bavardage,** chatter, gossip.
bavarder, to chat, gossip.
béant, gaping.
la **béatitude,** bliss.
beau, bel, belle, beautiful, fine, handsome; **faire beau,** to be fine weather.
beaucoup, much, a good deal.
le **beau-père,** father-in-law.
la **beauté,** beauty.
bégayer, to stammer.
le **bégayement,** stammering.
Belge, Belgian.
bellement, gently, softly.
la **belle-mère,** step-mother.
une **bénédiction,** special favor of Providence; **que c'est une vraie —,** it's a real cloudburst, a regular downpour.
le **bénéfice,** profit, advantage.
bénir, to bless.
benit, blessed; **pain —,** consecrated bread.
le **bénitier,** holy-water font.
bercer, to rock (*in a cradle*)
en **bergère,** in the costume of a shepherdess.
Bergerin, M., the most celebrated doctor in Saumur.
le **berlingot,** one-seated berlin (*a kind of carriage*).
bernique! no go!
le **Berri** (or **Berry**), ancient province south of Orléans and Blois; the chief town is Bourges. Now divided up into departments.
la **Bertellière,** maiden name of Mme Grandet. Several of her family are mentioned.
le **besoin,** need.
la **bête,** animal.
bête, stupid, stupefied; **es-tu —!** you *are* a ninny.
la **bêtise,** foolishness, stupidity: **pas de —s,** no nonsense.
bêtiser, to look stupidly about.
le **beurre,** butter.
beurré, buttered.
la **bibliothèque,** library.
la **biche,** doe, female deer.
le **bien,** interest, property; **en tout —,** with perfect propriety; **pour tout —,** as sole possession; **les —,** property, possessions, goods.
bien, well, very, indeed, much, quite, strongly, in fact; **dis-lui —,** be sure to tell him; **tu auras —,** you will surely have; **ce serait —,** that would be fine! — **des,** many; **être —,** to be good-looking; **—!** good! well! — **oui!** yes, indeed!
bien-aimé, well-beloved.
bienfaisant, beneficent.
le **bienfait,** benefit, good deed.
les **biens-fonds,** landed property.
bientôt, very soon.

le **bijou,** jewel.
le **bilan,** balance-sheet.
le **billet,** note; — **de commerce,** commercial note, bill.
bizarre, grotesque, comical.
la **bizarrerie,** oddity.
blanc, blanche, white, silver-color, fair-skinned; **couper à —,** to cut all down, make a clean sweep of.
le **blanc en bourre,** coarse mortar, staff.
le **blé,** wheat.
blesser, to wound.
la **blessure,** wound.
bleu, blue.
Blois, ancient town on the Loire above Saumur; the chateau is famous.
se **blottir,** to crouch.
le **boa,** boa-constrictor.
la **bobèche,** sconce, socket, saucer (*for candlestick*).
le **bocal,** glass jar.
boire, to drink.
le **bois,** wood, timber.
boiser, to wainscot.
la **boîte,** box; — **à ouvrage,** work-box.
le **bol,** bowl.
bon, bonne, good, kind; **il fait — de,** it is very pleasant to; — **an!** happy New Year! **être — homme,** to be good-natured; — **pour,** good to, kind to; — **saint,** — **Dieu!** merciful Heavens! **un—cœur,** a stout heart.
un **bon,** check (*on a bank or treasury*).
le **bonheur,** happiness, joy, good fortune.
le **bonhomme,** good old fellow; (*as a title*) Goodman, Old Man; **nom d'un petit —,** "by the living Jingo" (*or any jocular oath*); — Grandet, Goodman Grandet. Balzac himself tells us that "en Touraine, en Anjou, en Poitou, dans la Bretagne, le mot *bonhomme* est décerné aux (*bestowed upon*) hommes les plus cruels comme aux plus bonasses (*good-natured*), aussitôt qu'ils sont arrivés à un certain âge." Shakespeare uses *goodman boy; Goodman Garvin* is found in Whittier's poems.
Boni Fontis, (Latin) = of the good spring (*of water*).
le **bonjour,** good morning, good day.
bonnement, simply, frankly.
le **bonnet,** cap; **le — rouge,** the red Liberty-cap of the French Revolution, mark of the "citizen" (*citoyen*).
bonsoir, good evening.
la **bonté,** goodness, kindness.
le **bord,** border, edge, margin.
bordé de, bordered with, suffused with.
la **borne,** limit.
borné, limited.
borner, to shut in.
Bossuet, great pulpit orator of the 17th century; court preacher to *le Grand Monarque*. See Chap. xxxii of Voltaire's *Le Siècle de Louis XIV*.
la **botte,** boot; sword-thrust (*fencing*).
la **bouche,** mouth.
la **boucherie,** butcher's shop.
la **boucle,** buckle, curl (*of hair*).
bouclé, curled, curling.

le **boudoir,** boudoir, ladies' room.
bouffon, burlesque, comical.
le **bouge,** closet, den, dark bedroom.
bouger, to stir, move.
la **bougie,** wax candle.
bouillir, to boil; *p.p.* **bouilli.** (Nanon uses **boullu,** a bit of local dialect).
le **bouillon de volaille,** poultry-broth.
bouillonner, to boil, bubble up.
bouillotter, to boil quietly, simmer.
boulanger, to make bread.
boullu, see **bouillir.**
le **boulon,** bolt.
boulonner, to bolt.
bourgeois, pertaining to the lower middle class; **tragédie —e,** play containing comic and tragic elements from middle-class life (see *Introduction*).
le **bourgeois,** burgher, citizen; **une bourgeoise,** well-to-do lady.
bourgeoisement, in a commonplace way, from a middle-class point of view, like a plain citizen.
la **bourgeoisie,** burghers, middle classes; **la petite —,** lower middle class.
la **bourrée,** fagots.
se **bourrer,** to stuff oneself.
la **bourse,** purse; **la Bourse,** Bourse, Stock Exchange.
le **bout,** end; **par le —,** at the end.
la **bouteille,** bottle.
la **boutique,** shop.
le **bouton,** button, cuff-button.
boutonner, to button.
la **boutonnière,** buttonhole.
la **braise,** red coals.
le **bras,** arm.
brave, (*before noun*), worthy, honest, good; (*after noun*), brave, valiant.
la **brebis,** sheep.
le **bredouillement,** stammering.
bredouiller, to sputter, stammer.
Bréguet, Louis (died 1823) a well-known Parisian watchmaker; he invented and constructed instruments of precision for naval purposes and for use in astronomy. His firm is still in existence (Berthon).
la **breloque,** trinket.
le **brick,** brig (*two-masted sailing-vessel.*)
la **bride,** bridle.
brillant, brilliant.
le **brin,** blade (*of grass*), bit.
la **brique,** brick.
briser, to break.
Briton, name of one of Charles' horses which he gives to Alphonse.
brocanter, to sell as second-hand goods.
le **brochet,** pike (*fish*).
la **brochette,** skewer, small stick; **élever à la —,** to bring up daintily, nourish with care.
broder, to embroider.
la **broderie,** embroidery, piece of embroidery.
broncher, to stumble, make a slip, fail in perfect obedience.
la **brouette,** wheel-barrow.
la **brouille,** quarrel.
se **brouiller pour,** fall out over, quarrel over.

le **bruit,** noise, sound, rumor.
brûler, to burn, burn down; **se — la cervelle,** to blow out one's brains.
brun, brown.
brunir, to become brown.
brusque, abrupt, sudden.
brusquement, abruptly, hastily.
brut, rough, unworked.
la **bruyère du Cap,** heather from the Cape of Good Hope.
Buch, ancient domain near Bordeaux, the feudal owner of which had the title of *captal*.
le **bûcher,** wood-shed.
les **buées, faire — —,** to put the clothes to soak (*for the semi-annual washing*).
le **buis,** box-tree.
Buisson, apparently the fashionable tailor of Paris, in 1819.
Bureau, le Grand, the Main Office (of the *Messageries royales*, or Royal Stage-coach service, founded in 1775).
le **but,** object.
Byron, Lord: "the last of a race of lawless and turbulent men, proud as Lucifer, beautiful as Apollo, sinister as Loki, Byron appeared on the scenes arrayed in every quality which could dazzle the youthful and alarm the mature. . . . His verse inspired a whole galaxy of poets on the continent" (E. Gosse). Byron died in 1824.

C

ça! come now! see here!
ça, short form of **cela, comme —,** so, in this way, with that.
le **cabinet,** office, private room.
le **câble,** thick rope.
le **cachemire,** cashmere.
cacher (à), to hide (from).
cacheter, to seal.
la **cachette,** hiding-place; **en —,** by stealth, secretly.
cachotier, who makes mysteries out of trifles, who likes to mystify others.
cadastré, appraised, assessed.
le **cadeau,** gift.
cadrer avec, fit in well with, combine well with.
le **café,** coffee.
la **cafetière,** coffee-pot.
la **cage,** cage, shaft.
caillouteux, of small cobbles.
le **caïman,** crocodile (*noted for its ferocity*).
la **caisse,** box, coffer.
cajoler, coax, wheedle.
la **cajolerie,** coaxing.
le **calcul,** calculation, design, plan.
le **calculateur,** calculator.
calculé, intentional.
calculer, to calculate.
le **calembour,** pun.
câliner, to caress.
calmer, to calm, assuage.
campagnard, gentilshommes —s, country gentlemen.
la **campagne,** country; **à la —,** in the country.
Campan, Mme, first *femme de chambre* of Marie Antoinette. She escaped the dangers of the Revolution, and became head of a famous girls' school. "Créer des mères, disait-elle, voilà toute l'éducation des femmes." (She died 1822.)

le **candélabre,** candelabrum.
la **candeur,** innocence.
la **canne,** cane.
canneler, to flute, groove.
la **cannetille,** binding stiffened with silver-wire.
le **canon,** cannon.
le **Cap,** Cape Colony, Africa.
un **capitaine au long cours,** captain of a merchant vessel.
les **capitaux,** invested funds.
capituler, to come to terms.
le **captal de Buch,** (title). As a matter of fact, the *captalat* of Buch never belonged to a family named Aubrion.
captieux, fallacious, sophistical.
le **capuchon,** hood.
car, for.
le **caractère,** character.
le **carême,** Lent.
caressant, tender.
la **caresse,** endearment.
caresser, to caress, stroke, fondle, dwell upon fondly.
carré, square, square-built.
le **carreau,** tiled floor, tiles.
carrément, squarely.
le **carrossier,** coach-builder.
un **cartel,** clock in a dial-case, hung on the wall. (*Long since gone out of fashion*).
le **carton,** piece of cardboard.
le **cas,** case.
la **casquette,** cap.
casser, to break; **voix cassée,** cracked or hoarse voice.
la **casserole,** saucepan, stew-pan.
le **cassis,** black currant brandy.
le **catacouas,** cockatoo.
à **cause de,** because of.
causer, to converse, chat, talk, cause.
la **causerie,** conversation.
le **causeur,** talker.
le **cavalier,** gentleman, partner, escort.
la **cave,** cellar.
céder, to yield, give up.
cela, that; **assez comme —,** that's enough of that!
célèbre, celebrated, leading, best-known.
la **célérité,** swiftness.
céleste, heavenly.
le **cellier,** store-room (*on the ground floor*).
la **cendre,** ashes.
censé, supposed to.
cent, one hundred; **pour —,** per cent; **en trois pour —,** in 3% stock (*or bonds*).
le **centime,** centime (about 1/5 of a cent).
le **cep,** grapevine stock.
cependant, however.
le **cercle,** circle, hoop (*for casks*).
cercler, to hoop up.
cérémonie, faire la —, to go through the ceremony.
cerner, to surround, beset.
certainement, surely.
certes, certainly, most certainly.
la **certitude,** certainty, assurance, proof.
le **cerveau,** brain.
la **cervelle,** brains; **se brûler la —,** to blow one's brains out.
la **cesse,** rest, respite; **sans —,** incessantly.
cesser, to stop, cease; **faire —,** to put a stop to.
chacun, chacune, each one, every one.
le **chagrin,** sorrow, vexation.

la **chaîne,** chain.
la **chair,** flesh; **ton de** —, flesh-color.
la **chaise,** chair.
le **châle,** shawl; **gilet à** —, waistcoat with shawl (*rolling*) collar.
la **chaleur,** warmth, heat.
chaleureux, warm, cordial.
chaleureusement, warmly.
le **chambellan,** chamberlain.
le **chambranle,** door-frame.
la **chambre,** bedroom, chamber, court of special jurisdiction; **la Chambre,** chamber of Deputies; **faire la** —, to tidy the bedroom; **femme de** —, lady's maid.
la **"chambrelouque,"** dressing-gown. (One of Nanon's peculiar words, not in the dictionary; *loque* means 'rag.')
le **champ,** field; **en plein** —, in the open field.
champêtre, rustic, wild.
chancelant, tottering.
le **chancelier,** Chancellor.
le **chandelier,** candlestick.
la **chandelle,** tallow candle.
le **change,** exchange; **au** —, in exchange, on the market.
changer de, to change.
chanter, to sing; **ce que vous me chantez,** those strange things you are telling me.
chantonner, to sing softly to oneself.
le **chantier,** wood-yard.
Chantrey, Francis, well-known English sculptor of busts and portrait statues, very popular in London after 1816, and till his death, 1842. He made busts of Pitt, Burns, Scott, Wordsworth, and many others.
le **chanvre,** hemp.
le **chapeau,** hat.
le **chapitre,** chapter (*bishop's council*).
le **chapon,** capon.
Chaptal, celebrated chemist (died 1832). He had a remarkable career as professor, administrator, manufacturer, agriculturist and author. He was public-spirited and did his country great service, particularly in the application of chemistry to the industrial arts.
chaque, each.
le **charbon,** coal.
le **charbonnier,** charcoal-burner; — **est maître chez lui,** every man's house is his castle. "Ce proverbe vient de ce que le roi François Ier, s'étant égaré à la chasse, fut contraint de passer la nuit dans la loge d'un charbonnier. Le charbonnier s'assit le premier à la table, en disant que chacun était le maître en sa maison." Cruchot, in saying "charbonnier est *maire* chez lui," is punning, and alluding to the fact that Grandet was an ex-mayor of Saumur. The pun, says Balzac, was not a great success with the company.
la **charge,** load; **en** — **pour,** loading for.
charger de, to load with, charge with, give charge of; **se charger,** to take it upon oneself.

le **charlatanisme,** fake advertising.
Charles X, King of France, 1824–1830. He represented the ideas of the old nobility, the **émigrés,** who had been exiled during the Revolutionary and Napoleonic periods, but now came back into power.
charmé, delighted.
la **charpente,** frame.
le **charpentier,** carpenter.
la **charrette,** cart.
le **charretier,** carter.
charroyer, to haul.
chasser, to hunt, push away, drive, drive away, discharge (*a servant*); — **à courre,** to follow the hounds.
le **chat,** cat.
châtain, chestnut, chestnut-colored.
le **château,** castle; **châteaux en Espagne,** castles in Spain, air castles; — **en Anjou,** Charles makes a joke of his rude awakening from visions of a luxurious life while visiting his uncle. Saumur is in Anjou.
chaud, hot, warm, ardent; **faire** —, to be warm weather.
le **chauffage,** heating; **bois de** —, firewood.
chauffer, to warm, heat up; **se** —, to grow warm.
la **chaufferette,** foot-warmer.
Chaulieu, *la duchesse de.* This lady reappears in Balzac's *Modeste Mignon,* and in *Mémoires de deux Jeunes Mariées.* It was by such links that Balzac connected his works into one vast whole — the *Comédie humaine.*
chausser, to provide with shoes.
les **chaussons,** over-socks.
le **chef,** chief, head; — **d'œuvre,** masterpiece; — **d'office,** butler.
le **chemin,** way, road.
la **cheminée,** fireplace, mantelpiece (*over a fireplace*).
la **chemise,** shirt.
le **chêne,** oak.
cher, (*before noun*) dear, beloved; (*after noun*) costly, precious.
chercher, to seek, look for, get; **aller** —, to go and get.
chéri, beloved, cherished.
chérir, to cherish.
le **chérubin,** cherub.
le **cheval,** horse; **les chevaux de poste,** post-horses.
la **chevelure,** head of hair.
le **chevet,** head (*of a bed*).
les **cheveux,** hair; — **de Vénus,** maiden-hair ferns.
chez, in *or* to the house of, home of, shop of, room of, office of, in *or* with (*a person*).
le **chien,** dog.
le **chien-loup,** wolf-dog.
le **chiffre,** figure, amount.
chiffrer, to number, reckon up, figure out; — **la vie au plus vrai,** to estimate one's chances in life in exact figures.
une **chimère,** idle fancy, imaginary thing.
chinois, Chinese.
choir, fall (old word, now replaced by *tomber*).
choisir, to choose, select, single out.
le **choix,** choice.

chômer, to cease work; — **de, to** be in need of.
choquer, to shock.
la **chose,** thing; **Chose,** Mr. What's-his-name.
choyer, to pet, "spoil."
chrétien, Christian.
chrétiennement, in a Christian manner.
le **Christ,** Christ.
le **christianisme,** Christianity.
chromatique, chromatic; **ton** —, note of the chromatic scale (*at intervals of ½ tone*).
chronométrique, chronometer-like.
chuchoter, to whisper.
chut! hush!
la **chute,** descent, fall.
Cie. abbrev. for **Compagnie,** Co.
le **ciel, les cieux,** Heaven, sky; **tendre au** —, to turn one's thoughts Heavenwards; **lit à**—, canopied bed.
ci-joint, enclosed herewith.
le **ciment,** cement.
à cinq, at 5 per cent.
cintre, le plein —, round arch.
le **cirage à l'œuf,** egg-polish.
la **circonférence,** circumference.
circonspect, cautious, wary.
la **circonstance,** circumstance, crisis; **dans les grandes** —**s,** on great occasions; **selon la** —, according to need.
cirer, to black (*boots*).
des **ciseaux,** scissors.
clair, clear, penetrating, well-lighted; **revenue** —**e,** income free from deductions; **voir** — **à,** to see clearly into.
claquer, faire, to snap, crack.
la **clarté,** brightness, light.
le **classement,** classification (*by assessors*).
claustral, cloistered.
la **clef,** key; **donner un tour de** — **à, fermer à** —, to lock (up).
la **clémence,** mildness.
clément, mild.
le **clignement,** half-closing (*of the eyes*).
un **clin d'œil,** twinkling of an eye.
la **cloche,** bell; **noblesse de** —**s,** local nobility.
la **cloison,** partition-wall.
le **cloître,** cloister, monastery.
clos, closed, shut up.
le **clos,** enclosure, enclosed garden.
la **closerie,** small farm (*enclosed by walls*).
le **closier,** cottager, peasant tenant of a **closerie.**
le **clou,** nail.
clouer, to nail; **se** —, to be nailed, fastened.
cochère, porte —, carriage-entrance.
le **cochon,** pig.
le **Code,** the Code Napoleon, really consisting of five Codes, published by the authority of Napoleon, 1804–1810. The Emperor himself took part in the preparation of these codes, and they have not been greatly modified since his time.
le **cœur,** heart.
le **coffre,** box, chest, body.
le **coffret,** little box.
cogner, to knock; — **qqn,** to call by knocking.
la **coiffe,** peasant's cap, cap, hood.

le **coiffeur,** hair-dresser.
le **coin,** corner.
le **coing,** quince.
le **col,** shirt-collar.
une **colère,** fit of rage, wrath.
se **colérer,** to grow angry.
le **colifichet,** showy trifle.
le **colimaçon,** snail.
le **colis,** package.
la **collerette,** lady's collar.
le **collier,** collar (*for horse or dog*), necklace.
le **colombage,** scantling-work; **un toit en —,** a half-timbered gable-end.
coloré, ruddy.
colorer, to color, illumine.
combien, how many, how much, how (*with an adjective*).
la **combinaison,** combination.
combler, to fill to the brim.
la **comédie,** play which causes amusement.
le **comédien,** actor, player.
le **commandement,** command.
commander, to command, order; **— à,** to order of.
comme, like, as, how.
commencer, to begin.
comment, how.
le **commentaire,** comment.
commerçant, devoted to business.
le **commerçant,** merchant.
le **commerce,** trade, commerce, business; **maison de —,** commercial house or firm; **le — de,** dealings with; **le haut —,** high business society.
commettre, to commit.
la **commisération,** pity.
commode, convenient.
la **commode,** chest of drawers, bureau.
commun, common, vulgar, ordinary, commonplace; **bourse —e,** purse in common; **être — en biens avec,** to hold property in common with.
une **communauté,** community (*religious*).
communiquer, to communicate, impart.
la **compagne,** companion, comrade.
la **compagnie,** society, company.
le **compagnon,** companion, day-laborer.
la **comparaison,** comparison.
comparer, to compare.
compatir à, to sympathize with.
la **compatissance,** sympathy.
se **complaire à,** to take pleasure in.
complaisamment, obligingly, with complacency.
le **complaisance,** complacency, self-satisfaction, amiability, kindness; **par —,** as an accommodation.
complet, complete, sound (*sleep*).
compléter, to make up, finish.
complice, être — de, to be a party to (*or* in).
se **comporter,** to behave.
le **composé,** compound.
composer, to make up, form; **se — de,** to consist of.
comprendre, to comprehend, understand, include, reckon.
compromettre, to compromise, injure; **se —,** to injure one's reputation.
comptable, accountable.
comptant, in cash; **argent —,** ready money, cash.
le **compte,** account, count, total; **faire des —s,** make up

accounts; **devoir des —s à,** to be accountable to; **rendre — de,** to give an account of.
compter, to count, reckon, count upon, expect to, pay down; **— bien,** to fully expect; **à — de,** to count from.
le **comte,** Count.
concasser, to crush.
le **concert,** concert, chorus.
concevoir, to conceive.
conclure, to conclude, decide, strike (*a bargain*).
un **condamné,** man condemned to death.
condamner, to condemn, doom; **condamné,** given up (*by a physician*).
condoléance, *f.*, condolence; **repas de —,** formal meal to express sympathy.
conduire, to conduct, steer, guide; **se —,** to act, conduct oneself.
la **conduite,** conduct, line of conduct or action, escort.
confectionner, to manufacture.
la **conférence,** public lecture; **en grande —,** in solemn council.
confesser, to draw a confession from.
le **confesseur,** father-confessor.
la **confiance,** confidence; **femme de —,** trusted housekeeper.
confier, to confide.
les **confitures,** preserves.
conformément, in conformity with.
confortable, comfortable (felt to be an English word in Balzac's time, but admitted to the Academy Dictionary, 1878).
confus, confused.
une **conjoncture,** situation, crisis.
conjugal, of marriage, marital.
un **connaisseur,** connoisseur, expert.
connaître, to know, be acquainted with, find out, experience; **ça me connaît,** I am used to it; **bien connu,** very familiar; **se — à,** to be an expert at.
consacrer, to consecrate.
la **conscience,** conscience, consciousness.
consciencieux, conscientious.
le **conseil,** counsel; council, (*pl.*) advice; le **Conseil d'Etat,** Council of State (*large administrative body, named by the king, and consisting of Councillors, Masters of Petitions, and Auditors*).
conseiller, to counsel; **— à,** to advise.
conséquence, sans, of no consequence.
la **conserve,** preserve, store (*of dried fruit*).
conserver, to preserve, keep, save; **se —,** to keep young, preserve oneself.
considérable, important, great.
la **considération,** respect, esteem; **notre propre —,** the esteem in which we are held.
considéré, respected.
considérer, to contemplate, examine, respect.
se **consoler,** to be consoled.
la **consommation,** consumption.
consommé, consummated, expert.
constamment, constantly.

constant, unfailing.
constituer, to constitute; **fortement constitué,** of strong constitution.
la **constitution,** act of constituting, foundation.
construire, to construct.
le **Consulat,** the Consulate, period during which Napoleon I governed France under the title of **Premier Consul,** 1799-1804.
le **conte,** tale, anecdote.
contempler, to contemplate, observe, survey, look at, look over.
un **contemporain,** contemporary.
la **contenance,** countenance, face, expression, bearing, demeanor, extent, area.
contenir, to contain, hold.
content (de), pleased (*with*), satisfied (*with*).
le **contentement,** satisfaction.
le **contenu,** contents.
une **contestation,** dispute, opposition.
contourné, distorted, formed, shaped.
se **contracter,** to become narrow.
contraindre, to constrain; **se —,** to repress oneself.
contraint, constrained, bound down.
la **contrainte,** constraint.
contraire, contrary, opposite, contradictory.
contrarier, to annoy, cross, offend.
le **contrat,** contract.
une **contravention à,** offense against, disobedience to.
contre, against, contrary to, in exchange for.
contre-balancer de, to offset.
contrevenir à, to transgress against, go contrary to.
le **contrevent,** shutter.
contribuer à, to add to, aid in.
convaincre, to convince.
convenable, suitable, proper and fitting.
convenablement, with propriety, in a fitting manner.
la **convenance,** convenience, propriety; **mariage de —,** marriage for worldly reasons; **à sa —,** whenever it suited him (*or* her).
convenir, to agree; **j'en conviens,** I agree to it; **il conviendra,** it will be proper.
conventionnel, artificial; **valeur —le,** "fancy" price quoted by dealers.
conventionellement, in view of their artificial value.
convenu, settled, regular, general, agreed upon.
les **conversations, talk.**
la **conversion,** change of front; **faire le quart de —,** to wheel a quarter of a circle (*military term*).
convier, to invite.
le *or* la **convive,** guest.
convoiter, to covet.
convoquer, to call together.
convoyer, to escort.
copieux, profuse in speech, talkative (*local word*).
à la coque, in the shell.
coquet, elegant, dainty, pretty, coquettish.
le **coquetier,** egg-cup.
coquettement, daintily.

la **coquetterie,** elegance, coquettishness.
le **corbeau,** crow.
la **corbeille,** basket, wedding-presents offered by the bridegroom before the marriage.
le **cordage,** rope.
la **corde,** string, rope.
le **cordon,** cord, string, milled edge (*of a coin*).
la **corne,** horn; **couteau de —,** horn-handled knife.
la **corneille,** jackdaw; **comme une — qui abat des noix,** slap dash, "with hammer and tongs."
corporel, bodily.
le **corps,** body.
la **correction,** chastisement.
corroborer, reinforce.
le **cortège,** procession, train.
le **costume de chasse,** hunting-suit.
la **côte,** coast, rib; **les —s,** shores, seaboard.
le **côté,** side; **à — de,** beside; **du — de,** on the side of, in the direction of.
la **cotonnade,** cotton stuff.
cotonneux, mealy.
le **cou,** neck.
la **couche,** bed, layer; **une femme en —s,** a woman in childbirth.
coucher, to lay down, spend the night, have one's bedroom; **se —,** to lie down, go to bed, set (*of the sun*).
le **coude,** elbow.
coudre, to sew; **— deux idées,** put two ideas together.
couler, to slip, to flow; **se — près de,** to slip up close to.
la **couleur,** color.
le **couloir,** passageway.
le **coup,** stroke, blow, shot, aim, move, operation, play (*of whist*); **tout à —,** all of a sudden; **le meilleur —,** the best play; **porter un — à,** deal a blow at; **— de théâtre,** dramatic event; **— d'œil,** look, glance.
coupable, guilty.
le **coupé d'une diligence,** front seats (*more expensive*).
couper, to cut, cut down, interrupt, cut off.
la **cour,** court-yard, court; **faire la — à,** to pay court to; **faire sa —,** to push one's suit, obtain an advantage.
courageux, brave.
le **courant,** course.
courir, to run, go about.
couronner, to crown, surmount.
courre, chasser à —, go a-hunting.
le **courroux,** wrath.
le **cours,** course.
court, short.
le **cousin,** / la **cousine,** cousin.
le **couteau,** knife.
coûter, to cost; **coûte que coûte,** at whatever cost.
coûteux, costly; **peu —,** inexpensive.
la **coutume,** custom; **de —** customarily.
la **couture,** seam.
le **couvent,** convent.
couver, to brood over.
le **couvert,** place (*at table*), set of knives, spoons and forks; **mettre un —,** to set the table.
la **couverture,** bed-covering.
le **couvreur.** roofer.

couvrir, to cover.
craindre, to fear.
la **crainte,** fear, timidity.
craintif, timid.
craquer, to crack, grate.
la **cravate,** neckcloth (in 1819).
la **créance,** money owing, *pl.* claims, debts.
le **créancier,** } creditor.
la **créancière,** } creditor.
le **crédit,** credit, standing.
créer, to create.
la **crême,** cream.
le **crêpe,** piece of crêpe, mourning-band.
crescendo, (*Italian word*) **aller —,** to gradually increase in loudness.
le **creux,** hollow.
la **crevasse,** crack, crevice.
crever, to burst.
le **cri,** cry.
criblé de, riddled with, eaten up with.
crier, to cry, cry out, (*of a door*) creak.
le **crime,** crime.
la **criminalité,** wickedness; **la petite —,** the spice of wickedness.
la **crise,** fit, attack.
croire, to believe, think; **je le crois,** I think so.
la **croisée,** casement-window.
croiser, to cross.
croître, to grow.
la **croix,** cross; **— à la Jeannette,** small gold cross hung round their necks by peasant women.
la **croyance,** belief.
la **cruche,** jug, blockhead.
les **cruchotins,** the Cruchot party.
cueillir, to gather.
la **cuiller,** spoon.
le **cuir,** leather.
cuire, to cook.
la **cuisine,** kitchen; **faire la —,** to do the cooking.
la **cuisinière,** cook.
le **cuivre,** copper.
la **culotte,** knee-breeches.
cumuler, to combine (*different offices*).
le **curé,** curé, parish priest.
la **curée,** quarry, prey.
curieux, curious, rare.
cuver, to put in casks.
le **cuvier,** wash-tub.

D

le **damas,** damask.
la **dame,** lady; **ces dames,** the ladies (*of a party, or a family*).
dame! (abbrev. for **Notre Dame**) well! indeed! of course!
damné, damned.
damner, to condemn.
le **dandy,** English word much in vogue among the "Young France" of the Romantic period. After the **incroyables** of Revolutionary days came the **merveilleux,** then the **élégants,** the **dandys,** the **lions,** etc. *Dandy* is in the last Dictionary of the Academy.
la **danse,** dancing; **un pas de —,** dance step.
danser, to dance.
d'arre d'arre (also written **dare dare**), double quick.
davantage, the more, any more, anything further; **en falloir —,** to need more.
le **dé,** thimble.

débarquer, to land.
débarrasser de, to disencumber of, relieve of.
débiter, to sell at retail, to split (*wood*).
les **débours,** money advanced.
debout, standing.
déboutonner, to unbutton.
le **début,** outset.
débuter, to present oneself, enter upon, make one's first appearance.
décacheter, unseal, open.
décamper, to decamp, move off.
décédé, deceased.
décerner, to bestow.
déchirant, heart-rending.
le **déchirement,** tearing.
déchu, (*from* **déchoir,**) fallen.
décidé, resolute.
décidément, surely, decidedly.
la **déconfiture,** defeat, ruin, failure.
découvrir, discover, uncover.
dédaigner, to scorn.
dédaigneux, disdainful, scornful.
le **dédain,** scorn.
en **dedans,** inwardly.
se **dédire,** to recall what one has said, go back on one's word.
dédommager, to make good, reimburse.
dédoré, with the gilt rubbed off.
la **défaillance,** sudden weakness; **tomber en —,** to have attacks of faintness.
défaire, to unpack, to unfasten, take off.
le **défaut,** lack, defect.
défendre, to defend, protect, forbid.
la **défiance,** mistrust.
se **défier de,** to distrust.
défunt, deceased, the late.
dégagé, indifferent.
dégager, to free.
la **dégradation,** dilapidation.
dégradé, dilapidated.
le **degré,** step; **par degrés,** by degrees.
le **dégrisement,** disillusionment.
déguiser, to disguise.
le **dehors,** outside, exterior; **les —,** externals; **au —, en —,** outside.
déifier, to deify, exalt unduly; **— son rabot,** to make an excessive use of the plaster-beater.
déjà, already, so soon, from the start.
déjeuner, to breakfast, *or* lunch.
le **déjeuner,** breakfast; **le second —, le — de midi,** second breakfast (*towards noon*).
la **délibération, chambre des —s,** council chamber.
délicat, refined, sensitive.
la **délicatesse,** delicacy.
les **délices,** delights.
délicieux, exquisite, delightful.
la **délivrance,** deliverance.
demain, to-morrow; **à —,** until to-morrow, until we meet to-morrow; **dès —,** early to-morrow.
la **demande,** request, question.
demander, to ask, ask for, order, demand; **se —,** to ask oneself, wonder.
la **démarche,** gait.
démentir, to give the lie to.
se **démettre,** to resign.
demeurer, to live, dwell, remain, stay at home.
demi, half; **à —,** half.
la **demie,** half.

la **démission,** resignation.
la **demoiselle,** young lady; **une "demoiselle,"** dragon-fly (the correct term is *la libellule.*)
démolir, to tear down.
démontrer, to prove.
se **démunir** (**de**), divest oneself (of).
le **denier,** penny, cent.
dénoter, to betoken, show.
se **dénouer,** be unravelled, show the final developments.
la **denrée,** commodity; *pl.* provisions, goods, commodities.
la **dent,** tooth; **jusqu'aux —s,** to the teeth, to the top notch.
dénuer, to strip.
le **dénûment,** bareness, destitution.
le **départ,** departure.
dépasser, to pass by, outstrip.
se **dépêcher,** to make haste.
la **dépendance,** subordination; **mettre sous leur —,** to put at their mercy.
la **dépense,** expense, expenditure, pantry.
dépenser, to spend.
dépérir, to waste away, perish.
le **dépit,** spite, vexation; **— amoureux,** a lovers' quarrel.
déplaire à, to displease; **n'en déplaise à,** may it not displease, with the permission of.
déployer, to manifest, to unfold, display.
les **déportements,** scandalous doings, misdeeds.
déposer, to lay down, deposit.
le *or* la **dépositaire,** guardian, trustee.
le **dépôt,** deposit, trust.
dépouiller, to rob, strip.
dépourvu de, devoid of.
depuis, since, for, ago; **— longtemps,** a long time ago; **depuis . . . à,** from . . . to.
le **député,** member of the national Chamber of Deputies.
déranger, to disarrange, disturb; **se —,** to put oneself out.
derechef, for the second time.
dernier, last.
déroger à, to infringe upon.
dès, at, as early as, **— le matin,** the first thing in the morning; **— lors,** from that time, then; **— que,** as soon as, at the moment that.
désagréable, unpleasant.
désarmé, disarmed.
le **désastre,** disaster, ruin.
le **désavantage,** disadvantage.
descendre, to go down, come down, descend.
desdits, desdites, of the said.
désespéré, desperate.
désespérer, to drive to despair, to despair.
le **désespoir,** despair.
déshériter, to disinherit.
déshonorant, disgraceful, dishonorable.
déshonorer, to dishonor.
désigner, to mark out.
le **désir,** desire.
désirer, to desire.
désobéissant, disobedient.
désormais, henceforth, from that time.
desséché, dried-up.
se **dessécher,** to dry up.
le **dessein,** design; **à —,** purposely.
le **dessin,** drawing, sketch, pattern, design.
dessiner, to draw, sketch.

dessous, underneath; **au — de,** below.
le **dessus,** top; **au — de,** above, beyond; **là —,** upon it *or* that.
destiné, designed, intended.
la **destinée,** destiny, fate, destined way, career.
détacher, to unfasten.
détailler, to point out in detail.
détaler, to decamp, be off.
déteint, discolored.
déterminer, to persuade, induce, prevail upon, decide, lead.
le **détour,** turning, winding.
détourner, to turn away.
détracteur, fault-finder.
détruire, to destroy, ruin.
la **dette,** debt.
le **deuil,** mourning; **prendre le —,** to go into mourning; **le — de,** mourning for.
deux, two; **tous —,** both.
dévaler, to go down hill; **où dévalez-vous?** where are you bound for, down yonder?
dévaliser, to plunder.
devancer, to go ahead of.
devant (*of place*), before.
le **devant,** front; **un — d'autel,** altar-frontal.
la **devanture,** shop front.
développer, develop, stimulate.
devenir, to become; **que deviendriez-vous?** what would become of you?
dévider, to wind.
deviner, to guess, guess at, divine, foretell.
dévoiler, to reveal.
devoir, to owe, be obliged to, must, ought, to be destined to, or have to (*do a thing*); *condit. pres.*, should; *condit. past,* ought to have *or* should have; *imperf.*, was to; could have.
le **devoir,** duty; **il est de mon —,** it is a part of my duty.
dévorateur, -trice, devouring.
dévorer, to devour.
une **dévote,** strict churchwoman.
le **dévouement,** devotion, self-sacrifice.
dévouer, to devote; **se —,** to sacrifice oneself.
le **diable,** Devil; **un bon —,** a good fellow; **diable!** the deuce!
le **diamant,** diamond.
Dieu, God; **Dieu!** or **mon —!** Heavens! (or merely expresses surprise, protest: Why . . . Really . . .); **manger le bon —,** take communion.
le **dieu,** god.
difficile, difficult, hard.
difficilement, with difficulty.
la **difficulté,** difficulty.
digérer, to digest.
digne, worthy, excellent.
le **dignitaire,** dignitary, officer in a Chapter.
la **dignité,** dignity.
se **dilater,** to expand.
la **diligence,** stage-coach; **— de Nantes,** stage for Nantes.
diminuer, grow less, fewer.
le **dindon,** turkey.
dîner, to dine; **donner à —,** to give a dinner.
le **dîner,** dinner.
dire, to say, talk, speak, tell; **ne rien —,** to say *or* mean nothing; **pour ainsi —,** so to speak; **vouloir —,** to mean.
le **directeur,** director, father-confessor.

diriger, to direct, bring (*a suit*); **— sur,** to forward to; **se —,** to turn one's steps, to come.
discourir, to discourse.
le **discours,** talk, speech; **dire les mêmes —s,** talk of the same subjects.
discret, discreet, close.
la **discrétion, se mettre à la — de,** to put oneself in the power of.
discuter, to discuss.
la **disgrâce,** disfavor, downfall, unpopularity.
disparaître, to disappear.
se **dispenser de,** to dispense with.
disposer, to arrange.
dissimuler, to hide, to conceal one's motives.
dissipé, dissipated.
dissiper, dispel, melt away.
distingué, distinguished, superior.
distrait, preoccupied, absent-minded.
distraire, to distract, divert.
distribuer, to dole out, distribute.
le **district,** division of a *Département* in Republican times; name changed by Napoleon I to *arrondissement,* which is still used. **Aller au —,** that is, *aller au directoire* (headquarters) *du —.*
divers, various.
une **dizaine,** ten (*in a group*).
dodu, plump.
le **dogue,** mastiff.
le **doigt,** finger, finger's breadth.
la **doloire,** cooper's adze.
le **domaine,** domain, estate.
le **domestique,** man-servant.
dominer, to dominate, rule, to tower *or* rise above.
le **don,** gift.
donc, then, tell us, then too, so, of course, indeed; (*with imperative*) do.
donner, to give, give away, give out; **— sur,** open out upon (*of a door or window*).
dorer, to gild.
le **dormeur,** sleeper; **peu dormeur,** not sleeping much.
dormir, to sleep.
le **dos,** back.
la **dot,** [*pron.* dòt], dowry.
doter, to endow, give a dowry to.
la **douane,** custom-house; **droits de —,** customs duties.
doubler, to line, to double.
doucement, gently, softly, suavely.
la **douceur,** sweetness, gentleness, mildness; **les —s,** flattering words.
douer, to endow.
la **douleur,** pain, sorrow.
le **doute,** doubt; **ce n'est pas un —,** there is no doubt about that; **sans —,** no doubt.
douter de, to doubt, lack confidence in; **se —,** to suspect.
doux, douce, gentle, sweet, soft, mild.
le **douzain,** dozen pieces (*often of money*) for a dowry.
la **douzaine,** dozen.
la **dragée,** sugared almond.
le **drame,** drama, crime of violence, catastrophe.
le **drap,** cloth, sheet.
drapé, thick like cloth, draped.
le **drapier,** dealer in cloth.
dresser, to straighten, arrange,

set up, strike (*a balance*); **se —**, to start up, start to one's feet.
la **drogue,** drug.
droit, straight, right hand.
le **droit,** right, privilege, law, charge, tax; **avoir —**, to be right; **être en — de,** to have a right to; **faire son —**, to study law.
drôle, funny, amusing.
le **drôle,** scamp, rascal.
du, due (see **devoir.**).
la **duchesse,** duchess.
dudit, of the said.
la **dupe,** dupe; **être la — de,** to be fooled by.
dur, hard.
durcir, to harden, grow hard.
la **durée,** duration.
durer, to last, endure, hold out.
la **dureté,** hardness, hardness of heart; **des —s,** harsh words.

E

l'**eau,** *f.*, water; **— sucrée,** sweetened water.
ébloui, dazzled.
un **éblouissement,** attack of dizziness.
ébouriffé, ruffled.
ébranler, to shake.
l'**écaille,** *f.*, tortoise-shell.
un **échafaud,** scaffold.
un **échange,** exchange.
échanger, to exchange.
un **échantillon,** sample.
une **échappée,** glimpse, accidental disclosure.
échapper, to escape; **s'—**, to burst forth, escape.
échauffer, to warm.
l'**échéance,** *f.*, falling due; **à l'—**, when due, as might be expected; **à l'— de ton âge,** when your old age comes around.
une **échelle,** ladder.
un **échevinage,** office of sheriff.
l'**échiquier,** chess-board.
un **écho,** echo.
éclairer, to light, light up, throw light upon, hold the light for.
un **éclat,** brilliancy, splendor, brightness, outburst.
éclatant, dazzling, piercing.
éclater, to burst forth, shine out.
éclos, in bloom.
une **école,** school.
l'**écolier,** school-boy.
l'**économie politique,** political economy.
les **économies,** *f.*, savings.
économiser, to economize.
écorné, chipped.
l'**Écosse,** *f.*, Scotland.
s'**écouler,** to flow away, pass by.
écouter, to listen, listen to.
écraser, to crush.
s'**écrier,** to cry out.
écrire, to write.
une **écritoire,** writing-desk.
une **écriture,** handwriting.
un **écu,** half-crown; (*as a term of account*) 3 francs.
une **écumoire,** skimmer.
une **écurie,** stable.
un **écusson,** escutcheon.
effacer, to wipe out, obliterate, make dim.
effaré, in a fright, frightened, scared.
un **effet,** effect, manifestation, **les —s,** belongings; **en —,** really, sure enough.
effleurer, to touch lightly.

s'**efforcer de,** to exert oneself to.
effrayant, frightful, ghastly.
effrayer, to frighten, alarm.
l'**effroi,** *m.*, terror.
effroyable, frightful, fearful.
l'**effusion,** *f.*, outpouring.
égal, equal, regular.
également, likewise, equally.
une **égalité,** equality; — **d'âme,** evenness of disposition.
l'**égard,** *m.*, regard; **à cet** —, in regard to this; **avoir — à,** to pay attention to.
s'**égayer,** to brighten up.
une **église,** church.
l'**égoïsme,** *m.*, selfishness.
égoïste, selfish.
égorger, to cut the throat of, kill.
l'**égotisme,** *m.*, self-importance, self-conceit.
un **égout,** drain, gutter, sewer.
eh! ah! — **bien,** well, very well! ah well!
s'**élancer,** to shoot forth, move quickly, throw oneself, dart forward.
élevé, brought up, exalted.
élever, to raise, bring up; **s'—,** to arise.
un **éloge,** praise.
éloigné, far, distant, at a distance.
émaner, to emanate.
emballer, to pack (*in boxes*).
un **emballeur,** packer and dealer in packing-boxes.
embarasser, to encumber; — **qqn de,** to entangle someone with.
embarquer, s'**embarquer,** } to embark.
embellir, to adorn; **s'—,** to grow beautiful.
un **embellissement,** embellishment.
emboiser, to beguile, bamboozle.
embrasser, to seize upon, grasp, kiss.
une **embrasure,** recess.
embucquer, to stuff (*with food*).
émerveillé, filled with wonder.
s'**émerveiller,** to be amazed.
emmagasiné, in storage.
emmener, to lead away, escort, conduct.
emmortaiser, to mortise, interlock (*one's fingers*).
une **émotion,** feeling.
émouvoir, to move (*a person's feelings*), excite.
empêcher, to hinder, prevent.
empiler, to pile up.
l'**émpire,** *m.*, empire, control.
l'**Empire,** the Empire (or the First Empire) period during which Napoleon I governed France under the title of **Empereur des Français,** 1804–1814.
empirer, to grow worse.
l'**emplacement,** *m.*, site, position.
l'**emploi,** *m.*, use.
employer, to use, pass away (*time*).
empocher, to pocket.
emporter, to bring along (*with one*), take away, take, take off; (**sur**), to carry the day, get the better of.
empreint, imprinted; — **de,** imprinted with, full of.
s'**empresser,** to hasten, make haste.
un **emprunt,** borrowing; **faire un — à,** to borrow of.
emprunter, to borrow.

ému, moved, excited, stirred up, touched, full of feeling.
en, in, like, as, while.
en, of it, of him, of her, of them, about it, some, any.
encadrer, to frame in.
encaisser, to collect (*money*), put in a box, store away.
s'**encastrer,** to fit together, be fitted together.
l'**encens,** *m.*, incense.
enchaîner, to chain up.
enchanté, delighted.
enclaver, to inclose, hem in.
une **encoignure,** corner, corner-cupboard.
encombrer, to lie heavily upon.
encore, again, this time, yet, even then, still, besides, as well, too, as things are, into the bargain; **qu'avez-vous —?** what's the matter now?
endimanché, in Sunday-best clothes; **— jusqu'aux dents,** rigged out to the very top notch.
endolori, aching, grief-stricken.
endormir, to lull to sleep; **s'—,** to go to sleep; **endormi,** asleep; **bien endormi,** fast asleep.
un **endroit,** place, spot.
l'**enfance,** *f.*, childhood.
un **enfant,** child, young person.
enfanter, to give birth to.
l'**enfantillage,** *m.*, childishness, childish fancy.
enfantin, child-like.
enfariner, to sprinkle with flour.
l'**enfer,** *m.*, hell.
enfermer, to shut up *or* in; **s'—,** to shut oneself in.
enfin, at last, at length, lastly, to crown all, in a word, in short.
enfumé, smoked.
s'**enfuir,** to flee, fly away.
engager, to pledge, to urge.
s'**engager,** to begin, be started, establish itself, get entangled, bind oneself; **s'— dans (un champ),** to enter into.
engarrier, to hinder cramp, tie up.
engendrer, to breed.
engloutir, to swallow up.
enivré, intoxicated.
l'**enivrement,** *m.*, intoxication.
un **enjeu,** stakes (*in game of chance*).
enjoliver, to set off, embellish.
enlever, take away, take up, kidnap.
ennoblir, to make noble, dignify.
l'**ennui,** boredom, distaste for life.
ennuyer, to bore; **s'—,** to be bored.
ennuyeusement, in a manner fit to bore one.
ennuyeux, tiresome.
énorme, larger than usual, (*of charges*) heavy.
enregistrer, to register.
un **enseignement,** teaching.
enseigner, to teach.
ensemble, together; **un —,** whole, harmony; **avec —,** with concerted action, with "team-work."
ensevelir, to bury.
entacher, to spot, sully, cast a slur upon.
entamer, to begin to cut, graze.
entasser, to accumulate, heap up.

entendre, to hear, mean to, think proper, understand; **comme vous l'entendrez,** as you think proper; **se fit —,** made itself heard; **s'—,** to understand one another.
une **entente,** mutual understanding; **— de cœur,** sympathetic understanding.
l'**entêtement,** *m.*, stubbornness.
s'**enthousiasmer,** to become enthusiastic.
entier, whole, entire, complete, unreserved; **tout —,** quite completely.
entièrement, entirely, wholly.
entortiller, to twist about, wrap.
entourer, to surround, frame in.
les **entrailles,** *f.*, entrails; **vous me tribouillez les —s,** you cut me to the heart.
une **entrave,** fetter, obstacle.
entre, between, among.
les **entredeux,** spaces between.
une **entrée,** entrance; **avoir l'—,** to have free access.
entreprendre, to undertake.
une **entreprise,** undertaking.
entrer, to enter, come in.
entretenir, to feed, keep in repair.
entrevoir, to catch a glimpse of, glimpses of.
une **entrevue,** interview.
entr'ouvrir, to half open.
envahir, to invade.
envelopper, to wrap, shroud; **s'—,** to be surrounded with.
envers, towards.
l'**envie,** *f.*, wish, desire; **j'ai — de,** I should like to.
envier, to envy, grudge.
environ, about.
environnant, surrounding.
environné de, surrounded by.
les **environs (d'une ville),** suburbs.
envisager, to stare at, face.
envoyer, to send, send away.
épais, épaisse, thick, dense.
épancher, to pour forth; **s'—,** to pour itself out, overflow.
épargner, to spare.
éparpiller, to scatter.
une **épaule,** shoulder.
l'**épice,** *f.*, spice.
l'**épiderme,** *m.*, scarfskin.
épier, spy upon, watch.
une **épingle,** pin; **des —s,** pin-money.
une **époque,** epoch, age, time; **faire —,** to mark an epoch, create a great stir.
une **épouse,** wife.
épouser, to marry.
épouvantable, dreadful, frightful, appalling.
épouvanter, to terrify, frighten, horrify.
un **époux,** husband.
s'**éprendre de,** to fall in love with.
éprouver, to experience, suffer, put to the test.
équivaloir à, to be equivalent to.
équivoque, of double meaning.
un **escalier,** stairway; **les —s,** steps.
un *or* une **esclave,** slave.
escompte, sous, with the usual discount.
escompter, to discount.
un **espace,** space.
l'**Espagne,** *f.*, Spain; **châteaux en —,** castles in Spain, air castles.
espagnol, Spanish.

une **espèce,** sort, kind.
une **espérance,** hope.
espérer, to hope.
un **espoir,** hope.
l'**esprit,** *m.*, mind, spirit, wit; **avoir l'— de,** to enter into the spirit of; **avoir son — dans sa poche,** to be caught napping; **bel —,** a witty person.
essayer, to try.
essentiellement, in a high degree, extremely.
essuyer, to wipe away, to undergo, be the recipient of.
l'**estimation,** valuation, estimate.
une **estime,** esteem.
estimer, to value.
un **estomac,** stomach.
et . . . et, both . . . and.
établir, to establish; **s'—,** to be set up.
un **établissement,** establishment, marriage settlement.
un **étage,** story (*of a house*).
étaler, to display, exhibit, spread out.
l'**étamage,** *m.*, tinning.
étang, *m.*, pond.
l'**état,** state, statement, account; **grand — de maison,** stately household; l'**Etat,** the government of the nation.
les **États-Unis,** United States.
l'**été,** *m.*, summer.
éteindre, to extinguish, put out; **s'—,** (*of persons*) pass away.
étendre, to spread, stretch, extend, stretch out.
une **étendue,** extent, expanse, amount.
étincelant, sparkling, flashing.
une **étoile,** star.
étonnant, surprising, remarkable.
l'**étonnement,** *m.*, astonishment.
étonner, to astonish; **s'— de,** to be astonished at.
étouffer, to smother.
étrangement, strangely, greatly.
étranger, foreign; **à l'—,** abroad.
être, to be; **— à (qqch),** to be busy with; **— à (qqn),** to belong to, be at the disposition of; **en —,** to be in it, take part in it; **n'y — pour rien,** to have nothing to do with it; **n'est-ce pas?** is it not so? **est-ce vous?** is that you?
un **être,** being, creature.
étreindre, to grasp, seize upon, take fast hold of.
une **étrenne,** New Year's gift; first money received in the day (*for a sale, or in payment*).
étroit, narrow.
étroitement, narrowly, closely.
une **étroitesse,** narrowness.
étrusque, Etruscan.
une **étude,** study, office.
étudier, to study.
européen, European.
s'évanouir, to faint away.
éveiller, to awake; **s'—,** to awaken.
un **événement,** event, happening.
évidemment, clearly, evidently.
éviter, to avoid.
exact, être, to be on time.
l'**exactitude,** *f.*, exactness.
examiner, to observe, look hard at.
exceller à, to excel in.
excepté, except.
exciter, to arouse.
une **exclamation, outcry.**

excommunier, to excommunicate.
un **exécuteur testamentaire,** executor of a will.
un **exemple,** example, instance.
exercer, to exercise.
exhaler, to exhale.
exiger, to exact, insist upon.
exiler, to banish.
l'**existence,** *f.*, life.
exister, to be alive, live.
expédier, to forward (*by freight, express, etc.*)
expirer, to die, expire.
expliquer, to explain, **s'—,** be explained.
les **exploitations,** farming operations.
exploiter, to work, cultivate profitably, take advantage of; **— féodalement,** to exact feudal service from.
une **expression,** manifestation, meaning.
exprimer, to express.
exquis, exquisite.
extérieur, outside.
s'exterminer, to annihilate oneself.

F

fabriquer, to manufacture, to coin; **se —,** to be manufactured.
fabuleusement, in fables, in imagination.
la **face,** face, aspect; **sous toutes ses —s,** from all points of view; **en — de,** opposite to, in the presence of.
facétieux, facetious.
fâcheux, vexatious, unfortunate.
facile, easy, pliant.
facilement, easily.
faciliter, to make easy.
façon, look, style, way, make, workmanship; **bonnes —s,** good looks; **—s d'avarice,** miser's ways.
façonné, formed, shaped; **— à,** accustomed to.
le **facteur,** agent, carrier, porter; **— de la poste,** postman.
la **faculté,** faculty, power; ***pl.*** mind.
faible, weak, slight.
faiblement, feebly.
la **faiblesse,** weakness.
la **faïence,** earthenware, crockery.
faïencé, glazed inside.
le **failli,** merchant who has failed, bankrupt.
faillir, to fail, narrowly escape; **ne faillit à sa destinée,** did not fail to take its destined course.
la **faillite,** failure (*in business*); **faire —,** to fail; **déclarer en —,** to declare to have failed.
la **faim,** hunger; **avoir —,** to be hungry.
le **fainéant,** do-nothing, good-for-nothing.
faire, to do, make, perform, commit, cause (*anything to be done*), have (*anything done*), make out, ask (*a question*), take (*a meal*), say, exclaim, reply; **— une chambre,** to tidy a bedroom; **en — qqch,** to have some influence, deserve to be reckoned with; **laisse-moi —,** let me manage; **ne — qu'un,** to be one; **il fait beau,** it is fine weather; **qu'est-ce que cela me fait?** what does that matter to me? **fait, faite,** made,

formed, done; **être fait à,** to be accustomed to.
se **faire,** to become; to be made, consummated; **comment cela s'est-il fait?** how did that come to happen?
le **faisan,** pheasant.
le **faisceau,** sheaf
le **fait,** fact; **tout à —,** altogether.
falloir, to be necessary; (*with negation*) to be necessary not to; **ne faut-il pas le voler?** don't you see that one must actually rob him?
fameux, famous.
familèrement, familiarly.
la **famille,** family; **en —,** in the intimacy of the family; **air de —,** family likeness.
la **fantaisie,** caprice, whim.
fantasque, whimsical, capricious.
la **farce,** comedy, drollery, joke; **faites vos —s!** have a gay old time!
la **farine,** flour.
farouche, fierce.
Farry, Breilman et Compagnie, carriage-makers in Paris.
fatal, (*before noun*) fateful.
fatigant, tiresome.
fatiguer, to weary, tire out.
la **fatuité,** self-conceitedness, foppishness.
le **faubourg,** outlying quarter of a city, quarter.
se **faucher,** to be mowed.
la **faute,** wrong-doing, fault, error; **— de calcul,** mistake in figuring; **— de,** for want of.
le **fauteuil,** arm-chair.
faux, fausse, false.
la **faveur,** favor; **reprendre —,** to come back into favor, gain ground.
favoriser, to favor, forward, help on.
fécond, fruitful, abundant, bountiful.
la **fécondance,** fertility (*a Balzacian word*).
la **félicité,** happiness.
la **femelle,** female.
la **femme,** woman, wife.
fendillé, full of small cracks.
fendre, to split, crack.
la **fenêtre,** window.
la **fente,** crack.
féodalement, in a feudal manner, like a feudal lord.
le **fer,** iron.
le **fermage,** rent (*of a farm*).
la **ferme,** farm, farm-house.
fermer, to close; **— à clef,** lock.
la **fermeté,** firmness.
le **fermier,** farmer.
la **férocité,** fierceness.
ferré, iron-bound.
Fessard, M., grocer (**épicier**) at Saumur.
le **festin,** banquet.
la **fête,** festival, birthday, birthday party; **jour de —,** fête-day, saint's day; **faire — à,** to feast; **la Fête-Dieu,** Corpus Christi day (*Thursday after Trinity Sunday*).
fêter, to wish many happy returns to, feast.
fêteux (**=fêteurs**), revellers, holiday-makers.
feu, deceased, the late.
le **feu,** fire; **mettre le — à,** to set on fire.
la **feuille,** leaf.
les **fiançailles,** ceremony of betrothal.

se **ficher sur,** to throw one's weight upon.
le **fichu,** kerchief.
fidèle, faithful.
fier, fière, proud.
se **fier à,** to trust to, place confidence in.
la **fierté,** pride.
la **fièvre,** fever.
ma **fifille,** "girlie."
la **figure,** face, figure, countenance, shape.
figurer, to sketch, outline, represent; **se —,** to imagine, picture to oneself.
le **fil,** thread.
filer, to spin.
la **filière,** draw-plate (to make wire by drawing metal out thin), ordeal, fiery furnace.
la **fille,** daughter, girl; **jeune —,** girl (*not over 20*); **vieille —,** maiden lady, old maid.
filouter, to swindle, cheat (*out of*).
le **fils,** son.
fin, fine, sharp-witted, slender, narrow.
la **fin,** end.
la **financière,** banker's wife.
financièrement, financially.
la **finesse,** sharpness, craftiness, tact.
finir, to finish, to end; **en — avec,** to get done with, have it over with.
fixe, fixed, settled, staring.
fixement, fixedly.
le **flacon,** flask.
flagrant, extreme, violent.
flairer, to scent out.
le **flambeau,** torch, candlestick.
flamboyant, flaming, glowing.
la **flamme,** flame.
flanquer, to throw, fling.
flatteur, -euse, caressing, flattering.
le **flatteur,** flatterer.
flavescent, yellowish.
flétrir, to wither, fade.
la **fleur,** flower.
fleurir, to bloom.
le **fleuve,** river.
le **flot,** wave, tide.
flotter, to float, waver.
fluet, spare, slender.
le **flux,** flow.
la **foi,** faith, good faith; **signer sa —,** attest one's (*religious*) faith; **ma —!** upon my word!
le **foie,** liver; **paté de —s gras,** foie-gras pie (*of chicken- or goose-livers*).
le **foin,** hay.
la **fois,** time; **une —,** once; **à la —,** at the same time; **tout à la —,** at one and the same time.
la **folie,** madness, folly; **faire la —,** to commit the folly.
la **fonction,** office.
le **fond,** bottom, depth, further end, back part, remote districts; **un double —,** a false bottom.
la **fondation,** endowment.
fonder, to found.
fondre, to melt, melt down, fuse; **— sur,** to rush upon, pounce upon; **se —,** to melt, be blended.
les **fonds,** funds, capital; **— publics,** government bonds.
la **force,** strength; **vouloir à toute —,** to absolutely insist upon; **un tour de —,** feat of strength, great stroke; **à — de,** by dint of; **—** (*noun*), a great deal of, great quantity of.

forcer, to force.
la **forêt,** forest.
la **formalité,** ceremony, formality.
la **forme,** shape; ses **—s,** her figure; **en —,** in due (*legal*) form.
se **former,** to make for oneself, form.
la **formule,** formula, form, phrase.
fort, very, very much.
fort, strong, large; **être — de,** be strong in.
fortement, strongly, loudly.
fortune, suivant les **—s,** according to their means; **faire —,** to get rich, succeed.
le **fossé,** ditch.
fou, folle, crazy.
la **foudre, coup de —,** thunderbolt.
foudroyer, to thunderstrike.
fouiller, to search, rummage about.
se **fouler le pied,** to sprain one's ankle.
le **four,** oven.
fourbu, foundered.
le **fourneau,** furnace, kitchen-stove.
le **fournil,** bake-house
fournir, to furnish.
fourré, lined with fur.
le **fourreau,** case.
fourrer, to cram or stuff into, poke in; **— le nez,** stick one's nose into; **se —,** to thrust oneself, bury oneself.
le **foyer,** hearth, center, hearth-fire.
la **fraîcheur,** freshness.
frais, fraîche, cool, chilly, fresh.
les **frais,** expenses.
un **franc,** piece of money composed of 20 sous, or 100 centimes.
franc, franche, frank, ingenuous.
français, French.
la **franchise,** frankness, independence.
la **frange,** fringe.
frapper, to knock, strike, mint.
frauder, to defraud.
la **frayeur,** fright.
frêle, frail, weak.
frémir, to shudder.
fréquemment, frequently.
fréquenté, peu, little travelled, almost deserted.
le **frère,** brother.
friand, dainty, inviting, attractive.
la **friandise,** dainty, delicacy.
frileux, chilly, sensitive to cold; **faire le —,** to pretend to be afraid of cold.
le **fripon,** rogue.
le **frisson,** shudder.
frissonner, to shudder.
froid, cold; **à —,** coldly, mechanically; **avoir —,** to be cold; **donner —,** to give one a chill; **faire —,** to be cold, cold weather.
le **froid,** cold; *pl.* cold spells.
froidement, coldly.
la **froideur,** coldness, want of life.
Froidfond, estate near Saumur, bought by M. Grandet, in 1811. The young Marquis later becomes a suitor of Mme de Bonfons.
froisser, to bruise, do violence to, offend.

le **front,** forehead; **avoir le — de,** to have the face to.
le **frottement,** rubbing.
frotter, to rub.
le **fruitier,** fruit-loft.
un **arbre fruitier,** fruit-tree.
fuir, to shun, avoid.
la **fuite,** flight.
se **fulminer,** to be thundered.
la **fumée,** smoke, steam, vapor.
funeste, disastrous.
furtif, stealthy.
furtivement, secretly.
le **fusil,** gun.
futile, useless, frivolous; **joaillerie —,** fancy jewelry.
futur, future.
un **futur,** future husband.
fuyard, fleeting.

G

le **gage,** pledge, security; *pl.* wages.
gagner, to earn, gain, win, get **— froid,** to catch cold.
gai, merry, gay.
gaiement, gayly.
la **gaieté,** good humor, mirth, gaiety.
la **gaine,** sheath.
un **galant homme,** a gentleman, one on whom ladies can rely for protection.
la **galette,** round flat cake, flake.
la **galoche,** overshoe; **menton en —,** turned-up chin.
une **ganache,** horse's jaw, old fool.
le **gant,** glove.
garantir à, to assure.
la **garce,** minx, hussy.
le **garçon,** boy; le **— meunier,** miller's apprentice.
la **garde,** guard, care; **prendre — à** *or* **de,** to be careful about; **prends —,** take care; les **—s françaises,** the French Guards.
le **garde,** keeper, warden.
garder, to keep, tend, keep on (*a garment*).
la **garde-robe,** outfit, wardrobe.
garnir, to ornament, upholster, adorn; **garni de,** furnished with, trimmed with.
le **gars,** boy, fellow.
gâter, to spoil.
gauche, left, left-hand, awkward.
gausser, to chaff.
la **gelée,** frost, freezing cold.
geler, to freeze.
gémir, to groan.
le **gémissement,** groan.
gênant, troublesome, in the way.
le **gendarme,** policeman.
le **gendre,** son-in-law.
gêner, to disturb, be in the way, straiten, embarrass; **se — de,** to disturb oneself about.
généralement, as a general rule, extensively.
généreux, generous, noble.
Gênes, Genoa in Italy.
le **génie,** genius, spirit.
le **genou,** knee; **plier le —,** to kneel; **se mettre à —x,** to go down on one's knees.
génovine, pièce, Genoese coin.
le **genre,** sort, kind, species.
les **gens,** people; **— de rien,** social nobodies; **— du monde,** the world in general.
gentil, well-bred, good-looking, nice; **soyez —,** behave well, be good.
le **gentilhomme,** nobleman, gen-

tleman; — **ordinaire,** gentleman in ordinary.
Mme **Gentillet,** friend of the Grandet family.
gérer, to administer, manage.
le **germe,** germ, seed.
gésir, to lie down.
le **geste,** gesture, motion of the arm.
le **gibier,** game (*hunted animals*).
le **gilet,** vest.
gisant, lying down.
glacer, to freeze, chill.
le **glacis,** glaze, hoar frost.
le **gland,** acorn, tassel.
glisser, to slip.
gloser de, to comment upon.
gober, to swallow down.
Gœthe, Germany's greatest man of letters (1749–1832).
goguenard, facetious, jovial.
gonfler, to swell.
la **gorge,** throat, bosom; **ce serait à se couper la —,** one might as well cut his throat.
le **gouffre,** chasm, abyss.
goule (dialect form of **gueule**), mouth; **avoir la — morte,** to keep mum.
le **gourdin,** thick stick.
le **gousset,** fob-pocket.
le **goût,** taste, liking.
goûter, to taste.
une **goutte,** drop.
le **gouvernement,** government; **mettre (une somme) dans le —,** invest in government bonds.
la **grâce,** grace, graciousness, favor, mercy, thanks; **mauvaise —,** ill-favor; **bonnes —,** kind favor; **— à,** thanks to; **de —,** please, I beg of you; **grâce!** have mercy!
gracieusement, graciously, affably.
gracieux, refined, pleasing.
graduellement, by degrees.
le **grain,** grain.
la **graine,** seed; **mauvaise —,** worthless child, "bad lot."
la **graisse,** fat.
grand, great, large, tall, big; **le — air,** open air; **en —,** on a grand scale.
le **Grand Bureau,** the Main Office.
grand-chose, a great deal.
la **grand-mère,** grandmother.
la **grand-messe,** high mass (*with singing*).
le **Grand Mogol,** sovereign of the Mongol empire in Hindustan.
Grandet, Félix, of Saumur, elder brother of Guillaume and father of Eugénie.
Grandet, Victor-Ange-Guillaume of Paris, younger brother of Félix Grandet, of Saumur.
la **grandeur,** greatness; *pl.* dignities, honors.
grandir, to grow large, increase.
le **granit,** granite.
une **grappe,** bunch (*of grapes*).
gras, grasse, fat.
les **grassinistes,** the des Grassins party.
grassouillet, pudgy, chubby.
gratter, to scratch.
gratis, without charge.
grave, serious.
gravement, seriously, sedately.
graver, to engrave, carve.
la **gravité,** seriousness, danger.
graviter, to revolve.
son **gré,** his (*or her*) will, consent; **prendre en —,** to accept

gratefully, in good part; savoir — à (qqn), to be thankful to.
grec, grecque, Greek.
le **greffe du tribunal,** office of the Clerk of the Court.
la **grêle,** hail.
le **grenier,** garret.
le **grès,** sandstone.
Gribeaucourt, Mlle de, elderly friend of the Grandets.
grièvement, seriously.
la **griffe,** claw.
le **grigou,** skinflint.
grillagé, grated.
la **grille,** grating.
grillé, grated.
grimacer, to be puckered up, make a wry face; **faire —,** to twist into a grimace.
grimper, to climb.
gris, gray.
grisâtre, grayish, grizzly.
la **grisette,** gay working-girl.
grisonner, to grow gray.
grommeler, to grumble, mutter.
gronder, to scold, reprove.
grondeur, -euse, scolding, reproving; **peu —,** not very severe.
un **gros,** 1/8 oz.; **il y a — d'or = il y a beaucoup d'or** (*colloquial*).
gros, grosse, large, big, huge, coarse; **en —,** by wholesale; **coûter —,** to be very expensive.
le **gros de Tours,** grosgrain of Tours.
grossier, coarse.
grossièrement, coarsely, heavily.
grossir, to grow large, enlarge, increase.
grouiller, to stir, move about.
la **guerre,** war.
la **gueule,** big mouth.
la **guinguette,** dance-hall near town.
guise, way, manner; **en — de,** by way of.

H

habile, clever, skilful.
l'**habileté,** *f.*, cleverness.
habiller, to dress, clothe.
l'**habit,** *m.*, coat; *pl.* clothes, suit of clothes.
l'**habitant,** *m.*, resident, inhabitant.
habiter, to live in, inhabit.
l'**habitude,** *f.*, habit, custom, way, manner; **prendre une —,** acquire a habit.
habitué, in the habit of, accustomed to.
l'**habitué,** *m.*, frequenter, frequent visitor in a house.
s'habituer à, to accustom oneself to.
hacher, to chop to pieces.
la **haie,** hedge.
le **haillon,** rag, tatter.
l'**halleberge,** *f.*, early peach.
le **halleboteur,** grape-gleaner; (local word for **grappilleur**).
la **hanche,** hip.
la **harangue,** speech.
'**harceler,** to torment, gall.
'**hardi,** bold, daring.
la **hardiesse,** boldness; *pl.* acts of boldness.
s'harmonier avec, to be in harmony with.
le **harpon,** fishing spear.
le **hasard,** chance, chance occurrence.
'**hasardeux, hazardous,** venturesome.
la **hausse,** rise.
'**hausser,** to raise; **— les épaules,** to shrug one's shoulders.
'**haut,** tall, loud, high, great,

lofty, upper (*class*); — **le pied** (or **la patte**), hustle! **tout** — or **à haute voix,** aloud, in a loud voice.
le **haut,** the upper part, height, summit; **de — en bas,** from top to bottom; **en —**, at or up to the top; **par le —**, at the upper end.
'hautement, highly, openly.
la **hauteur,** height; **à — de,** on a level with.
hé! why! hey! I say!
hébété, stupefied.
hein! hey! hein? eh?
le **hennissement,** neighing.
Henri IV, in 1593, by abjuring Protestantism, became King of France. He put an end to forty years of civil war by the famous Edict of Nantes, 1598. He is still a favorite national hero.
l'herbe, *f.*, grass.
Hercule, Hercules.
un **héritage,** inheritance.
hériter de, to be the heir of, inherit from.
une **héritière,** heiress; **seule —**, sole heiress.
le **héros,** hero.
hésiter, to hesitate.
l'**heure,** *f.*, hour, time of day; **de bonne —**, early, in good season; **à ses —s perdues,** when he had nothing else to do.
heureusement, happily, fortunately, in good season, just in time.
heureux, happy, fortunate.
'heurter, to knock against.
hier, yesterday.
Hillerin-Bertin, rue, since 1850, this street has formed a part of the present *Rue de Bellechasse.*
une **hirondelle,** swallow.
une **histoire,** story, history; **c'est notre —**, that's the way it is with us.
un **hiver,** winter.
'hocher la tête, to shake the head.
un **hoir,** heir.
le **Hollandais,** Dutchman.
'hollandais, Dutch.
la **Hollande,** Holland.
un **homme,** man; **il est bon —**, he's in a good humor.
l'homonyme, *m.*, namesake.
honnête, (*before noun*) honest, virtuous; (*after noun*) honest.
l'honneur, *m.*, honor.
honoraire, honorary.
les **honoraires,** fees.
honorer (qqn), to have a good opinion of.
la **honte,** shame, disgrace; **avoir — de,** to be ashamed of.
'honteux, ashamed, embarrassed.
l'horloge, *f.*, clock.
'hormis, except for.
l'horreur, *f.*, horror.
horrible, dreadful, terrible.
horriblement, terribly.
l'hospice, *m.*, Almshouse, Home.
l'hôte, *m.*, guest.
l'hôtel, *m.*, town mansion, hotel; **l'— Aubrion,** the Aubrion mansion.
'hourder, to rough-cast (*with plaster*).
à huit, at eight per cent.
humain, human.
humanité, *f.*, humane feeling.
humide, damp, moist.
humilier, to humiliate.

l'**hygiène**, *f.*, healthful manner of life.
l'**hypothèque**, *f.*, mortgage.

I

ici, here, this time; — **bas**, here below, in this world; **d'— à quelques jours**, some days from now.
une **idée**, idea.
idolâtrer, to idolize.
l'**idole**, *f.*, idol.
ignominieux, ignominious.
ignorant, uninformed.
ignorer, to be ignorant of.
une **île**, island; **les îles** (usually **les Îles**), the Mexican archipelago, the Antilles.
illicite, unlawful.
illuminer, to light, light up.
illustre, famous. [shine (*shoes*).
illustrer, to render illustrious, to
l'**ilote**, *m.* and *f.*, slave, Helot (*serf among the Spartans*).
l'**ilotisme**, *m.*, abject slavery.
une **image**, picture, image.
immense, immeasurable, very great.
l'**immeuble**, *m.*, real estate.
immobile, motionless, expressionless.
impassible, impassive, unmoved.
l'**impassibilité**, *f.*, impassivity.
impatiemment, impatiently.
impatienté, out of patience.
impatienter, to try the patience of.
impertinemment, impertinently.
un **impertinent**, impertinent fellow.
implacable, relentless.
implorer, to beseech.
imposer, to tax; **le plus imposé**, the heaviest tax-payer; — **à**, to impose upon, inspire respect, or fear, in.
une **imposition**, tax.
un **impôt**, tax.
imprimer, to imprint, stamp; — **à**, to stamp upon, impart to.
l'**improbité**, *f.*, dishonesty.
impunément, with impunity.
inabordable, unapproachable.
l'**inadvertance**, *f.*, accidental oversight, blunder.
inaltérable, invariable.
incapable, unable.
incendier, to set on fire, burn down.
l'**incertitude**, *f.*, uncertainty.
incessamment, constantly.
une **inclination**, bow.
inconnu, unknown, unfamiliar.
un **inconnu**, unknown person.
incongru, unseemly.
incrusté, inlaid.
inculquer, to inculcate.
inculte, wild, uncultivated.
une **indemnité**, compensation.
les **Indes**, the Indies (East or West); **les grandes —**, the East Indies.
un **indice**, sign, indication.
indiquer, to show, point out.
indiscret, **—ète**, intrusive.
une **indiscrétion**, indiscreet action.
un **individu**, individual.
indivis, undivided.
l'**indulgence**, *f.*, fondness, pardon.
un **industriel**, tradesman.
inébranlable, immovable.
inespéré, unexpected.
inextinguible, unquenchable, inextinguishable.
l'**infamie**, *f.*, dishonor.
infatigable, indefatigable.
inférieur, inferior, lower.

infini, infinite.
influer sur, to have influence upon.
s'informer de, to inquire about.
l'infraction, *f.*, breach (*of a rule*).
ingénieusement, ingeniously.
ingénieux, ingenious, elaborate, artful.
l'ingénuité, *f.*, innocent frankness, simplicity.
inhabité, uninhabited.
initier à, to initiate into; **s'— à,** to first enter upon.
une **injure,** insult, abusive speech.
injuste, injust.
inoccupé, idle.
inoculer, to ingraft.
inonder, to overflow.
inouï, incredible, unheard of.
in partibus (*Latin*), in name only, so called.
inquiet, uneasy.
inquiétant, alarming.
l'inquiétude, *f.*, anxiety, uneasiness, misgiving.
l'insecte, *m.*, insect.
insensiblement, little by little, by slow degrees.
un **insigne,** badge, token, sign; *pl.*, distinctive marks, insignia.
insignifiant, trifling, aimless.
insinuant, insinuating.
insolite, unusual.
l'insouciance, *f.*, carelessness.
insouciant, careless, unmindful, abstracted.
installer, to place (*with ceremony*).
une **instance,** instance, entreaty, suit; **tribunal de première —,** district Inferior Court.
un **instant,** moment.
l'instinct, *m.*, intuition.
instituer, to establish.
l'instruction, *f.*, learning, education.
instruit, informed, well-informed, sophisticated.
à l'insu de, without the knowledge of; **à son insu,** unknown to itself, (*himself* or *herself*); **à leur —,** unknown to themselves.
un **insulaire,** islander; also = concierge, house-agent and janitor, a block of city buildings being known as an *insula* 'island,' Fr. *île*.
intact, untouched, unopened.
intégralement, wholly, entirely.
l'intelligence, *f.*, mutual understanding, understanding; **en bonne —,** on good terms.
interdire, to forbid.
intéressant, interesting.
intéresser, to interest; **s'— à,** to take an interest in.
l'intérêt, *m.*, interest, concern; *pl.*, selfish interests; **porter — à qqn,** take an interest in someone; **porter —,** to bear interest.
intérieur, inward.
interpeller qqn, to ask someone for an explanation, to question directly.
interroger, to question (*with authority*).
interrompre, to break off.
intime, intimate.
intimement, intimately.
une **intimité,** intimacy.
un **intrigant,** schemer.
intrinsèque, intrinsic.
introduire, to introduce.
l'intuition, *f.*, insight.
inutile, useless.

un **inventaire,** inventory.
inventer, to devise; **s'—,** to be invented, to invent for oneself; **vous ne savez quoi vous —,** you don't know what to think of next = what will you think of next?
une **invention,** invention, novelty.
inventorier, make a list of.
invétéré, time-honored.
l'ironie, *f.*, irony.
ironique, ironical.
ironiquement, ironically.
irrévocable, not to be recalled.
irrité, cross, angry.
item, also (*Latin word, used to introduce each separate article in an inventory*).
ivre, drunk, drunken; **— de noblesse,** crazy on the subject of noble rank.

J

le **jabot,** frill (*formerly worn by men*).
jadis, formerly.
la **jalousie,** jealousy.
jamais, ever; **ne . . . —,** never; **— de ma vie,** never in my life.
la **jambe,** leg; **à toutes —s,** with all possible speed.
janvier, January; **fin — = à la fin de janvier** (*business term*).
le **jaquemart,** hammer-Jack, Jack of the Clock (automatic human figure, in armor, which strikes the hours). Balzac uses the word in the sense of 'doorknocker.'
le **jardin,** garden.
le **jardinet,** little garden.
le **jarret,** hock (*of quadrupeds*); **se dresser sur ses —s,** to rear backward.
jaser, to gossip, chat, chatter.
jaunâtre, yellowish.
jaune, yellow.
jaunet, -ette, yellowish.
le **jaunet,** buttercup.
jaunir, to turn yellow.
Java, island in the East Indies.
jeter, to throw, cast, shed.
le **jeton,** counter (*used in games*).
le **jeu,** game, gambling.
jeune, young, newly-established; **une — fille,** girl (*not over 20*); **une — personne,** young lady (*from 20 to 25 years of age*).
la **jeunesse,** youth.
la **joaillerie,** jewelry; **— futile,** fancy jewelry.
le **joaillier,** jeweller.
la **joie,** joy, happiness, delight.
joindre, to unite, join, add; **se —,** to be clasped together; **se — à,** to join.
joli, pretty.
le **jonc,** cane.
la **joue,** cheek.
joué, pretended, feigned.
jouer, to play, to pretend; **table à —,** card table.
joueur, -euse, card-player, gambler.
jouir de, to enjoy.
la **jouissance,** enjoyment, delight.
le **jour,** day, light, daylight; **un —,** one day, some day; **quinze —s,** a fortnight; **le — de l'an,** New Year's day; **à —,** in the open; **au —,** at dawn; **de — en —,** from day to day; **petit —,** dawn.
un **journal,** newspaper.
journalier, daily.

la **journée,** day, one day's time.
jouxtant, adjoining (*law term*).
le **joyau,** jewel.
la **joyeuseté,** mirth; *pl.*, delights.
joyeux, gay, lively, happy.
le **juchoir,** roost.
judiciaire, legal.
le **juge,** judge.
juger, to judge (*of*); **l'autorité de la chose jugée,** the authority of a matter decided by a court of law, all the force of a legal precedent.
le **jugement,** judgment.
le **juif,** Jew.
le **juin,** June.
la **jupe,** skirt.
jurer, to swear; **se —,** to swear together, bind oneself by an oath.
le **juron,** oath.
jusque, even, up to; **— -là,** until then; **jusqu'à,** up to, as far as to; **jusqu'alors,** up to that time; **jusqu'à ce que,** until.
juste, just.
la **justesse,** accuracy.
justifier (qqn), to make excuses for.

K

kilo = kilogramme, about 2 lbs.

L

là, there, at this *or* that point; here, at that moment; **de —,** hence; **— -bas,** down there, down below, out yonder.
le **laboratoire,** laboratory.
lâcher, to let loose, let go.
là-haut, up yonder, upstairs.
Laffitte, M. (Jacques), celebrated banker and statesman, still living when Balzac wrote *Eugénie Grandet* (1833). He was the banker of royal families; Napoleon I, on going into exile at Elba, left with him a large sum, on no other security than the banker's word; this money enabled the Emperor's last will and testament to be executed. Laffitte was public-spirited and generous; his funeral, 1844, was an imposing spectacle.
la **Fontaine,** Jean de, died in 1695. His incomparable *Fables* are masterpieces of thought and versification. La Fontaine was an incurably wayward and, on the whole, undignified character, and his analysis of human nature is far from complimentary in tone.
Lafontaine, Auguste (1759–1831) a German novelist, descendant of a French Protestant family. He wrote more than two hundred novels of family life most of which are superficial and sentimental.
laid, ugly.
la **laideur,** ugliness, homeliness.
la **laine,** wool.
laisser, to let, allow, leave; **laisse-le donc,** do let him alone; **laissez donc,** let it go, say no more; **se — aller sur,** to sink down upon; **se — faire,** to let oneself be moved, to make no objection.
le **lait,** milk.
le **laiton,** brass wire.
le **lambeau,** rag, shred.
la **lame,** blade.

lancer, to dart, cast, launch.
la **Lande,** The Moor, name of one of Grandet's farms.
le **langage,** language.
la **langue,** tongue, language, talk; **comme vous avez la — pendue,** how your tongue wags!
le **laque,** lacquer.
le **lard,** bacon.
large, broad, wide.
la **larme,** tear.
une **laryngite,** laryngitis, bronchial cold.
las, lasse, weary.
le **latin,** the Latin language; **être du — à,** be unintelligible to.
la **latte,** lath.
le **laurier,** bay-leaf.
laver, to wash.
les **lazzis** (*Italian*), foolish jokes, chaff.
lécher, to lick off.
la **leçon,** lesson.
la **lecture,** reading, perusal.
ledit, the aforesaid.
légalement, legally.
léger, light, slight.
légèrement, lightly.
la **légèreté,** lightness.
la **Légion d'honneur,** a military and civil order of merit instituted by Napoleon in 1802; the decoration is a red ribbon, made into a small button, and worn in public on the left lapel.
le **législateur,** law-maker.
la **législation,** law-making, laws.
légitimement, legitimately, lawfully.
léguer, to bequeath.
le **légume,** vegetable.
le **lendemain,** the morrow.
lent, slow.
lentement, slowly.
la **lessive,** washing.
lestement, quickly, briskly.
la **lettre,** letter; *pl.*, lettering.
la **levantine,** a plain silk cloth.
lever, to raise, tilt up, to find; **se —,** to arise, rise.
la **lèvre,** lip.
le **lexique,** vocabulary.
le **liais,** limestone.
le **liard,** farthing; **un rouge —,** a red cent.
libérer, to free, liberate.
le **libraire,** bookseller.
libre, free; **moment de —,** leisure moment.
la **licitation,** sale by auction.
liciter, to put up to auction.
lié, intimate.
un **lien,** tie, bond.
lier, to bind, bind together.
se **lier beaucoup avec,** to become very intimate with.
lieu, place; **au — de,** instead of; **au — que,** whereas; **avoir —,** to take place.
une **lieue,** league, three miles.
le **lièvre,** hare.
la **ligne,** line, outline; the Line, the Equator.
le **ligueur,** Leaguer. During the Wars of Religion in France, the Roman Catholic party was organized under the name of *la Sainte-Ligue;* the Duke of Guise was the chief leader.
le **linceul,** shroud.
le **linge,** linen; **il faut laver son — sale en famille,** people

should keep disagreeable private affairs to themselves.
la **linotte,** linnet (song-bird, often caged, hence used by Grandet for "women-folks.")
liquide, net, unencumbered.
liquider, to liquidate, go into liquidation, settle.
lire, to read.
une **lisbonine,** (*Portuguese coin*).
Lisbonne, Lisbon (*Portugal*).
la **lisière,** selvage; **tapis de —,** rag-carpet.
lisser, to smooth (*with a brush*).
le **lit,** bed.
les **litanies,** prayers to God, the Virgin, and the Saints; **voilà tes —,** that's your Church nonsense, enough of that rigmarole.
le **littoral,** shores.
la **livre,** pound, unit used for sums of money = 1 franc; **en livres,** without any discount, (*see Balzac's explanation*).
livrer, to deliver, give up, betray.
locataire, *m.* and *f.*, tenant.
la **locution,** expression, phrase.
le **loge,** box (*at theatre*).
loger, to lodge, live, stay; **logé,** fixed; **se —,** to take up one's (*or its*) abode.
la **logique,** reasoning.
le **logis,** house, dwelling-house; **au —,** at home.
la **loi,** law; **mettre hors de —,** to put under ban, to outlaw.
loin, far; **plus —,** farther on.
lointain, distant.
le **lointain,** distance.
la **Loire,** the Loire river; **en —,** along the river Loire.
à loisir, at leisure, freely.
long, longue, long.
le **long,** length; **le — de,** along; **de — en —,** up and down.
longtemps, a long time.
longuement, at length.
lorgner, to examine (*through an eye-glass*).
le **lorgnon,** eye-glass.
lors, then; **dès —,** from that hour; **— de,** at the time of.
lorsque, when.
le **lot,** prize (*in a lottery or game*).
le **loto,** game of loto (*or* lotto).
la **louange,** praise.
le **louis** or **louis d'or,** 24 fr. piece; **double —,** old coin worth 23 fr. 55c.
le **loup,** wolf; **à pas de —,** with stealthy steps.
la **loupe,** wen.
loyal, loyal, true.
la **loyauté,** honesty, fidelity to engagements.
lucide, clear.
la **lueur,** glow, gleam.
lugubre, dismal, mournful.
luire, to shine, glow.
la **lumière,** light; lighting of a house; **aux —s,** by candle-light.
lumineux, luminous.
Lupeaulx, M. de, an unscrupulous politician; he appears as a more or less important character in nine of Balzac's novels.
lustrer, to polish.
le **luxe,** luxury, elegance.
luxueux, luxurious.

M

macérer, to make thin, *or* lean.
machinal, mechanical, involuntary.
le **maçon,** mason.
Madeleine, Magdalen. Luke vii, 38 relates that Mary Magdalen came to Jesus "weeping, and began to wash his feet with tears."
le **madrier,** beam.
le **magasin,** store, warehouse.
le **mage,** magian; **les trois —s,** the Three Wise Men of the East.
magique, magical, witching.
le **magistrat,** magistrate.
magnanime, high-souled.
magnifique, magnificent.
magnifiquement, magnificently, in a grand way.
le **magot,** hoard.
maigre, thin.
la **maille,** small coin (*now disused*); **n'avoir ni sou ni —,** not to have a red cent.
la **main,** hand.
maintenant, now.
maintenir, to keep, maintain, keep in place; **se —,** to keep up, continue, keep together
le **maintien,** bearing, demeanor.
le **maire,** mayor.
mais, but, and more, why!
la **maison,** house, dwelling, business house, firm.
le **maître,** master, teacher; **être — de,** to have the power to; **Maître,** Lawyer, Counsellor; **les —s,** master and mistress; **— des requêtes,** master of petitions.
la **maîtresse,** mistress; **être — de,** to have control of; **une petite —,** an ultra-fastidious young lady; **la — dent,** eye-tooth.
Sa **Majesté,** His *or* Her Majesty.
majeur, majeure, of age; **des raisons —s,** better reasons.
un **majorat,** entailed estate.
mal, ill, badly, wrong; **être —,** to be homely; **le —,** *pl.* **maux,** sickness, pain, evil, harm; **avoir du — à,** to find it hard to; **être — pour (qqn),** to be disagreeable to (*a person*).
malade, ill, sick.
la **maladie,** illness; **gagner une —,** become ill, "catch one's death."
malavisé, ill-inspired, imprudent, unwise.
la **malédiction,** curse.
malgré, in spite of.
le **malheur,** unhappiness, misfortune.
malheureusement, unfortunately.
malheureux, unfortunate.
malicieusement, maliciously.
malicieux, mischievous.
malin,-igne, tricky; **le —,** rogue.
malingre, sickly, puny, in poor health.
la **malle,** trunk.
malveillant, malicious, evil-disposed.
m'ame (= madame), ma'am.
la **manche,** sleeve, wristlet; **avoir dans la —,** to have at one's disposal, in reserve; **être — à —,** to be even (*at cards*), to be "neck and neck."

le **mandat,** money-order, draft.

Mane-Tekel-Pharès, *Mene, Mene, Tekel, Upharsin* in the English Bible (*Daniel* v, 25).

manger, to eat ; **faire—à —,** to prepare meals for; **— le bon Dieu,** to take communion.

la **manie,** mania, craze; **notre — d'égalité,** our craze for political equality.

manier, to handle.

la **manière,** manner, way; **de — à,** so as to.

manifester, to show, exhibit.

la **manœuvre,** handling, management.

le **manque,** want, lack.

manquer, to fail, fail in, just miss, to be wanting, want for (*anything*)

en **mansarde,** with attic roof; **chambre en —,** attic room.

le **manteau,** cloak, mantel.

la **mappemonde,** map of the world.

le **maraîcher,** market-gardener.

Marat, slain by Charlotte Corday, July, 1793. A year and a half later, the bust and what were supposed to be the ashes of this once idolized "boss" were cast into the Montmartre sewer.

marbré, veined, mottled (*like marble*).

le **marchand,** merchant, trader, dealer.

la **marchandise,** commodity, article, merchandise.

la **marche,** step, tread (*of a stairway*).

le **marché,** market, bargain, money transaction, "deal;" **un — d'or,** a splendid bargain; **à bon —,** at small cost; **en —,** in the market; **être en —,** to be bargaining.

marcher, to step, walk, advance, move on, march.

la **marée,** tide, fish; **venir comme — en carême,** to come in the nick of time, at just the right moment.

la **margoulette,** jaw (*slang*).

la **marguerite,** daisy.

Marguerite, Margarete, or Gretchen, of Goethe's *Faust:* the poet's ideal of maidenly sweetness, beauty and innocence.

le **mari,** husband.

le **Marie-Caroline,** merchant-vessel, owned at Bordeaux.

marier, to marry (*off*), **à —,** at a marriageable age; **se —,** to get married.

les **marins,** seamen, sailors; **— de la garde impériale,** "horse marines" (*which never existed*).

maritalement, with matrimonial respectability, like a staid married couple.

marquer, to mark, be noteworthy, of consequence; (*at lotc*) to put a counter on the proper square when the number is called.

la **marqueterie,** marquetry, inlaid work.

le **marquisat,** estate of a marquis.

la **marquise,** marchioness.

marron, chestnut-colored.

le **maroquin,** morocco.

le **mars,** March.

le **marteau,** knocker.
martial, military looking.
le **martyre,** martyrdom.
en **masse,** in a body.
massif, massive.
le **matelot,** sailor.
la **maternité,** maternal tenderness.
le **matin,** morning; **dès le —,** bright and early; **si —,** so early in the morning.
matinal, in the habit of early rising, morning; **être —,** to rise early.
la **matinée,** morning, forenoon.
maudire, to curse.
mauvais, bad, ill, worthless, poor, miserable.
la **mécanique,** machine.
méchant, wicked, worthless, wretched.
méconnaître, to misunderstand, fail to recognize.
la **médaille,** medal.
le **médecin,** doctor; **— ordinaire,** physician in ordinary.
les **Médicis,** the famous Medici family of Florence, influential during the 15th and 16th centuries. Two of the family, Catherine and Marie, were queens of France; two were Popes as Leon X and Clement VII.
médire de, to speak ill of, criticize unfavorably.
la **médisance,** unfavorable criticism, detraction.
la **méditation,** reflection, plan.
méditer, to meditate, ponder, consider, think over.
meilleur, better; **le —,** the best.
la **mélancolie,** sorrow, sadness.
mélancolique, melancholy.
mélanger, to mix, to mingle.
mêler, to mix, mingle; **se — à** or **de,** to mingle with, associate with, meddle with, trouble oneself about.
le **mélèze,** larch-tree.
le **membre,** limb.
même, self, same, even; **ce — soir,** this very evening; **tout de —,** all the same, after all; **de — que,** just as; **un — sentiment,** a mutual feeling; **une — famille,** a united family.
mémère, mamma, " mommie."
la **mémoire,** memory; **de —,** from memory.
la **menace,** threat.
menacer, to threaten.
le **ménage,** household, housekeeping, quarters, belongings; **monter son —,** to set up a home for oneself.
le **ménagement,** caution, consideration; **des —s,** careful attentions.
ménager, to be saving of.
la **ménagère,** housekeeper.
mener, to lead.
le **mensonge,** lie.
mensuellement, every month, monthly.
une **menterie,** untruth, lie.
mentir, to lie; deceive.
le **menton,** chin.
menu, small, trifling, mincing; **le —,** the details.
le **mépris,** scorn, contempt; **au — de,** in violation of.
mépriser, to scorn, despise.
la **mer,** sea.

merci, thank you, no thank you (*according to context*).
la **mère,** mother.
le **merisier,** wild-cherry tree.
le **merluchon,** big hake, *or* codfish; "big chap."
le **merrain,** stave wood.
la **merveille,** wonder; **à —,** wonderfully well.
mesquin, mean, petty, contemptible.
la **messagerie,** stage-coach office; *pl.*, the stage-coach service or office.
la **messe,** mass; **la grand'—,** High Mass; **— militaire,** mass said for the cadets of the military school.
la **mesure,** situation, measured quantity; **se mettre en — de,** to prepare to, to enable oneself to; **à — que,** in proportion as, according to.
mesurer, to measure, dole out.
la **métairie,** small farm (worked on shares).
le **météore,** meteor (*any atmospheric phenomenon*); **le — du moment,** the sensation of the hour.
méthodique, methodical.
le **métier,** trade, business.
la **mette,** kneading-trough.
mettre, to put, put on, place, put out of (*a window*); **— la table,** to set the table; **se —,** to dress oneself; **se — à,** to begin to, to sit down to.
le **meuble,** piece of furniture, article; **— de chêne,** oaken cupboard; *pl.*, personal property.
meubler, to furnish, ornament.
le **meunier,** miller.
la **meute,** pack (*of hounds*).
meurtri, bruised.
meurtrier, deadly.
le **midi,** noon.
le **miel,** honey.
la **miette,** crumb.
mieux, better, rather; **aimer —,** to prefer; **tant —,** so much the better; **pour — dire,** to speak more exactly.
mignon, pretty, little, delicate, dainty; **le —,** the nice man; **ma —ne,** little one, darling.
le **milieu,** middle; **au — de,** in or into the midst (*of*); **du —,** in the middle.
le **militaire,** soldier.
mille, a thousand.
un **millier,** thousand (*in one amount*).
la **mine,** look, air, expression.
minime, trifling, very small.
le **ministère,** cabinet-office (*in government*).
ministre, premier —, prime minister.
le **minium,** red lead.
minutieux, particular.
Mirbel, Mme de, a successful painter of miniatures during the Restoration. She was official painter for royalty, yet owed her reputation to study and experiment. She abandoned the process called *le pointillé*, then in vogue, and obtained coloring almost equal to that of oil. (Died 1849).
se **mirer,** to look at oneself in a mirror.

le **mirliflor,** " dude," " sport," " Cholly."
le **miroir,** mirror.
la **mise,** dress, attire, stake (*at a game*); **faire les —s,** to put up the stakes.
misérable, wretchedly poor, wretched.
la **misère,** extreme poverty, suffering; **une —,** a mere trifle, a mere nothing.
mitoyen, middle; **mur —,** partition-wall.
une **mnémotechnie,** mnemotechny (*art or way of memorizing*).
le **mobile,** motive.
le **mobilier,** personal property.
la **mode,** fashion; **homme (femme) à la —,** person of fashion, devoted to fashionable life.
modéré, moderate.
se **modifier,** to be changed.
les **mœurs,** customs, ways, manners.
le **moindre,** least, slightest, minutest.
le **moine,** monk.
moins, less, minus; **le —,** least; **le — du monde,** the least in the world; **— de,** less than; **à — de,** unless; **au —,** at least, not even; **du —,** at least.
le **mois,** month.
la **moisson,** harvest (*of grain*).
la **moitié,** half.
mollement, softly.
le **mollet,** calf (*of the leg*).
mollir, to soften.
momentané, momentary.
momentanément, every moment, for the time being.
monarchique, monarchical.
monastique, monastic, passive, ascetic.
le **monde,** world, people, community, company; **au —,** in the world; **le beau —,** fine company; **il viendra du —,** we are going to have company; **tout le —,** everybody; **n'avoir rien du —,** to be wholly ignorant of the world; **en femme du —,** like a worldly woman.
la **monnaie,** coin, money, change.
monnayer, to coin, exchange for coin.
monotone, monotonous.
monsieur, Mr., the gentleman, the master.
monter, to mount, go up, come up, take up, bring up, set up, amount to.
la **montre,** watch, display of merchandise, show window.
montrer, to point at, show; **se —,** to prove oneself, to show one's courage, *or* devotion.
montueux, hilly, steep.
se **moquer de,** to make fun of, make fools of.
moqueur, mocking.
moral, moral.
la **morale,** morality code of morals.
moralement, from the point of view of conduct.
le **morceau,** piece, lump; **un — de pain,** a mere nothing; **— d'art,** art gem.
mordre, to bite.
le **mort,** dead man.

la **mort**, death.
mort, dead; **faire le — or la —e**, to pretend to be dead.
mortellement, mortally.
la **morue**, cod, codfish.
le **mot**, word, saying, phrase, expression, (for **bon mot**) witty remark; **le — technique**, technical term.
le **motif**, motive.
motus! mum's the word!
mou, molle, soft, mild, obliging.
se **moucher**, to blow one's nose.
le **mouchoir**, handkerchief.
la **mouette**, sea-gull.
se **mouiller**, to grow moist.
la **mouillette**, sippet.
moulé, moulded.
le **moulin**, mill.
la **moulure**, moulding.
mourir, to die; **se —**, to be dying.
la **mousse**, moss.
moussu, mossy.
le **mouton**, sheep, mutton.
moutonné, with curly hair (*like sheep's wool*).
le **mouvement**, impulse, sensation, motion, change of expression; **se mettre en —**, to bestir oneself; **sans —**, motionless.
le **moyen**, means; **trouver — de**, to find a way to.
moyen, middle, middle-class; **le — âge**, the Middle Ages.
moyennant, by means of, in consideration of.
mu, moved (from **mouvoir**).
muet, muette, mute, silent.
munir (de), to fortify, provide (with).
le **mur**, wall.
la **muraille**, high wall.
murer, to wall up.
muser, to idle about.
mutuel, mutual.
mutuellement, mutually.
le **mystère**, mystery.
mystérieux, mysterious.

N

le **nageur**, swimmer.
naguère, but lately, only just now.
naïf, naïve, childlike, artless.
la **naissance**, birth, birth-day.
naissant, new-born.
naître, to be born.
la **naïveté**, simplicity, innocence, artlessness.
Nantes, important commercial city, near the mouth of the Loire. Tide-water is felt as high up as Nantes, but large vessels stop below, at St. Nazaire.
un **naperon**, table-cover.
le **napoléon**, a twenty-franc gold piece; also a forty-franc piece.
la **nappe**, table-cloth, surface of the sea.
narguer, to scorn, set at defiance.
la **natte**, braid (*of hair*).
le **naturaliste**, naturalist.
la **nature**, nature, kind; **être dans la —**, to be according to the laws of nature.
le **navire**, ship.
ne . . . guère, scarcely; **ne . . . jamais**, never; **ne . . . plus**, no more;

ne . . . que, only; **ne . . . rien,** nothing, not anything.
né, born (from **naître**); **née,** whose maiden name was.
néanmoins, nevertheless.
nécessaire, necessary.
un **nécessaire,** dressing-case, workbox.
nécessairement, as a matter of course.
négligemment, carelessly, negligently.
négliger, to neglect.
le **négociant,** merchant, business-man.
le **nègre,** negro.
la **neige,** snow.
nerveux, sinewy, nervous.
se **nettoyer,** to be cleaned.
neuf, neuve, new.
la **neuvaine,** prayers or masses said for nine consecutive days to obtain some favor.
le **neveu,** nephew.
le **nez,** nose; **lève donc le —,** come, look up.
ni, neither; **ni . . . ni,** neither . . . nor.
niais, foolish.
un **niais,** simpleton, fool.
la **niaiserie,** foolishness.
le **nid,** nest.
le **nigaud,** blockhead, booby.
noble, of noble birth.
la **noblesse,** nobility; *pl.*, noble qualities.
la **noce,** marriage; **faire des —s,** celebrate a wedding; **présent de —,** wedding-present.
nocturne, by night.
noir, black, dark, gloomy.
noircir, to blacken.
la **noix,** nut.
le **nom,** name; **— de,** in the name of.
le **nombre,** number; **sans —,** innumerable.
nombreux, numerous.
la **nomination,** appointment.
nommer, to name, appoint; **je me nomme,** my name is; **faire —,** to have appointed; **se —,** be named.
non più andrai (*Italian*), "thou shalt go no longer" (*air in Mozart's le Mariage de Figaro*).
notable, remarkable, considerable.
notablement, noticeably, remarkably.
le **notaire,** notary.
notarié, witnessed by a notary-public.
une **notion,** idea, opinion.
se **nouer,** to be fastened, tied.
noueux, –euse, knotted.
nourrir, to nourish, feed.
nouveau, nouvelle, new; (*before noun*) another, a different; **de —,** again, once more.
une **nouvelle,** piece of news.
nouvellement, recently.
noyer, to drown.
le **noyer,** walnut-tree.
Noyers, l'abbaye de, near Saumur (?). (Noyers, in dept. Yonne, was the site of a well-known Benedictine Abbey.)
nu, bare, naked; **la nu-propriété,** the bare ownership (*without any income from it*).
le **nuage,** cloud.
Nucingen, Baron Frédéric de, a rich banker of Paris who had amassed wealth in

doubtful ways. His wife, *née* Goriot, entertained lavishly at their *hôtel* in the rue St. Lazare. See Balzac's *La Maison Nucingen.*
nuire, to hurt, harm.
la **nuit,** night; **cette —,** last night.
nuitamment, by night, in the night.
nul, nulle *adj.*, no, not any; **nulle part,** nowhere.
nullement, no wise, in no way.
le **numéro,** number.

O

obéir (à), to obey.
un **objet,** object.
l'obligation, *f.*, necessity, indebtedness.
obligé à, obliged to.
l'obligeance, *f.*, obligingness, kindness.
obscur, dark, gloomy.
l'obscurité, *f.*, dim light.
obséquieux, obsequious.
un **observateur,** observer, onlooker.
observateur, -trice, observing.
une **observation,** remark.
observer, to remark, observe; **faire — (à qqn) que,** to call his (or her) attention to the fact that.
obtenir, to obtain, get; **— de** (qqn), to prevail upon.
obvier à, to prevent.
une **occasion,** opportunity; **par l'— de,** by taking advantage of.
occuper, to occupy, to take one's attention; **occupé à,** engaged in; **occupé de,** taken up with; **avoir à s'—,** to have work in hand; **s'— de,** to give attention to, work on behalf of, think about, trouble oneself about, be taken up with.
une **occurrence,** circumstance; **en semblable —,** in connection with such a circumstance.
une **odeur,** smell, fragrance.
une **œillade,** ogling glance.
un **œillet,** pink, carnation.
un **œil** (*pl.* **yeux**), eye; **coup d'—,** glance.
un **œsophage,** œsophagus, gullet.
un **œuf,** egg.
une **œuvre,** work.
offensant, offensive, injurious.
offenser, to offend, injure.
l'office, *m.*, divine service, function of preparing the table; **chef d'—,** head cook.
offrir, to offer, show.
une **ogive,** Gothic archway.
une **oie,** goose.
un **oiseau,** bird.
oisif, oisive, idle.
une **ombre,** shadow.
ombragé, shaded, shadowed.
une **once,** ounce.
un **oncle,** uncle.
un **ongle,** finger-nail.
l'Opéra, not the present *Grand Opéra* at Paris (which was not begun till 1861) but a temporary hall in the rue Le Pelletier (1821–1874).
opposé, opposite.
or, now.
l'or, *m.*, gold, gold-color; **— de**

bijou, jewelry gold; **poudre d'—,** gold-dust; **un marché d'—,** a tremendous bargain.
un **orage,** storm.
orageux, stormy.
ordinaire, usual, regular; **médecin —,** physician in ordinary.
ordinairement, usually.
une **ordonnance,** order, prescription; **— royale,** order in council.
ordonner, to order, regulate, command.
l'ordre, *m.*, order, the order of the day.
une **oreille,** ear; **conversation d'— à —,** whispered conversation.
un **orgue,** organ (*for music*).
l'orgueil, *m.*, pride, haughtiness.
orgueilleusement, proudly.
Orléans, ancient city on the Loire, south of Paris. At the siege of the city by the English, in 1428–9, Jeanne d'Arc began her career. Now a busy, modern city.
un **ornement,** ornament.
orner, to ornament, adorn.
un **orphelin,** orphan.
Orsonval, Mme de, friend of the Cruchots and of the Grandets.
l'os, *m.*, bone.
oser, to dare.
les **ossements,** bones, skeleton.
ostensiblement, for purposes of show, or pretence, conspicuously.
un ostensoir, monstrance (*vessel of gold or silver in which the host is exposed in the Roman Catholic ceremony*).
ôter, to take away, take off.
ou, or; **ou . . . ou,** either . . . or.
où, where, when, in which, into which; **d'—,** whence, from which.
une **ouaille,** one of a flock.
l'ouate, *f.*, cotton batting.
l'oubli, *m.*, forgetfulness, oversight.
oublié, forgotten, long-forgotten.
oublier, to forget.
ouin! pshaw! pooh!
ourdir, to weave, hatch (*a plot*).
un **outil,** tool.
outre, over and above; **en —,** besides.
ouvert, open (*from* **ouvrir**).
ouvrage, handiwork, work.
un **ouvrier,** working-man.
une **ouvrière,** working-woman.
ouvrir, to open.
un **ouvrouère,** work-room (*a dialect pronunciation; the correct spelling is* **ouvroir**).
ovale, oval.

P

la **pacotille,** small stock (*of cheap goods*); **marchandise de —,** cheap goods, peddler's ware.
la **paille,** straw; **chaise de —,** straw-bottomed chair.
le **pain,** bread; **un —,** a loaf; **acheter pour un morceau de —,** to buy for a song.
le **pair,** peer.
la **pairie,** peerage.

paisiblement, peacefully.
la **paix,** peace, peacefulness.
le **Palais (de Justice),** Court-building; **baragouin de —,** lawyers' lingo.
pâle, pale.
la **pâleur,** pallor.
le **palier,** landing (*of a staircase*).
pâlir, to turn pale, grow pale.
pâlot, palish.
la **palpitation,** throbbing.
palpiter, to palpitate, throb.
le **pan,** side, stretch (*of wall*); skirt (*of a coat*); **à six —s,** six-sided, **à —s hourdés,** with rough-cast walls of lath and plaster.
le panier, basket; **adieu —s, vendanges sont faites!** good-bye, baskets, the grapes are gathered; the harvest is over and done; "the jig is up."
panique, panicky.
le **panneau,** panel.
panser, to dress (*a wound*).
le **pantalon,** trousers.
pantois, dumbfounded (*obsolescent word*).
le **paon,** peacock.
le **pape,** Pope.
le **papier,** paper, wall-paper.
le **paquet,** bundle.
par, by, through, out of, on (*a morning*); **de —,** by order of; **— -ci,** here, on this hand; **— -là,** there, on that side.
le **paradis,** Paradise.
paraître, to appear; **sans que ça paraisse,** contrary to appearances.
la **paralysie,** paralysis.
le **paravent,** screen.
parbleu! I should say so! of course!
le **parc,** park.
parce que, because.
une **parcelle,** part, particle.
parcimonieux, parsimonious.
pardé! to be sure!
pardieu! by Heaven! to be sure! of course! I do believe it!
pareil, such, like.
le **parent,** relative, parent.
la **parenté,** relationship.
parer, to parry.
parfait, perfect.
parfaitement, thoroughly, entirely, absolutely.
parfois, at times.
le **parfum,** perfume.
parisien, of Paris, Parisian.
parler, to speak, talk.
parmi, among.
la paroi, wall.
la **paroisse,** parish, parish-church.
paroissial, of a parish.
le **paroissien,** prayer-book.
la **parole,** word, word of honor, talk, speech.
parsemer, to besprinkle.
la **part,** part; **de — et d'autre,** on the one hand and the other; **prendre — à,** to feel sympathy regarding; **de toutes —s,** in every direction; all over; **faire — de qqch à qqn,** to let someone know about something.
le **partage,** division.
partager, to share, divide.
le **parti,** party, advantage profit, match (*person to marry*); decision; **tirer — de,** to take advantage of; **tirer**

un bon — de, to make the most of; **tirer un excellent — de,** to make a good profit out of; **tirer un — satisfaisant de,** to turn to satisfactory account; **prendre son —:** to make up one's mind.
participer à, to share in.
particule, homme à —, man with **de** before his name, nobleman.
la **particularité,** particular circumstance.
particulier, belonging to, peculiar to, private, characteristic, special.
particulièrement, especially.
la **partie,** party, merrymaking, game, part; **en —s pleines,** in solid parts; **faire la — de,** to take part in a game with; **une forte (grande) — de,** large supply of; **faire — de,** to be one of.
partir, to depart, go away, go out, come out, give vent to; **— d'un éclat de rire,** to burst out laughing.
partout, everywhere.
parvenir à, to succeed in.
le **pas,** step, pace.
le **passage,** passage, short stay.
passager, transient, fleeting.
passagèrement, momentarily.
le **passant,** passer-by.
passé, past, faded; **le —,** past; **par le —,** in the past.
le **passe-partout,** master-key, latch-key.
passer, to pass; **— pour,** to be considered; **— par,** to submit to; **se —,** to take place, happen; **se — de,** to do without.
passionné, ardent, passionately in love.
se **passionner,** to get enthusiastic.
le **pastel,** pastel, crayon.
le **pasteur,** pastor.
le **pâté,** pie; **un — fait à la casserole,** pot-pie.
paternel, natural to a father.
patiemment, patiently.
le **patin,** skate, clog, wooden block.
le **patron,** employer.
patronymique, patronymic.
la **patte,** paw, (*popularly*) foot; **haut la —,** bestir yourself, "hustle."
la **paupière,** eye-lid.
pauvre, poor (*after noun*); **ce — Cornoiller,** good old Cornoiller.
une **pauvresse,** very poor woman, beggar-woman.
le **pavé,** paving-stone, pavement.
payer, to pay for, pay.
le **pays,** country, neighborhood; **la tête du —,** the best in the neighborhood.
le **paysage,** landscape.
les **Pazzi** (pronounce *pad-zi*), celebrated family of Florence, rivals of the Medici. In 1478, as the result of a conspiracy, Julian de' Medici was killed in the cathedral; whereupon Lorenzo had the conspirators hung. A tragedy of Alfieri is based upon these events.
la **peau,** skin.
le **péché,** sin.
pêcher, to fish (up).

le **pécule,** hoard (*of savings*).
pécuniairement, from the point of view of money.
se **peigner,** to comb one's hair.
peindre, to paint, express, depict; **se —,** to represent to oneself.
la **peine,** pain, trouble, difficulty, labor; **à —,** scarcely.
le **peintre,** painter, (*artist*).
la **pelisse,** long cape.
le **penchant,** inclination.
se **pencher,** to lean, incline.
pendant, during, along; **— que,** while.
pendre, to hang.
la **pendule,** clock.
Pénélope, wife of Ulysses.
pénétrant, penetrating.
pénible, painful, pained.
la **pensée,** thought.
penser, to think; **— à,** to think about.
la **pension,** allowance.
la **pente,** slope; *pl.*, hangings, bed-curtains.
le **pépère,** "daddy."
per fas et nefas (Latin) = *par le juste et l'injuste*, by fair means or foul.
percer, to pierce, show through, show; **se —,** to pierce oneself, run oneself through.
la **perdition,** spiritual damnation; **à la — de votre âme,** as if yours was a lost soul.
perdre, to lose, get rid of; **moments perdus,** leisure moments; **se —,** to be lost, to be a loser.
un **perdreau,** young partridge.
la **perdrix,** partridge.
le **père,** father, ancestor.
perfectionné, thoroughly trained.
périodique, recurring at regular intervals, regular.
périr, to perish.
la **perle,** pearl.
permettre, to allow, permit; **être permis à,** to be allowed to, to be expected of.
Perrottet, one of Grandet's tenants.
la **perruque,** wig.
persistant, enduring.
persister à, to persist in.
la **personne,** person; **une jeune —,** a young lady about 20 to 25; **ne . . . personne,** nobody, not anybody.
la **perspective,** prospect.
la **perspicacité,** shrewdness.
la **perte,** loss.
pervers, wicked.
pesant, heavy.
peser, to weigh, lie heavily, be heavy.
peste! plague take it!
le **pétale,** petal.
petit, small, little, low, slight.
une **petite-maîtresse,** ultra-fastidious young lady.
la **petitesse,** smallness, pettiness.
pétrifier, to harden into stone.
pétrir, to knead, to mould.
peu, little, few, not very; **— ou prou,** more or less; **un —,** a little.
le **peuple,** people, common people.
le **peuplier,** poplar tree.
la **peur,** fear; **faire — à,** to frighten; **avoir — de,** to be afraid of.

peut-être, perhaps, you had better believe!
un **phénix,** phoenix, model, paragon.
le **phénomène,** phenomenon.
Philippe V, King of Spain, 1700-1746.
le **philosophe,** philosopher.
la **phrase,** sentence.
la **physionomie,** countenance, aspect, usual aspect.
le **physique,** build of body.
la **pièce,** piece, room, piece of money, coin, cask; **armé de toutes —s,** armed to the teeth.
le **pied,** foot; **de mon —** (for **à pied**), on foot.
le **piédestal,** pedestal.
la **pierre,** stone; **en —,** built of stone.
la **piété,** piety.
pieux, pieuse, pious.
le **pigeon,** pigeon.
la **pile,** pile, pier (*of a bridge*).
le **pillage,** plunder; **mettre au —,** to plunder.
pimpant, neat, trim, attractive; **— de jeunesse,** blooming with youthfulness.
pincer, to pinch.
piquant, pungent, appetizing.
piquer, to prick, goad.
la **piqûre,** pricking.
pis, worse.
le **pistolet,** pistol.
piteusement, piteously, pitifully.
piteux, grieved, downcast, dejected.
la **pitié,** pity.
pittoresque, picturesque.
pittoresquement, picturesquely.
la **place,** place, public square, market-place, market; **la — de Paris,** Paris Exchange, Paris market; **rester en —,** remain still.
le **placement,** investment.
placer, to put, place, invest; **se —,** get a place.
le **plafond,** ceiling.
le **plaideur,** litigant, party to a law-suit.
une **plaidoirie,** pleading (*at law*), lawyer's speech.
la **plaie,** wound.
plaindre, to pity; **se —,** to complain.
la **plainte,** wailing, lamentation, complaint.
plaire à, to please; **se —,** to take pleasure in.
plaisamment, humorously, in a playful manner.
la **plaisanterie,** joke; **en —,** as a joke.
le **plaisir,** pleasure; **à —,** intentionally.
le **plan,** outline, plot.
la **planche,** shelf, board, plank; **la — à bouteilles,** bottle-rack.
planchéié, floored with wood.
le **plancher,** ceiling, floor.
la **plane,** draw-knife.
planer, to use the draw-knife.
planter, to plant, set, place; **arrive qui plante,** come what may!
plantureux, prolific, abundant, fruitful.
la **plaque,** plate (*of metal*).

plat, plate, flat.
le **plat,** smooth surface, dish.
le **plateau,** tray.
plein, full; **en — air,** in the open air; **en — champ,** in the open field; **en —e mer,** on the open sea.
les **pleurs,** tears, weeping.
pleurer, to weep, cry, weep for, mourn for.
le **pli,** crease, fold, plait.
plier, to bend, fold.
plissé, wrinkled.
le **plombier,** lead-worker, plumber.
plonger, to plunge, bathe; **se — dans,** to dive into.
la **pluie,** rain.
la **plume,** feather, pen.
la **plupart,** the greater part, greater number.
plus, more, and furthermore; **le —,** the most; **— de** (*with exclamation*), no more; **au —,** at the most; **tout au —,** at the very most; **de —,** besides; **ne . . . plus,** no more, no longer; **plus . . . plus,** the more . . . the more.
plusieurs, several.
plutôt, rather, sooner; **— que,** rather than.
la **poche,** pocket; **avoir l'esprit dans sa —,** to be caught napping.
le **poids,** weight.
poignant, keen, eager.
le **poignard,** dagger.
la **poignée,** handful; **une — de main,** handshake.
le **poignet,** wrist.
le **poinçon,** cask.
poindre, to dawn.
le **point,** point, stitch; **tirer les —s,** to set one's stitches; **à —,** to a turn; **au — de,** to the extent of; **ne . . . point,** not (*emphatic*).
la **pointe,** sharp point.
la **poire,** pear.
poli, polite, polished.
la **police,** policing, business of watching.
poliment, politely.
le **polisson,** scoundrel, blackguard.
la **politesse,** politeness.
politique, political.
la **politique,** politics, policy.
la **Pologne,** Poland.
la **pomme,** apple; **la — d'or,** gold head (*of a cane*).
les **pompes,** magnificences, dignity.
le **pont,** bridge.
ponter, to risk (*money in a game of chance*).
populaire, of the people.
le **port,** wharf, river-front.
la **porte,** door; **— de communication,** communicating door; **— cochère,** carriage entrance; **— bâtarde,** house-door.
la **portée,** meaning, extent, force; **à sa —,** within (his *or*) her reach.
le **portefeuille,** wallet, pocketbook.
le **porte-queue,** train-bearer.
porter, to carry, wear, bring, take (*interest in*); deal (*a blow*); bear (*a name*); **se — bien,** to be well, keep well.
portugais, Portuguese.
poser, to lay down, place, put; **cela posé,** that being granted;

se —, to take one's place, plant oneself, take up one's stand.
la **position,** situation.
posséder, to possess.
la **poste,** stage-coach, post-office.
la **posture,** position.
le **pot-au-feu,** boiled beef and broth.
pouah! faugh! disgusting!
le **pouce,** thumb, inch; **manger sur le —,** to take a snack, eat standing.
la **poudre,** powder; **— d'or,** gold-dust.
poudreux, dusty.
la **poule,** hen.
le **poulet,** chicken.
la **poupée,** doll, puppet.
pour, for, in order to; **— deux sous de,** two sous worth of; **l'aimer — elle,** to love her for her own sake; **— ne pas être exprimé,** unexpressed though it was; **— cent,** per cent.; **en trois — cent,** in three per cent. bonds; **— que,** in order that.
pourquoi, why?
pourrir, to rot, decay.
la **poursuite,** pursuit, lawsuit.
poursuivre, to pursue, chase after.
pousser, to push, impel, put forward, utter, grow; **comme ça nous pousse!** how she sprouts up (*for us*), how she does grow, doesn't she? **se —,** to push one another, help each other along.
la **poutre,** beam, joist.
pouvoir, to be able, can; **quoi-qu'elle ait pu faire,** whatever she may have done.
le **pouvoir,** power.
la **prairie,** meadow.
le **pré,** meadow.
précieux, precious, costly.
précieusement, garder —, to treasure up.
précipité, hurried, hasty.
précis, precise; **à cinq heures —es,** exactly at five o'clock.
précisément, exactly, just.
prédire, to predict.
la **préfecture,** prefecture (*territory of a* **préfet**).
le **préfet,** Prefect (*an administrative officer*).
le **préjugé,** prejudice.
le **prélèvement,** previous deduction.
premier (Ier), first, chief, early; **— président,** President of the *Cour de Cassation,* or Supreme Court.
prendre, to take, seize, catch, assume, put on, acquire, get, accept, deal with, adopt (*a custom*); **— à,** to take from; **— sur,** to borrow from; **se — à,** to set about, begin, fall to (*doing something*).
la **préoccupation,** mental abstraction.
préoccupé de, thinking continually of.
préparer, to make ready, draw up (*a deed*).
près, nearly; **— de,** about to, nearly; **à un centime —,** to within a centime.
la **prescience,** foreknowledge.
la **présence,** presence; **en —,** face to face.

un **présent,** gift, present.
présenter à, to hold out, hand to; **se —,** to offer to the view, be seen.
le **président,** president, presiding judge.
présider à, to preside over.
presque, almost.
pressant, fervent, urgent.
pressé, hurried; **être —,** to be in a hurry.
le **pressentiment,** foreboding.
pressentir, to have a foreboding of, have an inkling of.
pressurer, to squeeze.
présumer bien de qqn, to expect good things from someone.
prêt, ready.
le **prêt,** loan.
prétendre, to try to, claim; **— à,** to aspire to, aim at.
la **prétention,** intention.
prêter, to lend, to offer; **— attention,** to pay attention; **— à,** to attribute to.
le **prêtre,** priest.
la **preuve,** proof.
prévaloir, to prevail, triumph.
prévoir, to foresee, arrange for beforehand.
prier, to pray, ask; **— qqn de qqch,** beg someone for something.
une **prière,** prayer, request.
le **primevère,** spring-time.
principalement, chiefly, especially.
le **principe,** source, cause.
le **printemps,** spring (*season*).
la **prise,** hold, contest, quarrel, pinch; **être aux —s avec,** to be struggling with; **donner — à,** to give a handle to.
priver de, to deprive of.
le **prix,** price, prize; **avoir du —,** to have some real value; **donner — à,** to attach importance to; **à tout —,** at any cost.
probe, honest.
la **probité,** honesty, uprightness.
problématique, doubtful.
des **procédés,** gentlemanly manners; **c'est y mettre des —,** this certainly is doing the proper thing.
le **procès,** lawsuit.
prochain, next, near, approaching.
le **prochain,** neighbor.
proche, near.
une **procuration,** power of attorney.
la **prodigalité,** extravagance.
prodiguer, to lavish, be lavish of, spend freely for.
produire, to produce; **se —,** to show itself.
les **produits,** produce.
le **professeur,** teacher.
le **profit,** advantage, profits.
profiter de, to take advantage of.
profond, deep, profound.
profondément, deeply.
la profondeur, depth.
le **progrès,** progress; **il y avait un —,** an advance had been made.
la **proie,** prey; **être en — à,** to be a prey to.
le **projet,** plan, project.
projeter, to project, cast forward, cast from.
la **promenade,** walk, promenade.
se **promener,** to walk, take a

walk, walk up and down, go out for a walk.
la **promesse,** promise.
promettre, to promise.
prompt, speedy.
promptement, readily, immediately, quickly.
la **promptitude,** promptness.
prononcer, to pronounce, to speak.
le **propos,** purpose, remark; **à —,** at the favorable moment; **l'à —,** fitness, unity, harmony.
proposé, put forward, offered.
propre (*before noun*) own; (*after noun*) neat, clean, tidy; **mes —s,** my private property.
le **propriétaire,** landowner, owner.
la **propriété,** ownership, property, estate.
protéger, to protect, to favor.
prou; peu ou —, little or much, more or less.
prouver, to prove.
provenir de, to proceed from, come down from.
la **Providence,** divine government of the world; **une providence,** special providence, providential blessing.
le **provin,** vine-layer, scion.
la **province,** province, country.
le **provincial, -iaux,** one who lives in the country, provincial.
provisoirement, for the time being.
provoquer, to stir up, excite.
psch! pshaw!
public, publique, public.
publier, to publish, announce.
la **puce,** flea; *adj.*, puce-colored.
la **pudeur,** modesty, shame.
pudique, modest, shrinking.
puis, then, then too, besides.
puiser à (or **en**) to draw from (*as from a well*).
puisque, since.
puissamment, powerfully, extremely.
la **puissance,** power.
puissant, powerful, in power.
le **puits,** well.
punir, to punish.
la **punition,** punishment.
pur, pure, undisturbed (*sleep*).
la **pureté,** purity.
purifier, to purify.

Q

un **quadruple (d'or),** Spanish gold coin, worth about $16.50.
le **quai,** quay, wharf.
quaker, Quaker; **chapeau de —,** broad-brimmed hat.
la **qualité,** quality; **en — de,** in the character or capacity of.
quand, when, though; **— même,** even if.
quant à, as to, as for; **—es fois,** as many times.
le **quart,** quarter; **faire un — de conversion,** to wheel around a quarter of a circle.
le **quartier,** quarter, district.
le **quartier-maître,** quartermaster.
quasi, almost, somewhat.
quasiment, almost, nearly.
quatre à quatre, four at a time.
que, that; (*replacing comme, quand, si, etc.*) as, when, so,

until; — **diable!** what the deuce!
quelconque, of some sort.
quelque, some, a little; **—s,** a few; **— chose,** something; **avoir — chose,** to have something the matter; **être de — chose à qqn,** to be of interest *or* importance to someone.
quelquefois, sometimes.
la **querelle,** quarrel.
se **quereller,** to quarrel.
la **question,** question; **il n'est — que de,** there is talk of nothing but.
la **queue,** tail, stems (*of a bouquet*).
qui que ce fût, anyone at all.
quibuscumque viis (*Latin*), by any means whatever, by fair means or foul.
la **quinzaine,** fortnight.
la **quittance,** receipt, (*in full*) discharge.
quitte, free (*of debt*); **nous sommes quittes,** we are even, "quits."
quitter, to leave, abandon; **se —,** to leave one another, separate.
quoi, what; **je ne sais —,** something or other; **— que ce fût,** anything at all.
quoique, although, whatever.
quotidien, daily.

R

rabonnir, to improve.
le **rabot,** plane, plaster-beater; **l'artisan a déifié son —,** the workman made an excessive use of plaster.
raboter, to plane.
raccommoder, to mend.
racheter, to buy back, redeem.
la **racine,** root.
se **racornir,** to grow hard, shrivel up.
rafistoler, to mend, patch up.
la **raideur,** stiffness.
la **raie,** line, stripe.
la **raillerie,** ridicule, banter, raillery.
le **raisin,** grape, grapes; **une grappe de —,** a bunch of grapes; **du — (sec),** raisins.
la **raison,** reason, right; **avoir —,** to be right.
raisonnable, reasonable, tractable, "nice."
le **raisonnement,** reasoning, argument.
raisonner, to reason.
ramener, to lead back.
ramasser, to rake together, pick up.
la **rampe,** incline, balustrade, banister.
une **rangée,** row.
ranger, to set in order, arrange.
se **ranimer,** to come to life again.
râpé, threadbare.
rapetisser, to grow smaller; **— encore,** to become still smaller.
rappeler, to recall; **— qqn à qqn,** to remind one of someone; **se —,** to recall to oneself, remember.
le **rapport,** relation; **mettre en —,** to bring together; **— à,** apropos of; **en — avec,** in harmony with.
rapporter, to bring, bring in,

bring back; **s'en — à**, to trust to.
rapprocher de, to come near to, to make near to.
la **rareté**, rarity; *pl.*, rare qualities.
le **rasoir**, razor.
rassembler, to gather together, call together.
rassurer, to reassure, tranquillize.
se **rattacher**, to attach oneself to, be attached to.
ravir à, to rob (*someone*) of.
ravir, to delight, enrapture.
ravissant, fascinating.
rayer, to scratch, erase.
le **rayon**, ray, beam, shelf.
rayonner, to beam.
réagir, to react.
réaliser, to realize, to convert into money; **se —**, to be realized.
rébarbatif, grim, stern, repellent.
rebuter, to rebuff.
récemment, recently.
recevoir, to receive.
réchauffer, to warm again, warm up, give new life to.
recherché, refined, distinguished, elegant.
réciproquement, reciprocally.
réclamer, to claim, crave, entreat.
la **réclusion**, solitary confinement.
la **récolte**, harvest, vintage.
récolter, to reap, gather in.
recommander, to recommend, order, charge.
réconcilier, to reconcile.
reconduire (qqn), to escort back, accompany to the door.
la **reconnaissance**, gratitude; **une —**, certificate.
reconnaître, to recognize, detect, recompense, own, acknowledge.
recroquevillé, rumpled.
le **reçu**, receipt.
recueilli, thoughtful, pensive.
recueillir, to gather in, reap.
reculer, postpone.
redescendre, to go down again.
la **redevance**, rent (*in money or "in kind"*).
la **redingote**, frock-coat.
redire, to repeat, to render (*music*).
redoubler, to redouble, increase.
redouter, to dread.
réduire, to reduce.
réel, réelle, real.
la **réélection générale** of 1830, the last election during the reign of Charles X; the "July Revolution" followed soon.
réellement, really, in reality.
réfléchir, to reflect.
se **refléter**, to be reflected, reveal itself.
la **réflexion**, thought, idea.
refriser, curl again.
se **refroidir**, to grow cold.
se **réfugier**, to take refuge, concentrate itself.
le **refus**, refusal.
se **refuser à**, not to agree to, balk at.
régaler, to entertain, treat; **se —**, to feast oneself, enjoy oneself.

le **regard,** look, glance, attention; **attirer les —s,** to attract attention.
regarder, to look at, to concern; **se —,** to look at one another.
le **régime,** regimen, system of management (*or rule*).
la **région,** region.
régir, to govern, direct.
le **régisseur,** steward.
le **règlement,** settlement.
régler, to regulate, settle.
le **règne,** reign.
régner, to reign.
regretter, to regret, repine at losing.
réhabiliter, to restore to good fame, clear of reproach.
rehausser, to raise higher, heighten.
la **reine,** queen,
les **reins,** loins, back.
réitérer, to repeat.
rejaillir, to gleam forth, flash.
rejoindre, to rejoin.
relevé, lifted, drawn back.
relever, to lift up; **se —,** to get up, recover.
religieux, religious; (*before noun*) scrupulous.
religieusement, religiously.
reluire, to glisten.
remanier, to retouch, do over again.
remarquable, unusual, noteworthy.
une **remarque,** remark, observation.
remarquer, to notice; **faire — à,** to call someone's attention to.
le **remboursement,** reimbursement.
remercier, to thank.
les **remercîments,** thanks.
remettre, to put back, restore, hand over, deliver.
remonter, to go up (*or* upstairs) again.
le **remords,** remorse, **des —s,** bitter regrets.
le **rempart,** rampart.
remplacer, to replace.
remplir, to replenish, fill, fulfil, fill up; — **une formalité,** to observe (*or* discharge) a formality.
remporter, to carry off, take away, win (*a victory*).
remuer, to move, stir; **se —,** to move.
le **renard,** fox.
rencontrer, to meet, encounter; **se —,** to meet each other, or together.
le **rendez-vous,** meeting by appointment.
rendre, to render, make, render up, return, give, give back; — **justice,** to do justice; **se —,** to betake oneself, go, do to oneself.
la **rêne,** rein.
le **renfoncement,** retired corner.
renier, to deny, disown.
renoncer à, to renounce.
la **renonciation,** renunciation.
la **rente,** produce paid as extra rent, income, stock; **se mettre dans la —,** to buy government bonds; **faire une — à,** settle an income upon.
rentrer, to enter, come in, come back home, come into (mon-

ey); — **dans,** to secure possession of, receive.
renversé, upset, leaning over, disordered.
renvoyer, send back.
répandre, to shed, spread; **se** —, to spread oneself.
reparaître, to reappear.
la **réparation,** repair.
réparer, to redeem, make up for.
le **repas,** meal (*of food*).
repasser, to turn over, go over.
se **repentir,** to repent.
se **répercuter,** to be reflected.
répéter, to repeat.
replacer, to put back.
se **replier,** to fold, swing.
répliquer, retort.
répondre, to reply, answer, respond; **je vous en réponds,** I will answer to you for that; — **de,** to answer for.
la **réponse,** answer, reply.
reporter, to bring back.
reposé, tranquil.
reposer, to rest.
le **reposoir,** temporary altar, (*during a procession*).
repoussant, repellent, repulsive.
repousser, to push back.
reprendre, to take again, take up again, take back again, resume, continue (*a conversation*).
se **représenter à,** to present itself to.
réprimer, to suppress.
la **reprise,** darn, resumption, return; **à plusieurs —s,** repeatedly, several times.
le **reproche,** reproach.
reprocher, to reproach.
un **républicain,** Republican (*at the French Revolution*).
la **République,** Republic.
la **répudiation,** disavowal.
répugner à, to dislike to, to be repugnant to.
la **réputation,** reputation.
requérir, to petition for.
la **requête,** petition; **maître des —s,** Master of petitions (*a court officer*).
un **Requiem,** special mass for the souls of the dead.
la **résignation,** resignation.
résigné, resigned.
résister à, to resist.
résonner, to resound, echo.
résoudre, to solve, resolve, settle.
le **respect,** respect, esteem; **sous votre —,** with all deference to you, excuse my saying so.
respectif, mutual.
respectueusement, respectfully.
respectueux, respectful.
la **respiration,** breathing.
respirer, to breathe, breathe in.
resplendir, to be resplendent, shine bright, be radiant.
ressaisir, to take possession of again, seize again, lay hold of, snatch back.
la **ressemblance,** resemblance.
ressembler à, to resemble.
le **ressort,** spring (*of steel*); **à** —, with a spring.
le **restant,** remainder.
la **Restauration,** the Restoration, from 1814-1830; reigns of Louis XVIII and Charles

X. In February 1822, under Louis XVIII, the assassination of the Duc de Berry caused a panic, followed by a change of ministry.

le **reste,** remainder; *pl.*, remains, relics.
rester, to remain; **en — là,** to stop there, at that point.
le **résultat,** result.
résumer, to sum up.
rétablir, to re-establish, make up again.
en **retard,** late.
retarder, to delay.
retenir, to keep back; **se —,** to keep one's footing.
retentir, to resound, reëcho, be heard.
le **retentissement,** resounding; **avoir du —,** to make a great noise.
retirer de, to get back (*one's outlay*) from; **se —,** to withdraw.
le **retour,** return; **compte de —,** return account, *i. e.*, memorandum accompanying a draft or check, showing the principal plus the notary's charges, in case the draft is not paid; **de — à,** upon (*his*) return to; **au —,** on (*my*) return.
retourner, to return, go back; **se —,** to turn round; **s'en —,** to return, go (*or* come) back.
la **retraite,** retreat, retirement.
retraité, put on the retired list.
retrouver, find again, discover, recover.
réunir, to unite, combine, gather together, bring together.
réussir (**à**), to succeed (*in*).
la **réussite,** success.
le **rêve,** dream.
le **réveil,** awakening.
réveiller, to awaken; **se —,** to awake, to be awake.
révéler, to reveal.
revenir, to come back, return; **— d'une opinion,** to change one's opinion.
le **revenu,** income, revenue.
rêver, to dream.
la **révérence,** curtsey, bow.
le **revers,** back, the other side.
revoir, to see again.
révolutionner, to revolutionize, to turn upside down.
révoquer, to recall.
le **rez-de-chaussée,** ground-floor.
riant, smiling, cheerful.
riche, rich.
richement, richly.
la **richesse,** richness; *pl.*, wealth.
ridé, wrinkled.
le **rideau,** curtain.
ridicule, absurd.
rien, nothing; **de grands —s,** momentous nothings; **un — de pain,** morsel of bread.
rieur, rieuse, laughing, merry.
rigoureux, severe.
rire, to laugh.
le **rire,** laugh, laughter.
risquer, to risk.
le **rival,** la **—e,** rival.
la **rive,** shore, bank, margin.
la **rivière,** stream, river.
la **robe,** dress; **une — de chambre,** dressing-gown.
robuste, strong
la **roche,** rock.

rogner, clip (*a coin*).
Roguin, notary at Paris, a swindler, whose speculations and dissipations caused him to abscond, thereby contributing to the ruin of Guillaume Grandet and of César Birotteau.
le **roi,** king.
le **rôle,** role, part (*in a play or opera*).
le **roman,** romance, novel.
rond, round.
la **ronde,** circle; **à la** —, all around.
la **rondeur,** roundness.
ronfler, to snore.
ronger, to gnaw, to consume, eat up.
rose, rose-colored.
le **rosier,** rosebush.
les **Rothschild,** celebrated family of bankers, founded by Maier Amschel, who was born in Frankfort, 1743. With four of his sons, in Paris, London, Vienna and Naples, he founded an international banking-house, which during the Napoleonic period and later was known as "the sixth power." The combined wealth of the family has been placed at two thousand million dollars. See I. Balla, "The Romance of the Rothschilds," 1913.
la **rotule,** knee-cap.
le **rouet,** spinning-wheel.
rouge, red.
rougir, to redden, turn red, blush.
la **rouille,** rust.
rouillé, rusty.
le **roulement,** rolling, rumbling.
rouler, to roll, roll away, roll up, travel about, dupe, cheat; **se** —, to roll oneself (*itself*).
la **roulette,** small wheel, caster.
la **roupie,** rupee (*East Indian silver coin*); drop of mucus (*due to snuff-taking*).
la **route,** highway, main road; **se mettre en** —, to start on a trip.
roux, rousse, red, reddish, sandy.
royal, -aux, royal; **bons royaux,** treasury notes.
royaliste, belonging to the King's political party.
le **ruban,** ribbon.
la **ruche,** beehive.
rude, severe.
rudement, severely, roughly, brusquely.
rudoyer, to treat harshly.
la **rue,** street.
la **ruelle,** alley, space between the bed and the wall.
la **ruine,** ruin.
ruiné, ruined.
ruineux, ruinous.
rusé, wily, foxy.
ruser, to intrigue.
la **Russie,** Russia.

S

le **sable,** sand.
le **sabot,** wooden shoe, hoof, top.
le **sac,** bag; **mettre à** —, to pillage; — **de nuit,** carpet-bag.
saccadé, jerky, irregular.

sacré, sacred.
sacrifier, to sacrifice.
sage, good, well-behaved.
sagement, wisely.
la **sagesse,** wisdom.
saigner, to bleed.
sain, healthful, healthy.
saint, sacred, holy; **bon — bon Dieu!** the Lord and the saints!
Saint-Germain; le faubourg —, district south of the Seine, near the ancient Eglise St.-Germain, the fashionable quarter of Paris under the Old Régime and well into the 19th century.
Saint-Martin de Tours, famous cathedral, burial-place of one of the most celebrated patron-saints of France. It was destroyed at the Revolution (1793); two towers only now remain. The cathedral is now St. Gatien, but the Chapter of the Order to which were entrusted the remains of St. Martin still exists. The abbé Cruchot is one of the officers of this Chapter.
Saint-Thomas, island of the Antilles, now belonging to Denmark; also a Portuguese island off the Gold Coast of Africa; also a port in Guatemala.
saintement, sacredly, piously.
la **sainteté,** sacredness.
saisir, to seize, seize upon, move; **saisi de,** possessed with; **saisi par,** carried away by.
la **saison,** season.
sale, dirty.
salé, salted.
la **salle,** hall, living-room; — **à manger,** dining-room.
le **salon,** parlor.
saluer, to salute, bow to.
le **salut,** salvation; **faire son —,** to work one's salvation.
le **samedi,** Saturday.
le **sang,** blood.
le **sang-froid,** coolness (*of mind*).
le **sanglot,** sob.
sans, sans que, without.
la **santé,** health.
satiné, smooth as satin.
satisfaire (**à**), to satisfy.
satisfaisant, satisfactory.
sauf, except for, saving.
sauf, sauve, safe.
saugrenu, absurd, ridiculous.
le **saule,** willow-tree.
Saumur, ancient town on the Loire, in Anjou. On a ridge, rising steep back of the town, is the picturesque chateau, a Protestant stronghold during the religious wars (16th century). The able governorship of Duplessis-Mornay (*le généreux Mornay*) was followed by decadence after Louis XIV revoked the Edict of Nantes. The nearest towns of size are Angers, Tours and Nantes.
la **saumure,** brine.
le **Saumurois,** the town and neighborhood of Saumur; *pl.*, the residents of Saumur.
sauter, to jump, skip about;

— **au cou de qqn,** to throw the arms around the neck of; — **aux yeux,** to be very apparent, to stare one in the face; **faire** —, to pry loose (*cause to spring off*).
sauver, to save; **se** —, to run away, take refuge (*in*).
la **saveur,** taste, flavor.
savant, knowing, weighty.
savoir, to know, know how, find out, manage to, like to; (*in the negative conditional*) could not, can not; **je ne sais quoi de,** something inexpressible.
une **scène,** scene; **éviter une** —, avoid a family squabble; **une** — **muette,** dumb-show.
un **sceptique,** skeptic, one who does not believe in a moral order in the universe.
un **schleem,** "slam," sweep of the board at cards.
scintiller, to sparkle, shine.
scrupuleux sur, scrupulous about.
scruter, to search closely, study.
sculpté, wrought, carved.
le **sculpteur,** sculptor.
sec, sèche, dry, dried up; **mettre à** —, to drain.
sèchement, drily, curtly.
secondaire, secondary.
secouer, to shake.
secourir, to help.
le **secours,** help, aid.
secret, secret.
le **secrétaire,** secretary.
secrètement, secretly.
séculaire, century-old; **trois fois** —, three centuries old.
le **séducteur,** deceiver.
séduire, to ensnare, beguile, captivate.
séduisant, alluring, charming.
le **seigneur,** lord.
le **sein,** bosom.
le **séjour (de),** stay (*in*), residence (*in*).
le **sel,** salt.
selon, according to.
la **semaine,** week; **par** —, a week, each week.
semblable, such, like.
le **semblant,** seeming; **faire** — **de,** to make a pretense of.
sembler, to seem; **ce que bon me semble,** that which seems fit to me, whatever I please.
la **semelle,** sole (*of a shoe*).
semer, to sow, scatter.
le **sens,** sense, way, meaning, direction.
sensé, intelligent, astute.
la **sensibilité,** feeling, sensitiveness.
sensible, emotional, tenderhearted, keenly felt.
sensiblement, considerably, a good deal.
sentencieusement, sententiously.
sentencieux, sententious.
le **sentiment,** feeling.
sentir, to feel, to smell, smell of, taste of, be aware; **ne sent plus rien,** has lost its flavor; **se** — **de,** to feel, to experience.
seoir à, to be becoming to.
séparer, to set apart.
Sepherd, Carl, false name assumed by Charles Grandet.
séraphique, seraphic.

le **sergent,** sergeant.
le **serin,** canary-bird.
la **serpette,** pruning-knife.
la **serre,** greenhouse.
serré, close; *pl.*, close together.
serrer, to put by, put away, store away, lock up, clasp, press, cling to, compress, close tightly, fasten; **se —**, to contract, feel a pang, to put oneself away, lock oneself up.
la **servante,** servant-girl.
le **service,** employment as servant.
servir, to serve; **à quoi donc vous sert?** what good does it do you? **— à,** to minister to, be of use to; **— de,** to serve as, to be to as; **se — de,** to make use of.
le **serviteur,** servant; **votre —!** very sorry, but —!
la **servitude,** slavery.
le **seuil,** door-sill.
seul, only, alone, mere, single.
seulement, only; **ne . . . seulement pas,** not even so much as; **sans —,** without even.
sévèrement, rigorously.
les **sévices,** *m.*, serious ill-treatment (*law term*).
sevrer, to wean.
sèvres, Sèvres porcelain.
si, if; **et —,** and what if? **— nous y allions,** suppose we went.
le **siècle,** century, age, this world.
le **siège,** seat, chair.
le **sieur,** Mr. (*old fashioned and legal*).
siffler, to hiss, whistle.
signalé, marked, conspicuous.
le **signe,** stamp, sign; **— de tête,** motion of the head.
signer, to sign; **— sa foi,** attest one's (*religious*) faith.
significatif, significant.
signifier, to mean.
silencieusement, silently.
silencieux, silent.
simple, mere; **un — emprunt,** a sheer borrowing.
la **simplicité,** artlessness.
sincèrement, sincerely.
une **sinécure,** salaried position with only nominal duties.
singulièrement, remarkably, extremely.
sinon, if not, unless, otherwise.
la **sinuosité,** curve.
la **situation,** position.
situé, situated, located.
S. M., sa Majesté.
social, -aux, social.
la **société,** society, social circle, social gathering, company.
la **sœur,** sister.
soi-disant, self-styled, would-be.
la **soie,** silk.
soigné, refined, elegant.
soigner, to take care of, care for, be mindful of, remember.
soigneusement, carefully.
le **soin,** care, duty, task, responsibility; **avoir — de,** to take care of; *pl.*, careful preparations, trouble, attentions, exertions.
le **soir,** evening, in the evening.
la **soirée,** evening, evening gathering.

soit, whether; **soit . . . soit,** either . . . or.
solder, to pay off.
le **soleil,** sun, sunshine.
solennel, solemn, melancholy.
solennellement, solemnly, ceremoniously.
la **solennité,** solemnity.
solide, strong, substantial, thick and strong, robust, real.
solidement, strongly, solidly.
solitaire, lonely.
la **solive,** joist.
solvable, solvent.
sombre, gloomy, serious.
sombrer, to founder, go down.
la **somme,** sum; **en —,** in total.
le **sommeil,** sleep.
le **son,** bran.
le **son,** sound, tone.
se **sonder,** to sound *or* probe each other.
songer, to dream, to think, entertain an idea; **— à,** dream (*of*); **songe, Eugénie,** remember, Eugenie!
sonner, to sound, strike (*of a clock*).
la **sonnette,** bell.
sonore, reverberating.
la **sonorité,** resonance.
le **sophisme,** false argument.
le **sort,** fate, lot, fortune.
la **sorte,** kind, sort; **de — que,** so that; **en — que,** so that; **de la —,** in that way.
sortir, to go out, take out; **— de,** to come out from, issue from; **au — de,** on coming out of.
sot, sotte, foolish, out of one's wits.
le sot, la sotte, fool.
la **sottise,** folly, foolishness.
le **sou,** sou, copper (*copper coin worth 5 centimes, a little less than a cent*); **pour deux —s,** two sous worth.
Souchet, Guillaume Grandet's **agent de change** (*stockbroker*), whose failure caused that of his employer.
le **souci,** anxiety; **ne prenez nul — de,** do not be at all troubled about.
se **soucier de,** to trouble *or* concern oneself about.
la **soucoupe,** saucer.
soudain, suddenly, all at once.
souffler, to blow; **— à,** to blow away from, to snatch away from, trick out of.
la **souffrance,** suffering, permission; **jour de —,** permitted window.
souffrir, to suffer.
le **souhait,** wish; **à vos —s,** according to your wishes.
souhaiter, to wish.
souiller, to soil, debase.
soulager, to console.
son **soûl,** one's fill, until one has had enough.
soulever, to raise, lift up.
le **soulier,** shoe.
soumettre, to subject, submit; **se —,** to yield.
soumis, submissive.
le **soupçon,** suspicion.
soupçonner, to suspect.
soupeser, to weigh in one's hand.
le **soupir,** sigh, gasp.
soupirer, to sigh.
sourciller, to knit one's brows, wince, move a muscle.

sourd, deaf, muffled, low.
sourire, to smile.
le **sourire,** smile.
la **souris,** mouse.
sournoisement, slyly, in a wily manner.
sous, under.
le **sous-préfet,** sub-prefect.
se **soustraire à,** to get away from.
soutenir, to sustain, support, maintain, hold up.
le **soutien,** support.
le **souvenir,** memory, remembrance; **faire — à,** to remind.
se **souvenir (de),** to remember.
souvent, often.
le **souverain,** sovereign (*king*).
la **souveraine,** sovereign (*queen*); **traiter en —,** to treat like a queen.
spécial, special; **beauté —e,** unusual type of beauty.
le **spectacle,** play (*at the theater*), scene, sight.
le **spectateur,** onlooker.
spéculateur, speculator.
spéculer sur, to speculate upon, make capital out of.
la **sphère,** sphere; **— vitale,** sphere of life.
la **splendeur,** splendor, glory.
la **spoliation,** despoiling.
la **station,** stopping-place; **— d'hiver,** winter quarters, winter resort.
le **statu quo** (*Latin*), the position in which things were before.
stipuler, to stipulate.
la **stupéfaction,** bewilderment.
stupéfait, stupefied, amazed.
stupidement, senselessly.
suave, sweet, gentle.
la **suavité,** sweetness, softness.
subir, to undergo, endure.
subitement, suddenly.
le **suc,** juice.
succéder à, to succeed to, come after, inherit from.
le **succès,** success.
la **succession,** inheritance, heritage; **une — ouverte,** which may be disposed of by will.
le **sucre,** sugar. The English having captured the French colonies during the Napoleonic wars, cane-sugar became scarce and high in France. Napoleon encouraged the new process of making sugar from beets.
sucré, sugared, sweetened.
le **sucrier,** sugar-bowl.
suer, to sweat, sweat for.
la **sueur,** perspiration.
suffire à, to be sufficient for.
suffisamment, sufficiently; **il y en a —,** there is enough.
la **suffisance,** sufficiency; **à sa —,** as much as one needs.
suffisant, sufficient, enough.
suggérer, to suggest.
le **suintement,** oozing.
la **suite,** succession; **par — de,** in consequence of.
suivant, according to.
suivre, to follow; **suivez bien,** listen carefully.
le **sujet,** subject.
la **superficie,** surface; **en —,** thinly, superficially.
superflu, superfluous.
les **supériorités,** superior qualities.
un **supplément,** supplement;

— **de payement,** extra payment.
suppliant, beseeching.
supplier, to beseech.
supporter, to carry, to bear, endure.
supprimer, to suppress.
sur, on, upon, over, out of; **quelques écus — l'argent d'épingles,** some écus out of her pin-money.
sûr, sure, certain.
la **surdité,** deafness.
surgir, to spring up.
sur-le-champ, forthwith, immediately.
surnager, to survive, hold one's ground.
le **surnom,** surname, nickname.
se **surpasser,** to outdo each other.
le **surplis,** surplice.
surprendre, to surprise.
surtout, especially, above all; **un —,** outer covering, case.
surveiller, to watch, superintend.
survivre à, to survive, outlive.
en **sus de,** over and above.
susceptible de, available for.
suspendre, to hang.
la **symétrie,** symmetry, harmony of form.
sympathique, sympathetic.
sympathiquement, sympathetically.
le **système,** system, arrangement, philosophy, rule of conduct.

T

ta, ta . . ., tut, tut. . . .
le **tabac,** tobacco; **prise de —,** pinch of snuff.
la **table de nuit,** night-table (*at head of bed*).
le **tableau,** picture, wall-space.
le **tablier,** apron.
la **tache,** spot, stain.
tâcher, to try.
le **taffetas,** taffeta (*light silk*).
la **taille,** figure, form, waist.
taillé, cut, formed; — **en,** built like.
tailler, to cut, to carve.
le **tailleur,** tailor.
taire, to remain silent about, hide; **se —,** to be silent.
le **talon,** heel.
Talleyrand, le Prince de, celebrated French diplomat, still living, at the age of 79, when *Eugênie Grandet* was written. As Minister of Foreign Affairs under the Consulate, the Empire and the Restauration, he was noted for his wit and resource, but not for his fidelity.
tandis que, while.
tanné, tanned.
tant, so much; — **que,** so long as.
la **tante,** aunt.
tantôt, presently; **tantôt . . . tantôt,** now . . . now.
le **tapage,** noise, racket.
le **tapis,** carpet; *pl.*, tapestries.
tapisser, to cover (*with carpet or rugs*).
la **tapisserie,** tapestry.
taquiner, annoy, tease.
tard, late.
tarder à, to be slow to.
tarir, to dry up, exhaust.
une **tarte aux fruits,** fruit-pie.
la **tartine,** slice of bread.

le **tas,** heap, pile.
la **tasse,** cup.
tâter, to feel at (*with the fingers*).
le **taudis,** den, wretched hole.
le **taux,** rate (*of interest*).
taxer de, to charge with being, to condemn as.
technique, technical.
le **teint,** color, complexion; **bon** —, fast color.
la **teinte,** hue.
tel, telle, such.
tellement, so, in such a way.
le **témoignage,** evidence, testimony.
témoigner, to testify, manifest, show.
le **témoin,** witness.
la **tempête,** tempest.
le **temps,** time, weather, season; **en tout** —, in all seasons; **à** —, at the right moment; **de — en** —, from time to time; **en — égaux,** at regular intervals; **en — utile,** in due time.
tenable, fit to live in.
la **tenacité,** stubbornness.
tendre, to extend, stretch, stretch out, spread, cover (*with paper*); — **le cou,** to put out one's head.
tendre, tender, gentle.
tendrement, tenderly.
la **tendresse,** tenderness.
tenez! here! look here! why!
tenir, to hold, keep, hold on to, withhold, keep back, be contained; — **compagnie à,** to keep company with; — **de** (**qqn**), to take after; **ne pas** —, to be loose; **ne — qu'à,** to depend only upon; **se** —, to cling, support oneself; **se — bien,** to hold fast, stick to it.
la **tentation** temptation.
tenter, to try, to tempt.
la **tenue,** bearing.
le **terme,** expression, word, close, end.
terminer, to finish, close, conclude.
terne, colorless, dreary.
le **terrain,** ground.
le **terrassier,** dirt-carter.
la **terre,** land, estate, earth, world, earthenware; **à** —, on the ground.
terrestre, earthly.
la **terreur,** terror.
territorial, real (*value*), in real estate.
le **testament,** will.
la **tête,** head, mind.
le **texte,** subject (*of a sermon*), sum and substance.
le **thé,** tea.
le **théâtre,** theater, stage, scene.
le **thorax,** chest.
tiens, upon my word! bless me! here, take it! here! **tiens, tiens!** here, wait a minute!
le **tiers,** third part.
le **tigre,** tiger.
timère, "momsie" (*child's abbreviation of* **petite mère**).
tirer, to draw, fire, draw out; — **la porte,** to pull the door shut; **s'en** —, to come off very well, get out of the scrape.
le **tiroir,** drawer.
le **titre,** title, voucher, certificate, coupon bond; **dans le** —, under the title.

la **toile,** linen; **— à voile,** canvas, sailcloth.
la **toilette,** dress; **une —,** a dressing-case; **en grande —,** in evening dress.
la **toise,** six-foot measure.
le **toit,** roof; **un — en colombage,** a gable-end, faced with beams and plaster.
la **tôle,** sheet-iron.
la **tombe,** tomb, grave with flat cover.
le **tombeau,** tomb, monument.
tomber, to fall, tumble, drop down.
le **ton,** tone, hue, color, tune; **donner le — à,** give the tone to; **sur tous les —s,** in all keys.
le **tonneau,** cask; **nom d'un —,** by the great horn-spoon (*or any similar oath*).
le **tonnelier,** cooper.
le **tonnerre,** thunder; **— de Dieu!** in Heaven's name!
le **torchon,** duster, dish-cloth.
tordre, to twist, wring, drain of resources.
le **tort,** wrong, injury; **avoir —,** to be in the wrong; **faire — à,** to put at a disadvantage.
tortionnaire, illegal and cruel.
tortueux, winding.
tôt, soon.
touchant, touching, moving.
toucher, to touch, draw (*money or interest*); **— à,** to damage; **air de n'y pas —,** air of pretended innocence, "as if butter wouldn't melt in his mouth."
la **touffe,** clump.
toujours, always, any day; **— assez tôt,** quite soon enough.
le **tour,** turn, journey, circuit, round; **— à —,** turn about, by turns; **un — de force,** wonderful feat, great stroke.
la **tour,** tower.
le **tourment,** torment.
tourmenter, to torture.
tourner, to turn, twirl; **— autour de,** to revolve around, to hang around.
Tours, ancient capital of *la Touraine,* on the Loire; seat of an Archbishop whose territory included Saumur, the lower Loire valley, and all Bretagne.
tousser, to cough.
la **tousserie,** coughing (*from time to time*).
tout, toute; tous, toutes, all.
I. whole, entire. 1. *adj.* **—e la ville,** the whole town; **— le monde,** everybody, **vouloir à —e force,** to absolutely insist upon; **il se sauvait à —es jambes,** he ran away as fast as his legs would carry him; **en — bien — honneur,** with the most honorable intentions; **il n'a pour — bien que . . . ,** the only thing he owns is . . . ; **pour —e réponse,** for sole reply. 2. *adv.* wholly, quite, altogether; **je suis —e malingre,** I am in very poor health; **une affaire —e judiciaire,** a purely legal piece of business; **entrer — bellement,** to come in very quietly; **parler — haut,** to speak out loud.

3. *noun*, the whole thing, the whole situation; **je prendrai — sur moi,** I'll take the whole responsibility; **pas du —,** not at all; **du —,** not at all; **après —,** after all.

II. each and every. 1. *adj.*, **en —e situation,** in every situation; **tous les matins,** every morning; **tous deux, toutes deux,** both; **il est plus horrible pour moi que pour — autre,** it is much more terrible for me than for anyone else; 2. *noun*, everything, everybody; **— était souvenir,** memories clung to every object; **je les ai tous attrapés,** I got the best of all of them.

III. special phrases: **— à coup,** all at once; **— à la fois,** at the very same moment; **— à fait,** quite, wholly, entirely; **— auprès,** close by; **— comme,** just like; **— de même,** all the same; **toutes et quantes fois,** just as many times; **— en s'informant,** learning at the same time.

toutefois, however.

le **tracas,** worry.

tracasser, to worry, cut into.

tracer, to trace, draw, write out.

une **tragédie,** tragedy; **— bourgeoise,** tragedy in middle-class life.

trahir, to betray.

la **trahison,** treachery, treason.

le **train,** rate, pace; **va bon —,** go at a good pace; **va ton —,** go your gait.

traîner, to drag, draw along.

traire, to milk.

le **trait,** feature, dash, stroke, line, outline.

la **traite,** draft, trade; **la — des nègres,** slave-trade.

le **traitement,** usage.

traiter, to treat.

la **trame,** plot.

le **tranchant,** edge (*of a knife, etc*).

trancher, to cut, decide.

tranquille, quiet, calm, cool, easy in one's mind; **sois —,** never mind!

tranquillement, quietly, calmly, comfortably, in peace.

transiger, to come to a compromise.

transporter, to carry, convey, carry across.

transversal, transverse, cross.

transmuter, to change.

trapu, thick-set, stocky.

le **travail,** work, labor, workmanship.

travaillé, carved, wrought, tormented.

travailler, to work.

une **travailleuse,** work-table.

à **travers,** across, through, among; **de** *or* **en —,** crosswise, askance.

la **traversée,** voyage.

traverser, to go through, *or* across.

trembler, to flutter, quiver.

tremper, to dip, soak.

trépigner, to stamp one's feet.

très, very.

le **trésor,** treasure, treasury.

tressaillir, to give a start, feel a thrill, be susceptible.

tribouiller, vex, trouble.
le **tribunal,** court; — **de première instance,** court of primary jurisdiction. There is one in each **arrondissement,** as organized by Napoleon I.
le **tricot,** knitting.
tricoter, to knit.
trifouiller, to stir up, trouble.
triomphalement, triumphantly.
triompher de, to triumph over.
un **tripotage,** piece of jobbery, low intrigue.
triste, sad.
tristement, sadly.
la **tristesse,** sadness.
tromper, to deceive, beguile, divert; **se** —, to be mistaken; **se — à,** to be mistaken about.
le **tronc,** trunk (*of a tree*).
trop, too, too much, very, very much; **sans — savoir,** hardly knowing.
un **trop-plein,** excess, overflow.
trotter, to run hither and thither.
le **trou,** hole.
le **trouble,** tumult, agitation.
troubler, to disturb.
troué, full of holes.
le **troupier,** trooper, soldier.
trouver, to find, consider; **le trouves-tu bien?** do you think him handsome? **se** —, to be, chance to be, to find oneself; **il se trouve,** there is, there are.
truffé, stuffed with truffles.
une **truisse,** tree whose branches are cut or broken off, from time to time, for firewood. (*Word current in Touraine*).
tudieu! by Gad! (*shortened from* **vertu Dieu**).
tuer, to kill.
à tue-tête, in a head-splitting manner.
tumultueux, tumultuous.
la **tutelle,** guardianship.
le **type,** type, embodiment.
tyranniser, to tryannize over.

U

ultérieur, ulterior, for the future.
unique, only.
unir, to unite.
universellement, universally.
urbain, belonging to a city.
l'**universalité,** whole, sum total.
l'**usage,** *m.*, use, wear, usage, custom; **bague d'**—, ring for common wear.
usé, worn, threadbare.
user, to use, wear out; — **de,** to make use of; **s'**—, to wear out, exhaust oneself (*itself*).
un **ustensile,** implement.
l'**usufruit,** *m.*, usufruct (*income during life*).
usuraire, bearing interest; **placement** —, investment.
l'**usure,** *f.*, usury, interest; **faire l'**—, to lend money at illegally high rates of interest.
utile, useful; **en temps** —, in due time.

V

va! go! go ahead! believe me!
un **va-nu-pieds,** beggar.
la **vache,** cow.
vague, vague, random.
vaguement, vaguelv.

vaincre, to conquer, overcome.
vainement, vainly.
le **vaisseau,** vessel, ship.
la **vaisselle,** the dishes.
la **valeur,** value, full meaning; *pl.*, securities, certificates.
valoir, to be worth; **lui valaient le surnom,** won for him the nickname; — **bien,** to be quite as good as; — **mieux,** to be better worth while; — **plus cher,** to be dearer.
vaniteux, vainglorious.
vaniteusement, vaingloriously, with vanity.
vanter, to praise, vaunt, extol.
varier, to alter, make different.
la **variété,** variety.
je vas *for* **je vais.**
le **veau,** calf.
la veille, previous evening, day [before.
veiller, to lie awake, watch, watch over; **veillez à,** be sure to.
veiné, marked by veins.
une **velléité,** slight desire *or* inclination.
le **velours,** velvet.
velouté, soft, delicate.
le **velouté,** velvety softness.
la **vendange,** vintage.
vendanger, to gather grapes.
le **vendangeur,** grape-gatherer.
vendre, to sell; **se —,** be sold.
venir, to come; — **à,** (*followed by infinitive*) to happen to; — **de,** (*followed by infinitive*) to have just (*done the specified thing*); **faire —,** to order, have sent.
le **Venite, adoremus** (*Latin*) "O come, let us worship" (Ps. xcv, 6) in musical setting.
le **vent,** wind; **le — est à,** the wind favors.
la **vente,** sale; **en —,** on sale.
le **ventre,** abdomen.
venu, un nouveau —, a newcomer.
Vénus de Milo, celebrated statue, now in the Louvre, Paris.
les **vêpres,** vespers.
le **ver,** worm; **tirez-lui les —s du nez,** question her skilfully, worm her secret out of her.
verdâtre, greenish, of a greenish hue.
véritable, real.
véritablement, genuinely, truly, in reality.
la **vérité,** truth.
en **vermeil,** silver-gilt.
vermoulu, worm-eaten.
verni, japanned.
vernisser, to varnish.
vérole, la petite —, small-pox.
le **verre,** glass.
verrouiller, to bolt.
la **verrue,** wart.
vers, towards.
verser, to empty, pour, pour out, shed.
vert, green.
la **vertu,** virtue.
vertueux, virtuous.
le **vestige,** trace.
le **vêtement,** garment; ***pl.,*** clothes, dress.
vêtir, to clothe, dress.
la **vétusté,** old age.
le **veuf,** widower.
la **veuve,** widow.

viager, rente viagère, endowment for life.
la **viande,** meat.
vide, empty.
vider, to empty, clear.
la **vie,** life; **de ma —,** in my life.
le **vieillard,** old man.
la **vieillesse,** old age.
vieillir, to age, grow older.
la **Vierge,** virgin; (*as adj.*) unsoiled.
vieux, vieil, vieille, old, ancient; **la vieille,** old lady; **vieille fille,** old maid.
vif, vive, vivid, lively, bright, clear-cut, severe (*frost*).
la **vigne,** vine, vineyard.
le **vigneron,** vine-dresser, vine-grower.
le **vignoble,** large vineyard.
vigoureusement, vigorously.
vigoureux, staunch.
la **vigueur,** force, vigor; **être en —,** to be in force.
vil, vile, low; **à — prix,** under price, "dirt cheap."
vilain, ugly, bad, wicked.
la **ville,** town, city; **la — de province,** country town.
le **vin,** wine.
une **vingtaine,** sum of twenty.
violemment, violently.
le **visage,** face, countenance, look, appearance.
vis-à-vis, face to face with, opposite; **— votre fille,** with reference to your daughter. (*vis-à-vis* **de** *qqn is the modern construction*); **le —,** person opposite.
la **visite,** call; **faire sa — à,** to pay one's respects to.
le **visiteur,** visitor.
vite, quickly.
le **vitrage,** glass-windows.
le **vitrail** (*pl.*-**aux**), church-window, stained-glass window.
la **vivacité,** ardor, animation, zest.
vive! long live! hurrah for!
vivement, in a lively manner, energetically, keenly, deeply, quickly.
vivifiant, life-giving.
vivre, to live, to fare; *pl.*, things to eat, provisions, food.
le **vœu,** wish, prayer, vow.
voguer, to sail, be wafted.
voici, here is.
la **voie,** way, path, road.
voilà, there is, there are, that is, such is; **— bien les femmes,** that's just like women; **ne — t-il pas que,** don't you see that?
le **voile,** veil.
la **voile,** sail.
voir, to see, look at, see to, examine into; **nous verrons cela,** we shall see about that; **— à,** to look after, attend to, see into; **se —,** to be seen; **se — à peine,** to be scarcely visible; **vu son âge,** considering her age.
la **voirie,** common sewer.
voisin, neighboring; **le —,** neighbor.
le **voisinage,** neighborhood.
la **voiture,** carriage, conveyance.
la **voix,** voice; **avoir toute la — de,** to speak exactly like.

le **vol,** theft.
une **volaille,** fowl.
voler, to rob, steal.
le **volet,** shutter.
le **voleur,** robber; — **de grands chemins,** highway robber.
la **volige,** thin board.
la **volonté,** will, caprice.
volontiers, gladly, willingly.
le **voltigeur,** light-infantry soldier.
vouloir, to wish, be willing, want to, start to, like to, will, require, intend, expect; **que voulez-vous?** what would you have? what would you expect! **veux-tu bien?** will you please? **veuillez,** be so kind; — **de,** to wish for, wish to have; — **dire,** to mean; **en — à qqch,** to have designs on.
la **voûte,** arch (*over window*), vaulted passage.
le **voyage,** travel, journey; **bon —!** Good-bye and a safe journey!
voyager, to travel.
le **voyageur,** traveler; **la prière des —s,** the prayer for travelers.
voyons! let us see! come!
vrai, true, genuine, real; **au plus —,** in exact figures.
vraiment, truly, really.
vraisemblable, likely, probable.
la **vue,** sight, view, forecast.
vulgaire, common.
les **vulgaires,** the common people.

Y

y, there, in it, in them, to it; **il — a,** there is, there are.
les **yeux,** eyes; **aux — de,** in the presence of.